EL VITRAL

Pere Valldepérez

colección artes y oficios

EL VITRAL

El vitral

Dirección editorial:
María Fernanda Canal

Auxiliar de edición:
Eva Bargalló

Textos:
Pere Valldepérez

Realización de los ejercicios:
Pere Valldepérez

Diseño de la colección:
Josep Guasch

Maquetación y compaginación:
Josep Guasch

Fotografías:
Gabriel Serra.
También han colaborado en el capítulo "Historia del vitral": Lluís Borràs, Pere Valldepérez y Lola Donaire.

Archivo ilustración:
Mª Carmen Ramos

Quinta edición: marzo 2010

Rosselló i Porcel, 21, 9ª planta
08016 Barcelona (España)

Empresa del Grupo Norma
de América Latina

www.parramon.com

Dirección de producción:
Rafael Marfil
ISBN: 978-84-342-1763-8
Depósito legal: NA-284-2010
Impreso en España

Sum

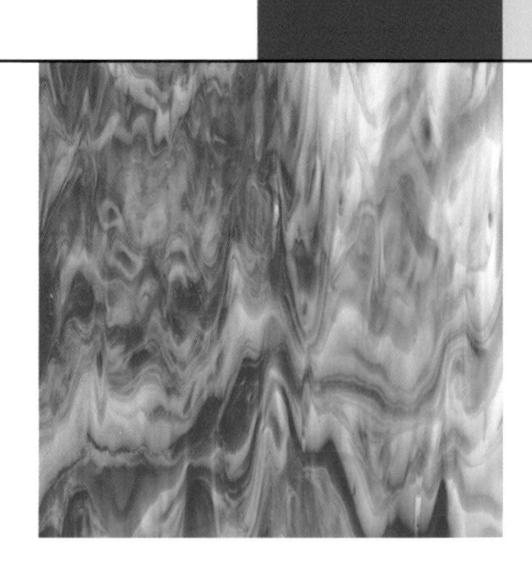

ario

Introducción

El siguiente volumen ha sido concebido a la vez como un instrumento de consulta donde encontrar todo lo referente a la historia, los materiales, las herramientas y las técnicas más habituales de ejecución de un vitral, y como un libro para leer, conocer y amar el arte de los vitralistas, cuyas realizaciones transforman la luz y el color de los espacios interiores convirtiéndolos en lugares mágicos donde recrear los sentidos y el espíritu.

Es por todo ello que esta obra ha sido estructurada en tres grandes partes.

La primera, dedicada a la historia del vitral, recoge los principales hitos de este arte desde sus orígenes en la Edad Media hasta el momento actual, que, gracias a la labor protagonizada por grandes maestros, se caracteriza por una intensa creatividad técnica y artística.

La segunda parte se divide, a su vez, en tres apartados. En el primero se ofrece toda la información relativa a los materiales (el vidrio, la grisalla, el plomo, la masilla...) y las herramientas (de corte, de montaje...). El segundo está dedicado a la descripción de los aspectos técnicos, desde la elaboración del proyecto hasta la aplicación de pátinas. El tercer apartado consta de varios ejercicios prácticos que pretenden mostrar al lector la ejecución de distintos tipos de vitral desde el principio al fin.

La tercera parte brinda la oportunidad al lector de familiarizarse con los procesos más habituales de restauración, así como conocer paso a paso dos intervenciones llevadas a cabo por el restaurador en sendos vitrales.

Toda esta información se completa con un amplio glosario en el que se definen aquellos conceptos cuyo significado, por su especificidad, no suele aparecer en los diccionarios generales.

Asimismo, para aquellos lectores que deseen ampliar sus conocimientos sobre un aspecto concreto, se incluye una extensa bibliografía sobre el tema que les servirá de guía y pauta.

Por último, es deseo del autor aclarar que la elección de los términos *vitralista* y *vitral* para designar, respectivamente, a la persona que manipula el vidrio con fines artísticos y funcionales y la obra de arte salida de sus manos, se debe diferenciar en relación con los términos *vidriero* –persona que trabaja el vidrio común– y *vidriera* –bastidor con vidrios con que se cierran puertas y ventanas.

No debe olvidarse que el principal instrumento de trabajo del vitralista son sus manos, capaces de plasmar en el vidrio una idea, un proyecto o un sueño. Además, el autor está plenamente convencido de que la creación y ortodoxia no son buenas compañeras, puesto que para crear es necesario transgredir la norma, es decir, experimentar. Sin embargo, la técnica, el conocimiento de los materiales y la aplicación de las herramientas adecuadas son necesarios para ejecutar los diseños con maestría y calidad. Tal como dijo Leonardo da Vinci:

Los que se enamoran de la práctica sin ciencia son como navegantes que entran en el barco sin timón ni brújula y no tienen jamás la certeza de a dónde se dirigen. Siempre la práctica ha de estar fundamentada en la teoría...

Pere Valldepérez, nacido en Jesús-Tortosa (Tarragona, España) en 1946, es vitralista y restaurador de vitrales. Cursó sus estudios en la Escuela Massana de Barcelona. Tras la obtención de diversos premios de ámbito nacional e internacional, estableció su taller en el año 1975 en la misma ciudad que estudió. Desde 1989 es profesor de la Escuela Massana.

De su ingente obra cabe destacar el diseño de un conjunto de 130 metros cuadrados de vidrio grabado al ácido para el Salón Gaudí del aeropuerto de Barcelona, proyectado por el arquitecto Óscar Tusquets, la realización de tres vitrales, con técnica de colage, diseñados por el pintor Ángel Jové para la Universidad de Lleida, y la lámpara-claraboya de 200 metros cuadrados para el auditorio de Las Palmas de Gran Canaria, también de Óscar Tusquets. Países tan lejanos de su lugar de nacimiento como Zaire y Japón, son receptores de parte de su obra.

Asimismo, su labor en el campo de la restauración ha dejado huella no sólo en Barcelona –Palau de la Música Catalana, basílica de Santa Maria del Mar, etc.–, sino también en otros lugares de España (Tarragona, Xativa, Arucas, etc).

El libro *Pere Valldepérez. Vidres, llum i color,* publicado en 1997, recoge una amplia selección de su obra creativa y restauradora.

Historia del vitral

En este capítulo se ofrece un breve resumen de la historia de la realización y el uso del vitral, también llamado vidriera, a través de los siglos. La utilización de vidrios como cierre traslúcido de las ventanas u otros huecos ya se practicaba en la antigüedad. Se han encontrado fragmentos de vidrios en Pompeya, Herculano, Roma y en otras ciudades del Imperio romano.

No obstante, el gran desarrollo de este arte, cuyos antecedentes más próximos desde el punto de vista técnico son el mosaico y los esmaltes alveolados, se inició con la aparición del cristianismo y evolucionó, sobre todo, durante los períodos románico y gótico. En los siglos XIX y XX, tras sufrir un largo período de decadencia, volvió a emerger con fuerza y hoy día es una de las artes más vivas y renovadoras del panorama artístico.

La técnica de realizar los vitrales, que permaneció invariable hasta el siglo XII, está recogida en la *Diversarum artium schedula,* del monje Teófilo, donde se describe con gran minuciosidad el proceso y la forma de construir vitrales, hornos y crisoles. Las limaduras de hierro y su óxido se aplicaban sobre el vidrio para crear dibujos. Una vez seca la pasta, se cubrían los vidrios con cal y se colocaban en un horno de leña, para hornearlos a una temperatura que no alcanzara el punto de fusión. La masilla, aplicada en las junturas entre el vidrio y el plomo para impedir que el agua de lluvia penetre en el interior, se elaboraba con cenizas y aceite de linaza.

En los siglos XIX y XX, con la aparición de nuevos materiales y el desarrollo tecnológico, el proceso de realización del vitral varió sensiblemente. Sin embargo, los grandes artesanos siguen aplicando todas aquellas técnicas del pasado que las máquinas y los nuevos sistemas de fabricación no han logrado reproducir ni superar.

DAVID·REX·

Prerrománico y Románico

Prerrománico

Los primeros vitrales artísticos conservados datan del período carolingio. Éstos no se relacionan con la arquitectura, sino con las artes suntuarias y más concretamente con la orfebrería. El más antiguo hasta hoy hallado se encuentra en el cementerio francés de Séry-lès-Mézieres; se cree que formaba parte de un relicario. Está formado por diversas piezas de vidrio, todas ellas unidas con plomo, que representan una cruz con adornos florales en los lados, y las letras alfa y omega flanqueándola.

En las excavaciones realizadas en 1932, en la abadía de Lorsch, en el estado de Hesse, Alemania, se encontró un pequeño vitral muy fragmentado, donde aparece la cabeza de Cristo; se cree que es de finales del siglo IX o principios del X. Otra cabeza de Cristo, del siglo IX, procedente de la iglesia abacial de Wissembourg, Alsacia, es la imagen más antigua de Cristo conservada intacta en una vidriera.

Estos restos tienen una gran semejanza estilística, y pueden considerarse las primeras muestras de vitral figurativo occidental. Su estudio confirma los distintos procedimientos técnicos descritos por Teófilo. La forma de aplicar la grisalla, con trazos gruesos, casi grotescos, dispuestos en la parte de los ojos, cabellos y barba, lo mismo que la veladura ocre que modela las sombras en unión del perfilado, han perdurado hasta la actualidad.

◄ Fragmento de vitral del siglo IX con la representación de la cabeza de Cristo, procedente de la iglesia abacial de Wissembourg, en Alsacia. Obsérvense los rasgos perfilados con grisalla, característicos del incipiente estilo románico. Actualmente, esta pieza se halla conservada en el museo de Oeuvre Notre-Dame de Estrasburgo, Francia.

▲ Vitrales que integran los tres ventanales situados debajo del rosetón de la fachada occidental de la catedral de Chartres, Francia, realizados entre 1145 y 1155. De izquierda a derecha, la Pasión, la Infancia de Cristo y el Árbol de Jesé.

Románico

En los siglos XI, XII y parte del XIII se desarrolló en Europa el estilo románico. Los grandes y espesos muros de las iglesias ostentaban pequeñas aberturas a través de las cuales pasaba la luz. Cuando se trataba de iglesias importantes o catedrales, estas aberturas eran protegidas con vitrales, que recibieron una fuerte influencia, tanto desde el punto de vista estilístico como iconográfico, de la miniatura. Los tipos de vidrieras más habituales en esta etapa son los de medallón y los que representan a personajes.

En los medallones se reproducían escenas bíblicas, de la vida de los santos y acontecimientos populares y cotidianos. Estos medallones podían ser redondos, ovalados o cuadrados, rodeados por una estructura de hierro. Las cenefas que siguen el perímetro del medallón cumplían una función ornamental, pero también práctica, para adaptar la vidriera al tamaño de la abertura y para proteger los vidrios interiores, que normalmente representaban escenas y, por tanto, eran más difíciles de sustituir. Por lo general, estas cenefas están formadas por motivos florales o lineales de distintos colores y ocupan una sexta parte del ancho del vidrio.

En los vitrales dedicados a un solo personaje, la figura acostumbra a ser de tamaño monumental y tiene los rasgos muy marcados; se solían colocar en las ventanas del triforio.

Francia fue una de las regiones europeas que desempeñó un papel más relevante por lo que se refiere al desarrollo del Románico. Los vitrales más importantes de este estilo de Francia se hallan emplazados en las zonas de Le Mans y Poitiers. Todos ellos muestran una cronología avanzada dentro del Románico y participan de las mismas influencias estilísticas.

La catedral de Le Mans alberga uno de los conjuntos de vitrales más importantes de la época: la escena de la Ascensión de Cristo, desarrollada en cuatro paneles y realizada en 1145. La figura de la Virgen preside el conjunto y está flanqueada por tres apóstoles a cada lado. Cabe destacar el dominio de la técnica y la soltura con que el artista supo combinar los colores del fondo con los de las vestimentas.

Los vitrales de la catedral de Poitiers, ejecutados en 1162, presentan una gran homogeneidad, lo cual lleva a pensar que son obra de un mismo taller o pertenecen a una misma escuela, que concebía y efectuaba sus obras con un sentido y una metodología propios. De todo el conjunto cabe destacar, por su belleza y perfección técnica, la escena de la Crucifixión, completada en la parte superior por la Ascensión de Cristo y en la inferior por la Muerte de san Pedro.

Sin embargo, es en Saint-Denis y en Chartres donde el vitral adquiere naturaleza propia al integrarse en la arquitectura emergente, siendo considerado como elemento de primer orden por los arquitectos en sus construcciones. La figura del abad Suger de Saint-Denis fue muy importante por la innovación estilística que protagonizó, introduciendo elementos que presagiaban la llegada del Gótico.

La catedral de Chartres ostenta tres vitrales –el Árbol de Jesé, la Infancia de Cristo y la Pasión de Cristo–, realizados entre 1145 y 1155, que presentan una acusada influencia de los de la abadía de Saint-Denis, que desgraciadamente han desaparecido en su mayoría y los que restan fueron sometidos a una restauración a mediados del siglo XIX o están esparcidos en distintas iglesias y colecciones privadas. Las figuras de Chartres han dejado atrás el hieratismo propio del Románico y han adquirido movilidad y expresividad. En la misma catedral se puede contemplar el hermoso vitral de Notre-Dame de la Belle Verrière (Nuestra Señora de la Bella Vidriera), ejecutado hacia 1150. Se trata de una obra singular, de la cual sólo los cuatro paneles de la parte central, ocupados por la Virgen y el Niño, pertenecen a esa fecha; los ángeles que rodean a la Virgen fueron añadidos en el siglo XIII. Desde una perspectiva técnica, este vitral sintetiza todo el conocimiento francés del vitral del siglo XII, con sus incomparables rojos y azules y el vigor que le proporcionan los trazos realizados con grisalla.

En **Alemania** se conservan los vitrales más antiguos preservados enteramente: los vitrales de la catedral de Augsburgo denominados de los cinco profetas, porque representan a los profetas del Antiguo Testamento David, Moisés, Daniel, Oseas y Jonás. Las figuras rebasan los dos metros de altura. Fueron realizados a finales del siglo XI en el taller de la abadía de Tagernsee, cuyas creaciones se encuentran por todo Baviera.

En **Inglaterra,** la catedral de York alberga la vidriera más antigua de Inglaterra, un fragmento que corresponde a la representación del Árbol de Jesé, o árbol genealógico de cristo, datado de mediados del siglo XII.

Los vitrales correspondientes al siglo XII de la catedral de Canterbury fueron ejecutados con gran maestría. El rosetón norte, que presenta a Moisés sosteniendo las Tablas de la Ley, fue acabado en 1178. Las vidrieras que representan la genealogía de Cristo destacan por su hermosura y brillantez.

En **España** no quedan restos de vitrales de época románica. Tan sólo cabe hablar de algunas muestras pertenecientes al período cisterciense. El orden del císter, que se caracterizaba por su defensa de la simplicidad y la austeridad de las formas, sólo admitía ornamentaciones geométricas en los vitrales y el vidrio empleado era en su mayoría incoloro, con algún toque de rojo, amarillo y verde.

▲ Detalle del Árbol de Jesé de los vitrales románicos de la catedral de Chartres, Francia, datados entre 1145 y 1155. Sólo una de las veinticuatro cabezas que aparecen en el vitral es original de la época.

◄ Vitrales románicos de la catedral de Augsburgo, en Alemania, que representan a los profetas Daniel, Oseas, David y Jonás. En ellos se puede apreciar el hieratismo típico de las figuras románicas y el uso del color para definir las vestiduras. Son los vitrales más antiguos del mundo que se conservan íntegros.

Gótico

La osadía de la arquitectura gótica, que ideó grandes y hermosas capillas, iglesias y catedrales, sustituyendo los gruesos y pesados muros románicos por otros más ligeros, la bóveda de cañón por la de crucería y los contrafuertes por arbotantes, permitió la abertura de amplios ventanales. De este modo, los vitrales cobraron un mayor protagonismo, sirviendo a la vez de protección, soporte iconográfico y tamiz de la luz que iluminaba el interior de los templos. Asimismo, los vitrales se erigieron en fieles testigos de la evolución estilística e iconográfica de este período, con lo cual su relevancia es todavía mayor y se puede equiparar a la de las otras artes, como la pintura, la miniatura o la escultura.

El siglo XIV, que desde el punto de vista estilístico se acerca cada vez más a las soluciones renacentistas, supuso, desde una perspectiva técnica, un gran avance, gracias a una serie de descubrimientos que hicieron evolucionar el arte de los vitralistas. Uno de ellos, el amarillo de plata, revolucionó la técnica; al poder pintarse el vidrio con diferentes tonos de amarillo se suprimieron algunos plomos y la pieza de vidrio aumentó de tamaño, adquiriendo un cromatismo más rico. Otra innovación fue el uso de vidrio plaqué o vidrio doblado, que consiste en cubrir un vidrio de color con otro (cuando está todavía fundido), con lo que se obtiene mayor luminosidad y cromatismo. Hacia 1380, se introdujo una nueva técnica: el puntillado con grisalla.

Francia es el país que alberga los vitrales más importantes de la época. Los conjuntos de la catedral de Chartres y de la Sainte-Chapelle, en París, destacan, no sólo por su belleza y perfección técnica, sino porque representan dos momentos distintos. Su influjo alcanzó a obras coetáneas y posteriores.

▲ Rosetón de la capilla superior de la Sainte-Chapelle. Concebida para albergar la reliquia de la Santa Cruz, está compuesta por más de mil medallones y paneles de vidrio.

Después de un incendio producido en 1194, Chartres inició la reconstrucción de su catedral. Varios talleres de vitralistas recibieron el encargo de ejecutar los más de 170 vitrales que cubren una superficie de unos 2.000 m². Esta magna obra se pudo llevar a cabo gracias al dinero recibido por numerosos donantes, los cuales aparecen representados en medallones. Del impresionante conjunto, cabe destacar el rosetón norte, conocido como Rosetón de Francia, que ostenta una flor de lis dorada, y el vitral del Zodíaco, que narra las labores relativas a cada mes del año, a excepción del de enero, que está representado por un hombre de tres cabezas, simbolizando el pasado, el presente y el futuro.

La Sainte-Chapelle, construida entre 1243 y 1248 con el fin de guardar las reliquias de la Pasión, fue diseñada como un relicario de vidrio. Los vitrales, de unos 15 metros de altura, ocupan la mayor parte de las paredes de la capilla superior; están enmarcados por ventanas de arco apuntado que presentan un fino trabajo de tracería y se integran plenamente a la arquitectura. El magistral uso de los colores azules y rojos, además de una amplia gama de matices de tonos púrpuras, amarillos y verdes oscuros, es fortalecido por una línea de dibujo ágil, que imprime movimiento a las figuras. El uso de la grisalla, como si se tratara de acuarela, resta rigidez al dibujo. Las escenas están contenidas en medallones y las figuras fueron concebidas a escala del edificio. El resultado es impresionante; la luz, tamizada por los distintos vidrios de colores, transforma el espacio interior, confiriéndole una apariencia irreal, casi sobrenatural.

◀ Los vitrales de la Sainte-Chapelle, en París, Francia, presentan escenas del Antiguo Testamento y la vida de Jesús, san Juan Bautista y san Juan Evangelista.

Los vitrales de la catedral de Notre-Dame, en París, están profundamente influidos por los de la Sainte-Chapelle. Los rosetones norte y sur fueron ejecutados con gran maestría. El primero, de mediados del siglo XIII, representa en el centro a la Virgen en el trono con el Niño, rodeada de unos ochenta sacerdotes, jueces y reyes del Antiguo Testamento. El sur, terminado diez años después, está dedicado a Cristo, acompañado de los apóstoles, santos y ángeles.

En el siglo XIV el empleo de grisalla se generalizó. Los talleres más importantes de vitralistas se hallaban en la región de Normandía. A pesar de que la calidad de las obras no superó a las del siglo anterior, se realizaron vitrales muy interesantes, como los de la catedral de Evreux y los de la iglesia abacial de Saint-Quen, en Ruán. En ellos se puede observar el cambio de estilo, propio de un gótico más evolucionado: mayor movimiento y estilización de las figuras y espacio enmarcado por una arquitectura que con el paso del tiempo cobra mayor relieve. El uso frecuente del amarillo de plata es característico de esta etapa y esta región.

De los conjuntos góticos conservados en **Alemania,** cabe prestar especial atención a los vitrales más antiguos de la catedral de Colonia, que datan de mediados del siglo XIII. De más de 13 metros de altura, están divididos en once paneles. Desde el punto de vista semántico, las escenas del Antiguo y el Nuevo Testamento guardan relación. Así, a modo de ejemplo, la escena de Jonás devuelto a la playa es una prefiguración de la Resurrección de Jesús, y la de la reina de Saba ofreciendo presentes a Salomón lo es de la Epifanía. Asimismo, la catedral de Marburgo alberga unos interesantes vitrales que representan escenas de la vida de santa Isabel.

Los más importantes vitrales alemanes del siglo XIV son los de la catedral de Esslingen, los de Heiligkreuztal, de influencia italiana, y los de san Juan, de la catedral de Colonia.

El conjunto de vitrales góticos más importante de **Inglaterra** se encuentra en la catedral de Canterbury. Su análisis hace patente la relación con los vitrales franceses. El vitral que ilustra el martirio de santa Catalina, en la iglesia de West Horseley, es un claro exponente del vitral autóctono. Sus figuras son muy expresivas y estilizadas.

En **Italia**, los vitrales de la basílica superior de San Francisco de Asís, del siglo XIII, denotan una fuerte influencia germánica, sobre todo por lo que se refiere al uso de los colores. Las escenas que decoran las paredes del templo forman parte del ciclo iconográfico de la vida de la Virgen y Jesús.

La falta de maestros especializados en este arte en Italia promovió la colaboración del artista pintor con los talleres artesanos ejecutores. Paradigmático es el caso de la catedral de Siena, que alberga un vitral, con las escenas de la Muerte y Coronación de la Virgen, cuyo cartón es atribuido a Duccio.

En el siglo XIV los pintores florentinos y sieneses introdujeron la perspectiva en el vitral y, con ella, la volumetría y la proporción. Los vitrales de la basílica de San Francisco, en Asís, y los de la Santa Croce, en Florencia, son claras muestras de estos avances técnicos.

En **España** cabe citar, por su belleza, los vitrales del siglo XIII de la catedral de León. Por lo que se refiere a las muestras ejecutadas ya en el siglo XIV, el bello rosetón de la puerta de la Chapinería, en la catedral de Toledo, denota una clara influencia francesa. La influencia italiana se hace patente en los conjuntos de Girona y Tarragona.

◀ Vitrales del rosetón sur de la catedral de Notre-Dame, en París, Francia, que representan a Cristo acompañado de los apóstoles, santos y ángeles.

▲ Detalle de un vitral del presbiterio (ventanal alto) de la catedral de León, España.

▼ Vitral *La Virgen del Dado,* diseñado por Nicolás Francés y realizado por Anequin, un ejemplo del gótico internacional que se prolongó hasta mediados del siglo XV con la obra de Nicolás Francés.

El Renacimiento

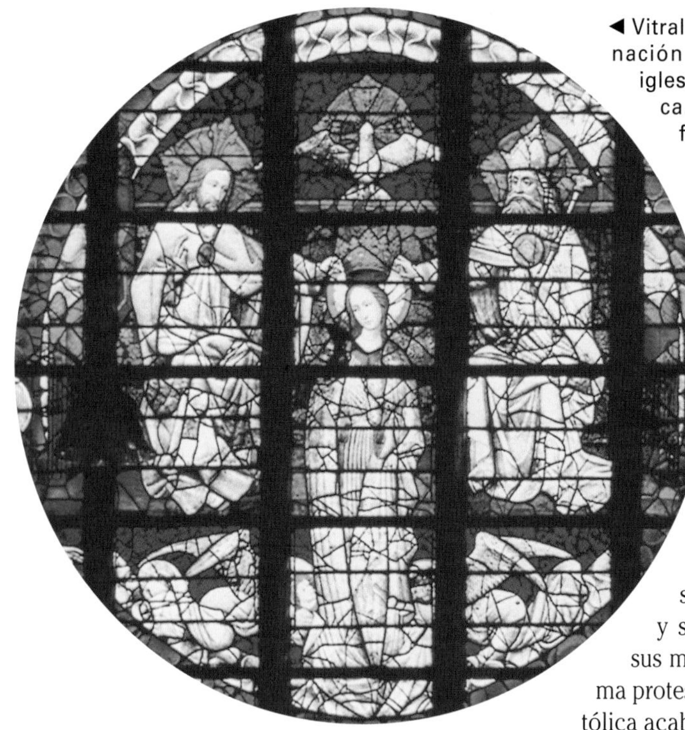

◀ Vitral con la representación de la Coronación de la Virgen, conservado en la iglesia de San Gomario, en Lier, Bélgica. De esta pieza, que denota la influencia de los pintores flamencos, cabe destacar el movimiento de los drapeados y la expresividad de los rostros.

El siglo XV, primer período del Renacimiento, fue una etapa de transición. Mientras en algunas zonas todavía se realizaban obras siguiendo los parámetros del Gótico, ya sea de estilo flamenco o italianizante, o se adoptaban las formas del estilo internacional, en otras ya se ensayaban las nuevas fórmulas renacentistas, que llegaron a su punto álgido en el siguiente siglo.

En el siglo XV despuntó el vitral flamenco, íntimamente ligado a la pintura. En este sentido, cabe destacar la influencia de pintores como Van Eyck o Van der Weyden.

En este siglo el número de ventanales y escenas decreció y se dio mayor relieve a la grandiosidad y al estudio de la figura humana. La profusión de grisallas y el empleo de amarillo de plata con fondos damasquinados son algunas de sus principales características técnicas.

Aunque ya en el siglo XV se empezó a cuestionar la presencia de vitrales en las iglesias, puesto que los fieles se distraían en su contemplación, durante las primeras décadas del siglo XVI éstos siguieron floreciendo a expensas de la arquitectura gótica religiosa. Sin embargo, en Italia ya se alzaban edificios civiles y religiosos que correspondían a una nueva estética, la renacentista, cuyo principal rasgo era la recuperación del pasado clásico. Esta transformación del espacio arquitectónico afectaba al concepto de interior, que ahora se prefería diáfano, tanto en las iglesias como en las viviendas y edificios civiles. El ser humano había pasado a ser el centro del universo y los edificios se concebían a su escala. Como consecuencia de todo ello, a partir de mediados del siglo XVI, la labor de los talleres de vitrales disminuyó; sólo los talleres flamencos mantuvieron durante un tiempo su prestigio, aportando nuevas ideas y siendo requerida la presencia de sus maestros en toda Europa. La Reforma protestante y, más tarde, la Reforma católica acabaron de asestar el golpe final a la decoración con vitrales en las iglesias.

Por lo que se refiere a la técnica, ésta también sufrió una profunda transformación. Los vitrales se convirtieron en una especialidad de los pintores, que disimularon el emplomado y aumentaron las dimensiones de los vidrios; asimismo, la gama de colores se aclaró y se acentuó el uso de tonos obtenidos en la mufla, haciendo el vitral más luminoso. Los trazos vigorosos realizados con grisalla fueron reducidos a perfiles, y el modelado se conseguía con veladuras progresivas. También se incorporó la perspectiva, infundiendo una mayor profundidad a la composición.

En **Flandes,** los vitrales de la catedral de Tournai, en Bélgica, constituyen un buen ejemplo del arte creado en los talleres de los vitralistas flamencos del siglo XV, a pesar de que su estilo es todavía gótico. En ellos, las escenas de temática histórica sustituyen a las religiosas. Los vitrales de la iglesia de San Gomario, en Lier, reflejan el cambio de mentalidad, evolucionando hacia supuestos más propios del Renacimiento que del Gótico. El vitral de Carlos V de la catedral de Bruselas, realizado en 1537 por Bernard van Orley, es ya plenamente renacentista.

Durante el siglo XV **Francia** fue receptora de las ideas, las formas y los estilos que se generaban en estas otras zonas de la geografía europea. Un buen ejemplo de ello lo constituye un vitral de la catedral de Bourges, que denota una clara influencia flamenca y cuyo autor aplicó por primera vez la técnica del vidrio plaqué.

En Francia, durante el siglo XVI la influencia flamenca dio un nuevo impulso al vitral. Destacan nombres como los de Arnoult de Nimègue, que trabajó sobre todo en Ruán y adoptó elementos renacentistas en sus composiciones, y los hermanos Le Prince (Engrand, Jean, Nicolas y Pierre), cuyo taller estaba en Beauvais y también trabajaron en Ruán.

En **Alemania** hubo artistas muy notables, como Hans Acker, a cuyo talento se deben los vitrales de la pequeña capilla Besserer, de la catedral de Ulm, que ilustran escenas bíblicas. Sin embargo, la mayor parte de los vitrales alemanes del siglo XV salieron de las manos de los artistas que trabajaron en el taller dirigido por Hemmel von Andlau, en la ciudad de Estrasburgo. Catedrales como las de Augsburgo, Munich, Tubinga, Salzburgo, Friburgo, Frankfurt o Metz albergaron sus creaciones.

▶ Escenificación del Árbol de Jesé, realizada por Engrand Le Prince para la iglesia de Saint-Etienne, en Beauvais, Francia. Obsérvese el uso del amarillo de plata en la composición.

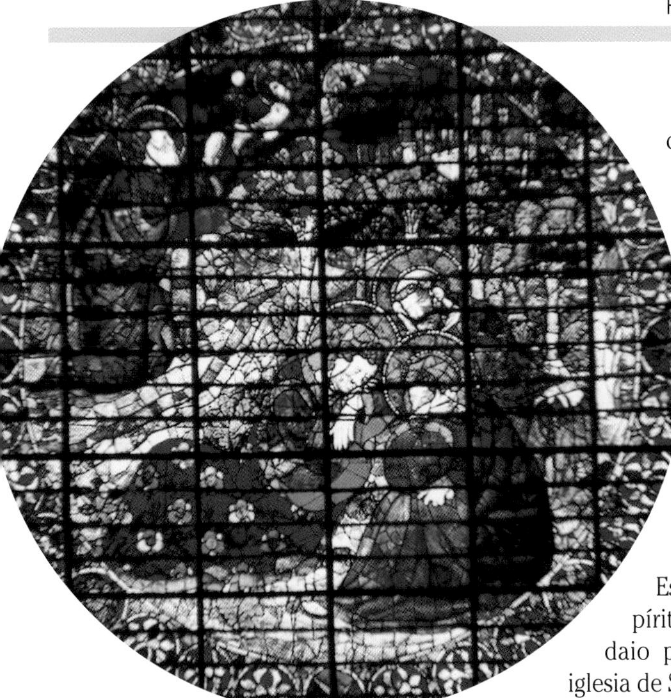

▲ Ojo de buey en la base de la cúpula de la catedral de Florencia, Italia, que representa la oración en el huerto. Fue realizado por Lorenzo Ghiberti, pintor renacentista que supo plasmar en esta obra un gran vigor expresivo.

En **Inglaterra** el vitral adquirió un cierto grado de autonomía respecto a lo que se hacía en el continente. Cabe citar los vitrales de la colegiata de la iglesia de Saint Mary, de Warwick, los del All Souls College, en Oxford, y los de la catedral de Canterbury. Se formaron escuelas importantes, como la de Norwick, cuyas obras realzaron los muros de un gran número de iglesias, de entre las cuales destaca por su hermosura la de Saint Peter Mancroft.

Del siglo XVI destacan la serie de vitrales de la capilla del King's College, en Cambridge, por su vigor y realismo, y por su perfección a la hora de obtener las luces de la grisalla.

Es en Florencia, **Italia,** donde surgieron los creadores más innovadores del arte italiano del Quatrocento. La influencia de los pintores del Renacimiento condujo a los vitralistas a emplear en sus realizaciones técnicas más propias de la pintura que del vitral.

El escultor florentino Lorenzo Ghiberti diseñó los tres ojos de buey de la fachada oeste de la catedral de Florencia. El central, que representa la Asunción, destaca por la movilidad de los ángeles que sostienen el vestido bordado de la Virgen. Los dos ojos de buey que lo flanquean fueron realizados más tarde; están dedicados a los santos Esteban y Lorenzo. La base de la gran cúpula de Brunelleschi está iluminada por ocho ojos de buey, diseñados por Ghiberti, Ucello, Castagno y Donatello. En la misma ciudad, Perugino realizó el vitral de la Venida del Espíritu Santo, de la iglesia del Espíritu Santo, y Domenico Ghirlandaio participó en los vitrales de la iglesia de Santa Maria Novella. Todas estas obras son ejemplos de artistas procedentes de otras artes.

Además de Florencia, que en esta época disfrutaba de un gran esplendor artístico, cabe citar las ciudades de Bolonia y Milán; la primera porque en sus talleres se realizaron vitrales de notable calidad, y la segunda porque su catedral alberga el mayor conjunto de vitrales de Europa.

En el siglo XV en **España** convivieron el estilo internacional y la estética flamenca, introducida a través de los vitralistas procedentes de esta región europea que se establecieron en la Península.

Los vitrales de la capilla mayor de la catedral de Sevilla que ostentan las escenas de la Muerte y Glorificación de la Virgen constituyen unos de los mejores ejemplos de transición del estilo gótico al renacentista.

Los vitrales de la catedral de León son unos de los más importantes de la Península. Aunque los hay que fueron realizados en los siglos XIII y XIV, en su mayoría corresponden al siglo XV.

La catedral de Barcelona ostenta, en los extremos de la girola, unos vitrales ejecutados siguiendo los parámetros del cortesano estilo internacional. El vitral del baptisterio, que representa la escena del *Noli me tangere,* es del maestro Gil Fontanet y constituye una reproducción de un cartón del año 1495, obra del pintor español Bartolomé Bermejo. Este vitral recoge algunos elementos propios del estilo renacentista y destaca por la notable aplicación de la grisalla.

La basílica de Santa María del Mar, en Barcelona, también conserva vitrales del siglo XV. Cabe destacar del conjunto el gran rosetón de la fachada occidental, con tracería flamígera y preponderancia de los tonos azules.

Durante el siglo XVI en España permanecieron en activo los talleres establecidos en los años precedentes, entre los que destacan los asentados en Burgos. A lo largo de esta centuria se llevaron a término los proyectos iniciados en la anterior, como los de la catedral de Sevilla, y se empezaron nuevas obras catedralicias, como las de Salamanca, Segovia y Granada.

► Los vitrales del siglo XVI conservados en la iglesia de Fairford, en Gloucestershire, Gran Bretaña, fueron ejecutados, por lo menos en parte, por artistas flamencos.

Siglos XVII, XVIII y XIX

Siglos XVII y XVIII

Los siglos XVII y XVIII representaron una etapa de decadencia para este arte. En algunas regiones, como la italiana, los síntomas de declive ya habían aparecido en el siglo anterior.

Las sucesivas guerras y conflictos religiosos de estos siglos contribuyeron a la destrucción de los vitrales. Así, por ejemplo, la ciudad francesa de Lorena, famosa por sus fabricas de vidrio de color, fue destruida en 1640. Ello supuso el incremento del uso de vidrio transparente, con una nueva gama de esmaltes.

Asimismo, los postulados del nuevo estilo en auge, el Barroco, que defendían la potenciación de la luz para dar mayor realce a los dorados, también perjudicaron al vitral.

Al decaer el impulso creativo de los vitrales, también se perdió el interés por éstos, y los existentes se deterioraron por falta de cuidados. Algunos se restauraron sin el menor criterio, como los de Canterbury, y otros se desecharon, como los de Salisbury y York.

En esta época de intolerancia religiosa y conflictos armados, los pocos vitrales que se realizaban eran destinados a edificios civiles, fenómeno que empezó a suceder de forma incipiente en la última etapa de la Edad Media y que ahora cobraba mayor relieve.

La realización de vitrales en **Francia** cayó en picado. Por lo que se refiere al **territorio flamenco,** a pesar de que el grado de producción también descendió ostensiblemente, todavía se realizaron algunas obras interesantes.

En **Inglaterra,** los edificios universitarios de Oxford y Cambridge fueron los nuevos receptores de los vitrales. Entre sus artistas cabe citar a los hermanos Price, de cuyo taller salió un número ingente de obras. Otro artista inglés de renombre fue William Peckitt, que ejecutó vitrales para las catedrales de Lincoln y Exeter y la capilla del New College, en Oxford.

En **España,** al igual que en el resto de Europa, muchos talleres tuvieron que cerrar sus puertas por la falta de demanda. Con ellos desaparecieron los conocimientos adquiridos durante los siglos anteriores. En el monasterio de Pedralbes, en Barcelona, se conservan vitrales de los siglos XVII y XVIII, con decoraciones geométricas; los más notables fueron ejecutados en 1767 por Josep Ravella. La basílica de Santa María del Mar, en la misma ciudad, también ostenta vitrales de este autor.

◀ Vitral ejecutado por el artista estadounidense Louis Comfort Tiffany en 1893. El uso de la cinta de cobre como material de soporte y los vidrios jaspeados son rasgos característicos de este autor.

El siglo XIX. Renacimiento del vitral

El espíritu historicista del Romanticismo, con su mirada orientada a la Edad Media, hizo posible la revalorización del vitral, ahondando en las fórmulas de composición del vidrio medieval y dejando en un segundo plano el uso de esmaltes.

Sin embargo, el interés por recuperar este antiguo arte de sus orígenes no tuvo su parangón en la creatividad y la originalidad, con lo cual, no se hizo más que imitar modelos antiguos, sin aportar ideas novedosas. En Francia, el arquitecto Viollet-le-Duc promovió un programa de restauración de vitrales, en el que se sustituían los deteriorados por imitaciones, llegando a confundir e identificar los conceptos de restauración y creación. En Italia, la restauración personalista llevada a cabo por la familia Bertini en los vitrales de la catedral de Milán también fue muy cuestionada.

En **Estados Unidos,** los artistas John La Farge y Louis Comfort Tiffany investigaron el vidrio opalescente, que es la antítesis de la propiedad fundamental exigida por el vidrio para el vitral medieval.

También los pintores prerrafaelistas intentaron imbuir aires nuevos al vitral, aplicando conceptos naturalistas, secundados por el lirismo modernista.

A finales del siglo XIX, todos estos esfuerzos dieron su fruto y el vitral volvió a ocupar el lugar que se merece.

En **Francia**, en 1895, tuvo lugar un acontecimiento singular protagonizado por Sigfrid Bing. Éste expuso en París una serie de vitrales realizados con diseños o cartones de algunos de los pintores más importantes de fin de siglo –Vallotton, Bonnard, Vuillard, Toulouse-Lautrec y otros–, en los que mostraba otra manera de pintar fuera del lienzo y aportando nuevas ideas, colores y formas al arte del vitral. Paralelamente, otros artistas no entendían o se negaban a entender el lenguaje propio del vitral, frenando su experimentación técnica.

▶ Vitral diseñado en 1884 por el arquitecto y pintor francés Eugène Grasset, que hoy se conserva en el Musée des Arts Decoratifs, París, Francia.

En **Alemania**, Luis I de Baviera, protector de las artes, fundó un taller estatal en Munich que exportaba vidrio a Estados Unidos, Inglaterra y Escocia. También se diseñaron, en este taller, 123 escenas de la Biblia para la catedral de Glasgow, en estilo rafaelista, cuyo modelado se ha deteriorado como consecuencia de las inclemencias climáticas.

En **Inglaterra**, el movimiento Arts & Crafts, a cuya cabeza se hallaba el artista William Morris, promovió la socialización del arte, concibiendo la fabricación artesanal de objetos de uso cotidiano, desde muebles hasta lámparas y papel para empapelar las paredes de las casas. Esta renovación dio un nuevo impulso al vitral. Así, artistas de renombre como Burne-Jones, Rossetti y el propio Morris se dedicaron al diseño de vitrales. El relevo fue tomado por el arquitecto escocés Charles Rennie Mackintosh, uno de máximos exponentes del Modernismo británico, que diseñó unos hermosos vitrales para los salones de té de Willow, en Glasgow.

En **España** el Modernismo se desarrolló fundamentalmente en Cataluña, a caballo entre los siglos XIX y XX. El Palau de la Música Catalana, en Barcelona, construido por el arquitecto Lluís Domènech i Montaner, es quizás una de sus creaciones más completas, puesto que arquitectura, escultura y vitral se aúnan para dar paso a una obra de increíble belleza y espectacularidad. De entre todos los vitrales destaca el de la claraboya central de la sala de conciertos.

El arquitecto Antoni Gaudí hizo una incursión interesante en el mundo del vitral, aplicando la técnica de la tricromía en unos vitrales para la catedral de Palma de Mallorca.

◀ Vitral de la Christ Church Cathedral, en Oxford, Gran Bretaña, con la imagen de santa Cecilia, uno de los muchísimos vitrales diseñados por el pintor británico Burne-Jones entre 1850 y 1880.

▼ Vitrales que decoran la rotonda del segundo piso de la casa Lleó i Morera, en Barcelona, ejecutados en 1906 en el taller de Rigalt i Granell.

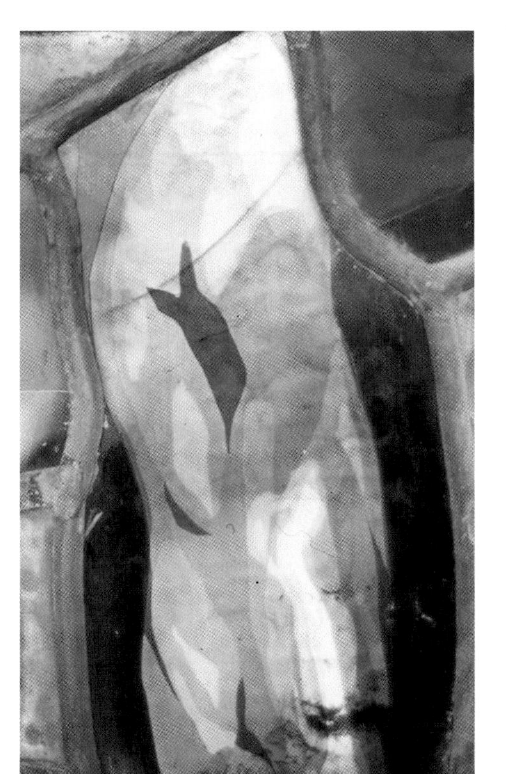

◀ Detalle de un vitral diseñado por el gran arquitecto catalán Antoni Gaudí para la catedral de Palma de Mallorca, en el que se aprecia la técnica de la tricromía.

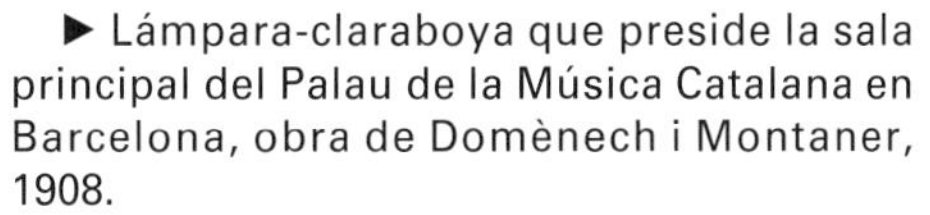

▶ Lámpara-claraboya que preside la sala principal del Palau de la Música Catalana en Barcelona, obra de Domènech i Montaner, 1908.

Siglo XX. Una puerta abierta al futuro

El resurgimiento del arte del vitral iniciado en el siglo XIX y que el Modernismo consolidó, haciendo que el número de talleres aumentara, ha continuado su desarrollo en el siglo XX, llegando a formas muy personales, con lo que las obras salidas de los talleres llevan, cada vez más, el sello de su autor.

A lo largo del siglo XX el arte del vitral se ha convertido en universal. Los vitralistas son reclamados desde cualquier parte del mundo, y sus trabajos, experiencias y tendencias son difundidos en revistas y libros especializados; por ello es difícil encasillar su obra en un país o tendencia, puesto que la incesante experimentación con nuevos materiales y técnicas es su carta de presentación.

La experimentación de nuevos materiales en la construcción y las artes en general ha dado un nuevo empuje al vitral, revolucionando su sistema de elaboración y permitiéndole un sinfín de posibilidades técnicas y expresivas hasta el momento insospechables.

◀ Vitral diseñado por el pintor Marc Chagall para la catedral de Saint-Etienne, en Metz, Francia.

Durante el primer tercio del siglo XX se hizo habitual el uso de hierro, acero y cemento en arquitectura. Los vitralistas también adoptaron estos materiales porque con ellos ganaban libertad expresiva y técnica. El vitral se introdujo en las viviendas y edificios civiles, la arquitectura abrió nuevos espacios y las fábricas de vidrio perfeccionaron sus sistemas industriales. Así, en Francia y en Estados Unidos se empezaron a usar las dallas para hacer los vitrales de cemento o de resinas, formando un todo con la pared del edificio. Más adelante, la silicona también irrumpió en el mundo del vitral.

En **Francia** los grandes pintores del momento participaron en el resurgimiento del vitral con la aportación de sus diseños. Así, Fernand Léger diseñó los vitrales de cemento de la iglesia del Sagrado Corazón, de Audincourt. Marc Chagall trabajó en los vitrales del Hadassah-Hebrew University Medical Center, en Jerusalén; realizó el diseño de doce grandes vitrales dedicados a las tribus de Israel, sustituyendo las figuras humanas por animales.

En **Alemania** los artistas dedicados al diseño y elaboración de vitrales han mostrado tales dotes de creatividad a lo largo de todo el siglo XX que han ideado un estilo propiamente alemán. Anton Wendling es el autor de los grandes ventanales laterales del coro de la catedral de Aquisgrán, que representan dibujos geométricos con diversas intensidades de rojo y azul. A Georg Meistermann se debe el diseño de la pared de cinco pisos de altura de la estación de radio de Alemania Occidental, en Colonia, y el inmenso vitral curvado del ventanal de la iglesia de San Kilian, en Schweinfurt. Ludwig Schaffrarth, que dibujaba con plomo, también utilizó el negro y el gris en contraste con el blanco, como en los vitrales de la estación de Omaya, Japón, realizados en 1981. Johanes Schreiter, grabador, pintor y vitralista, experimentó con la arquitectura, como en la capilla del convento de Johannesbund, en Leustesdorf/Rhein, cuyas paredes han sido sustituidas por vitrales, tomando la apariencia de una caja de vidrio.

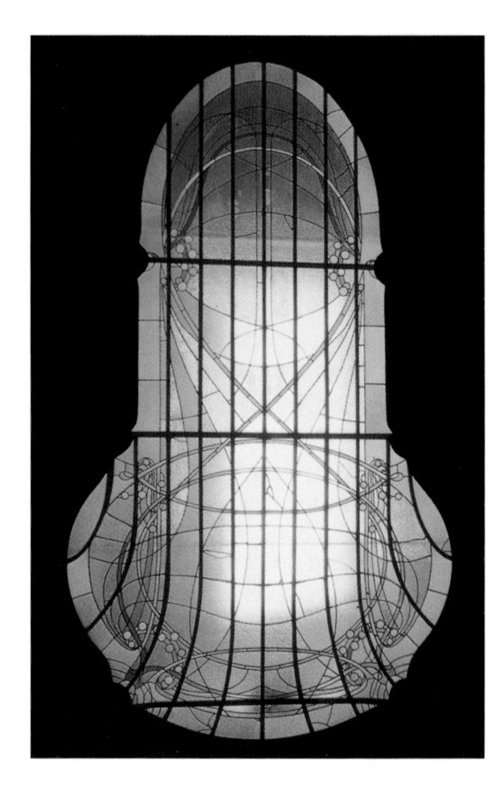

▲ Vitral diseñado por Hector Guimard para una claraboya del Hotel Mazzara en París, Francia. En esta obra modernista, la tira de plomo forma parte activa del diseño.

▼ En este vitral, realizado por Georg Meistermann en 1958 para la iglesia de Saint Michael en Solingen, Alemania, el pintor ha trabajado con colores planos, cuya vivacidad sorprende al espectador.

En **Inglaterra** cabe destacar la obra llevada a cabo conjuntamente por John Piper y Patrick Reyntiens en las catedrales de Coventry y Liverpool. En la primera sorprende el uso simbólico de los colores, y en la segunda, la enorme torre de vidrios que presenta una progresión de los colores amarillo, rojo y azul.

En **España** algunos pintores de renombre internacional han aportado su arte al mundo del vitral. Un ejemplo digno de mención es el de Joan Miró, que diseñó unos vitrales para la capilla real de Saint Franbourg, en Senlis (Francia), ejecutados por el vitralista francés Charles Marc. Asimismo, el arquitecto Antonio Palacios es el introductor del vitral de cemento en el país, con baldosas industriales, gracias a su aportación en el templo votivo del Mar de Paxón (Nigrán, Pontevedra), en el año 1935.

En **Estados Unidos,** Louis Comfort Tiffany, cuya vida se desarrolló a caballo entre los dos siglos, industrializó la técnica del vitral y promovió las artes decorativas. A él se debe el uso de la cinta de cobre en sustitución del plomo. Se hizo famoso, sobre todo, por sus lámparas, realizadas con gran maestría.

A pesar de la renovación protagonizada por este artista controvertido, el vitral tradicional no perdió terreno. Un buen ejemplo de ello lo constituye la catedral de San Pedro y San Pablo, en Washington, que recupera la escala monumental característica del período gótico.

Es el francés Gabriel Loire quien protagonizó un nuevo impulso hacia delante con la elaboración de un vitral de cemento en la First Presbyterian Church de Stamford, en Connecticut, en 1958. A partir de esta obra, se realizaron centenares de edificios en todo el país con ventanas con baldosas, integradas en el hormigón.

El aluminio se empleó por primera vez en los vitrales de la KLM, en Nueva York, que fueron diseñados por Gyorsy Kepes y tienen 15 m de ancho por 5 de alto.

◀ Detalle de un vitral de cemento diseñado por el arquitecto Antonio Palacios en 1935 para el templo votivo del Mar de Paxón, Pontevedra, España.

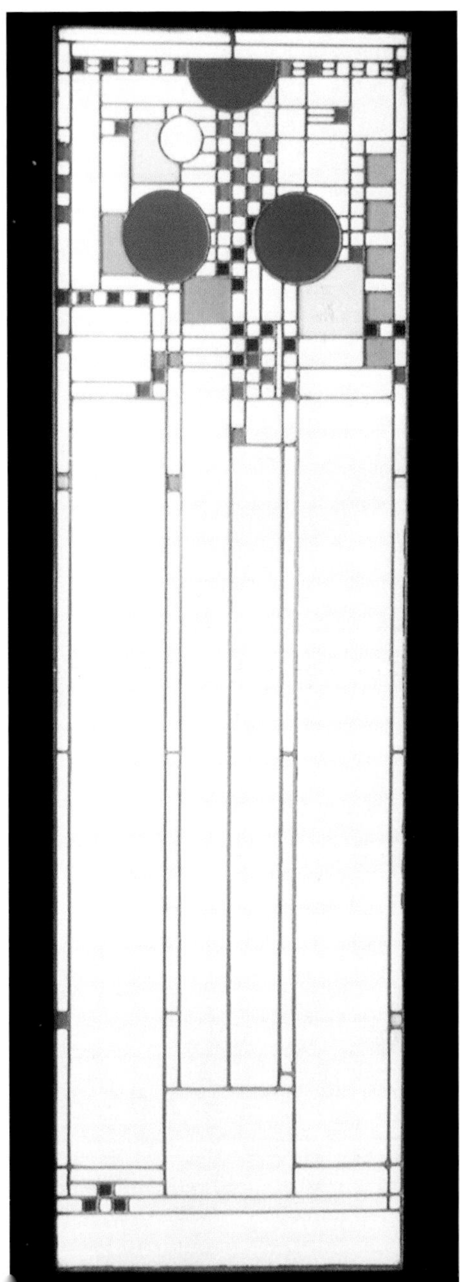

▶ Diseño realizado por el arquitecto norteamericano Frank Lloyd Wright en 1912 para la Casa del Juego de Riverside, en Illinois, Estados Unidos.

▼ Techo de vidrio de 7 metros de diámetro que cubre el Blakwood Hall de la Monash University, cerca de Melbourne, Australia. Fue realizado con placas de vidrio fundido por el artista australiano Leonard French.

Realización *del vitral*

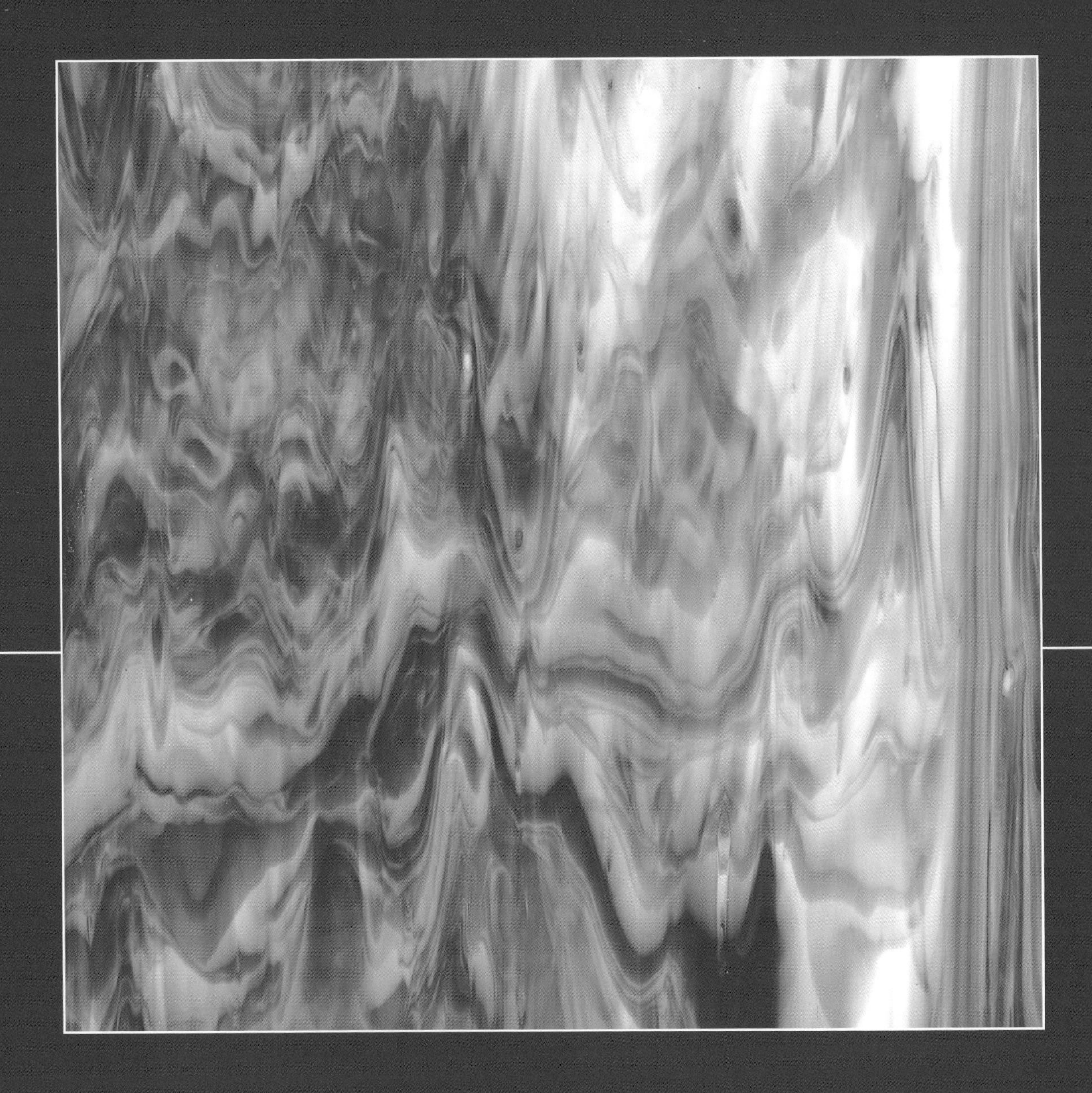

Materiales *y herramientas*

En el siglo XI el monje Teófilo, en su famoso *Tratado sobre el arte de construir,* dedicó tres capítulos a la fabricación y construcción de un vitral. Se trata de un valioso documento, puesto que gracias a él se sabe cómo se elaboraban los vitrales en la Edad Media y qué materiales y herramientas se empleaban.

En la actualidad, el proceso de fabricación del vidrio ha cambiado, y no sólo se utiliza el plomo como material de soporte, también se emplean la cinta de cobre, la silicona, el cemento, etc. Asimismo, con el paso del tiempo, las herramientas tradicionales han sido transformadas y perfeccionadas y se han ido incorporando nuevos utensilios como consecuencia del desarrollo tecnológico.

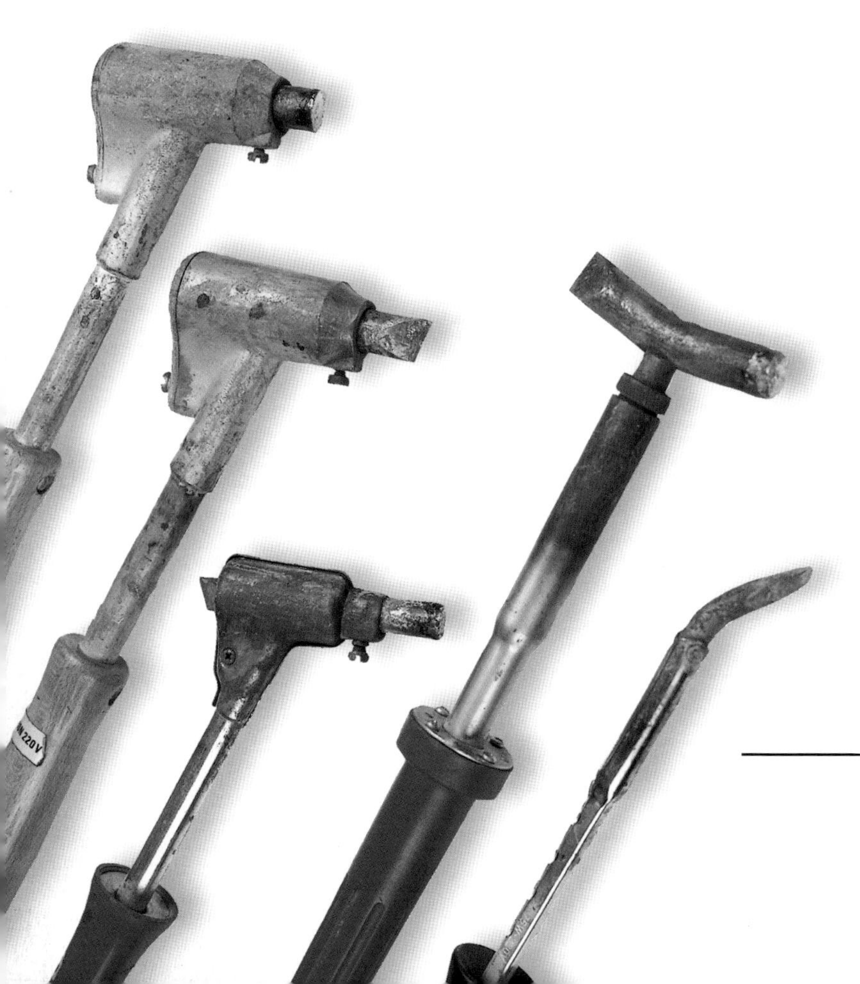

Antes de iniciar el proceso de elaboración de un vitral, es necesario saber la función que desempeñará, su emplazamiento y la clase de materiales que se desean usar. Así, no es lo mismo emplear vidrios realizados con la técnica del soplado que vidrios confeccionados por estiramiento o impresos con texturas, ni soportar los cristales con plomo o mediante siliconas.
El material que se elige para soportar los vidrios da nombre al tipo de vitral. Por ejemplo, vitral emplomado (su material de soporte es el plomo); vitral de cemento (se sujeta con cemento), etcétera.

El vidrio

Proceso de elaboración

La fabricación de vidrio se remonta a la Edad de Bronce. Fue desarrollada por las civilizaciones egipcia y griega. Aunque en cada región se han empleado las materias primas para su fabricación en distintas proporciones, en términos generales los materiales componentes de los vidrios se clasifican en tres grupos:

Materiales vitrificantes

Sílice, arena, ácido bórico y ácido fosfórico. Estos óxidos ácidos dan resistencia y transparencia al vidrio. Su proporción oscila entre el 70 y el 73 %.

Materiales fundentes

Sosa y potasa. Son óxidos básicos y los más importantes en cuanto a su utilidad. Su proporción varía entre el 13 y el 15 %.

Materiales estabilizantes

Cal, minio, zinc, alúmina, maquesia y barita. Son óxidos estabilizantes que proporcionan cohesión y resistencia. Sin ellos, el vidrio se descompondría fácilmente por los efectos del vapor de agua y el agua hirviente. La cantidad empleada es del 8 al 13 %.

Para elaborar el vidrio, los materiales empleados deben llegar a su punto de fusión (1.650 °C). A esta temperatura, los átomos de sílice pura se reestructuran formando un vidrio perfecto. Sin embargo, cabe señalar que los romanos, al añadir cal y sosa a la mezcla, obtenían el vidrio con menor temperatura. En cambio, en la Edad Media se utilizaban cal y potasa al 50 %, con lo que se conseguía una vitrificación más rápida pero de menor calidad, ya que se corroía más deprisa.

Una vez obtenida la masa vítrea, se le pueden añadir sulfuros, óxidos, azufres y selenita para conseguir la masa de color. Así, por ejemplo, el color azul se puede lograr a partir de dos metales, el cobalto y el cobre, y para conseguir el tono azul neutro se precisa una pequeña cantidad de óxido de hierro, reforzando la dosis normal de nitrato.

Los principales productos colorantes son:
· Sulfuro de cadmio (color rojizo).
· Óxido y nitrato de plata (topacio amarillo).
· Óxido de antimonio (verde amarillento).
· Azufre y carbón (negro y topacio).
· Selenita (rojo).
· Óxido de manganeso (violeta).
· Óxido de cromo (verde esmeralda).
· Óxido de cobalto (azul).
· Óxido de hierro (verde botella, negro).
· Óxido de cobre (azul celeste).

Una vez obtenido el punto de fusión de los componentes del vidrio, éste debe pasarse a un horno de recocido para eliminar y repartir las tensiones con un enfriamiento lento. Finalizada esta operación, ya se puede utilizar.

La densidad del vidrio es de 2,5 kg × dm^3. Esta densidad da un peso de 2,5 kg por m^2 y por milímetros de espesor en las planchas de vidrio. En cuanto a su dureza superficial, es decir, su resistencia a ser rayado, es de 6,5 según la escala de Mohs, o sea, aproximadamente igual a la dureza del cuarzo.

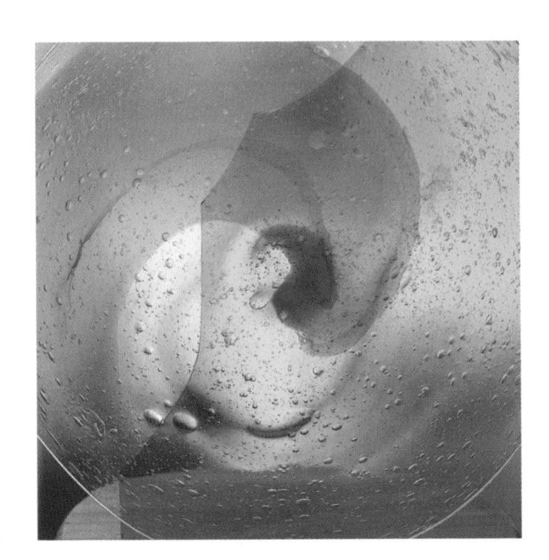

▲ Los primeros vidrios se realizaron con cibas o extrayendo del crisol una porción de vidrio y depositándolo en una superficie plana de hierro; de este modo, se lograba una lámina que se podía cortar a la medida requerida.

▼ Muestrario de los colores que se pueden conseguir en el vidrio. Los colores, más de 400, así como las texturas y calidades de los vidrios, son muy variados.

▶ **1.** En la imagen se aprecia cómo se efectúa la carga del crisol. El sílice, la sosa y la alúmina son los componentes de la carga, que tras la fusión se convertirán en pasta vítrea.

▼ **4.** Una vez se ha depositado la pasta vítrea en una superficie plana de hierro, ésta puede manipularse con pinzas, para estirarla mediante un pellizco, o con tijeras, para cortarla. También puede soplarse dentro de un molde para hacer envases, depositarse como una gota para obtener una ciba, o realizar un manchón mediante la caña de soplar para conseguir planchas de vidrio. Cuando se realizan estas operaciones la pasta vítrea suele estar a 800 °C.

▲ **2.** Tras la fusión a 1.650 °C, que ha transformado las materias sólidas en una pasta semilíquida, se procede a vaciar el crisol.

◀ **3.** La masa vítrea es una pasta muy maleable, aunque con una cierta consistencia, que puede manipularse para conseguir formas y planchas, o para soplarla con la caña. Su extracción del crisol se puede realizar con la caña o con el pontil (en la imagen), que es una barra de hierro de 150 cm de largo.

▼ **5.** Mediante una pala de madera de roble, previamente mojada con agua, se realiza el planchado o prensado de la masa vítrea depositada dentro de un molde de hierro para realizar una dalla.

Tipos de vidrio

En la actualidad, existen muchos tipos de vidrios. La tecnología nos sorprende cada día con nuevas aportaciones, sobre todo en el campo industrial y en el arquitectónico. En este apartado, se han seleccionado once clases distintas, las más empleadas por los vitralistas.

Cristal

Se denomina cristal a la materia vítrea formada por un compuesto de óxido silícico, óxido potásico y minio u óxido de plomo. En el momento de adquirirlos, estos materiales deben tener una pureza absoluta, gracias a la cual se obtiene el brillo que caracteriza las piezas de cristal.

Vidrio strass

Fabricado por primera vez en París a finales del siglo XVIII por el artista que le dio su nombre, se compone básicamente de cristal de roca o sílice blanca, potasa pura, un poco de bórax, ácido arsenioso, silicato de potasa y silicato de plomo, coloreado con distintos óxidos.

El vidrio strass coloreado se emplea para imitar el zafiro, el rubí y la esmeralda, y el incoloro, para imitar el diamante. No obstante, con el tiempo pierde gran parte de su brillo.

▼ Lámpara realizada con vidrio strass.

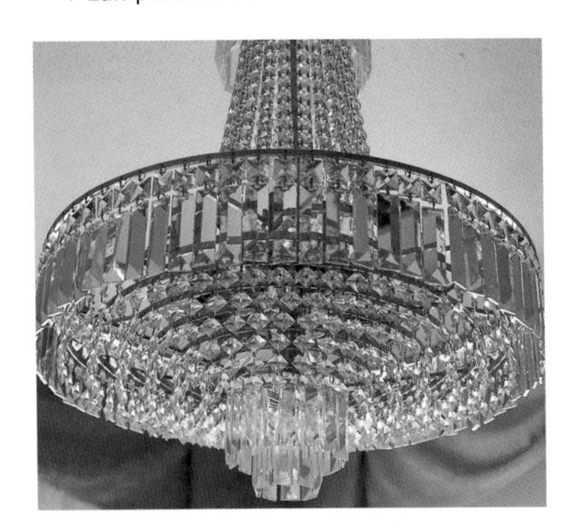

Vidrio soplado

Se utiliza exclusivamente para confeccionar vitrales, ya que sus características son idóneas para este menester. Se obtiene del mismo modo que se hacía en época gótica, por lo que también es conocido con el nombre de vidrio antiguo. Es un vidrio soplado en manchón; esto significa que la variedad cromática depende del grosor de su lámina, que oscila entre los 2 y los 6 mm. Al no poseer una planimetría regular, se pueden obtener distintos tonos en una misma plancha.

▲ La materia prima con que se elabora el cristal es el cuarzo (sílice). La cantidad del producto depende del grado de pureza de este mineral.

Tiene dos imperfecciones: las burbujas, debidas a la acción del soplado y al traslado de la zona de fusión a la de trabajo, y las cuerdas, que pueden producirse por un defecto químico (los propios componentes del vidrio y la alúmina que puede desprenderse de las paredes del crisol) o por un defecto físico (cuando la temperatura no ha sido regular). Estas anomalías, habituales en vitrales de siglos pasados, actualmente constituyen una muestra de calidad, ya que este tipo de vidrio requiere una gran dedicación para su fabricación. Cada lámina es única y sus planchas no llegan a rebasar la medida total de un metro cuadrado. Es el vidrio más apreciado por los vitralistas debido a sus características y a la gran variedad de sus tonalidades.

▼ Vidrio soplado.

Vidrio plaqué

Este tipo de vidrio, cuyas dimensiones no sobrepasan nunca el metro cuadrado, se creó para conseguir un color rojo más luminoso. Anteriormente, este color se obtenía añadiendo al vidrio fundido protóxido de cobre y limaduras de hierro, que producían una coloración intensa, pero poco transparente cuando el manchón salía con suficiente grosor para realizar un vitral. Por todo ello, se llegó a la técnica de los vidrios forrados o placados, que consiste en sobreponer una lámina de vidrio incoloro, con el grosor necesario para su funcionalidad, a otra lámina muy fina de vidrio rojo, con lo que se consigue la resistencia, la transparencia y la luminosidad adecuadas para su aplicación en un ventanal.

Uno de los procedimientos para obtener este tipo de vidrio consiste en sumergir la bola de vidrio incoloro, que está en la punta de la caña de soplar, en el crisol del vidrio en fusión de color rojo, que de esta manera envuelve la bola; mediante el soplado se obtiene el cilindro de vidrio, y de éste la hoja o plancha de vidrio.

Esta técnica se ha aplicado posteriormente para obtener otros vidrios de colores diversos. Son vidrios idóneos para tratarlos con ácido fluorídrico; aplicando éste sobre la superficie se obtienen decoloraciones, desgastes, etcétera.

▼ Vidrio plaqué.

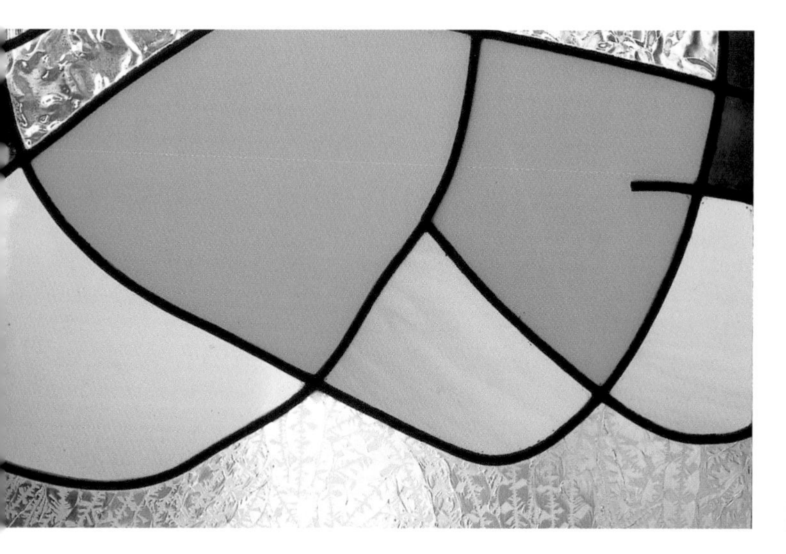

▲ Detalle de un vitral realizado con vidrio opal.

Vidrio opal

La fabricación de este tipo de vidrio no es el resultado de un tinte extendido por la masa de vidrio, sino la consecuencia de la formación de pequeñas burbujas de gases que forman una tupida red; estos gases son los que desprenden las materias opalescentes durante su descomposición. Las burbujas se mantienen en la masa vítrea y provocan una reflexión a la luz, debido a lo cual se produce la opacidad u opalinidad del vidrio; por lo tanto, las materias opalescentes sólo lo son por saturación. Antiguamente, el vidrio opal se obtenía con fosfato de cal, a partir de huesos calcinados; en la actualidad, se logra de la criorita y el espato de flúor. El fosfato de cal da una tonalidad marmórea. Con la criorita y el espato de flúor se consigue un blanco más lechoso. Este tipo de vidrio se utiliza para modelar la luz, como difusor o en el apartado más funcional de la lamparería.

▲ Pieza ejecutada con vidrio catedral.

Vidrio colado

Este vidrio se obtiene mediante el vertido de la masa vítrea sobre una mesa metálica caliente y la acción de un rodillo, que produce una lámina. Este sistema ya se utilizaba en la antigüedad y en la Alta Edad Media, pero fue redescubierto en 1687. En la actualidad, con la denominación de laminado, es la técnica que se emplea para obtener las grandes planchas de vidrio industrial, aplicándose en ella la más alta tecnología.

Vidrio catedral

Derivado del vidrio colado, este vidrio tiene una pequeña textura en una de sus caras, que impide la transparencia absoluta; la otra cara es lisa. Es el vidrio que debe utilizarse cuando se desea que el vitral impida ver lo que hay detrás.

A principios del siglo XX, con el gran auge del vitral, se empleó profusamente este tipo de vidrio, ya que disponía de una gama muy variada de colores. Sus dimensiones suelen ser de 250 por 180 cm.

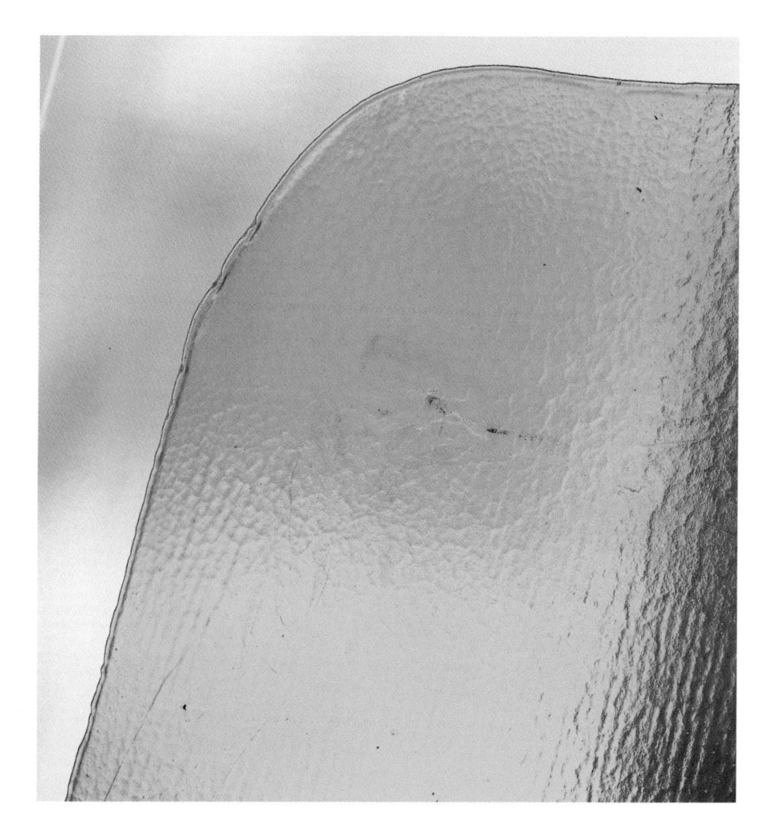

◀ Vidrio colado.

Vidrio impreso

También se le denomina vidrio listral. Es traslúcido y se obtiene por colada continuada, laminando la masa en fusión. Con unos rodillos metálicos se le practican unos grabados, que son los que dan nombre al vidrio. Los grabados, según sus formas, presentan unas texturas con abundantes deformaciones que adquieren unos brillos especiales al ser traspasados por la luz.

Estas planchas de vidrio, al entrar en el proceso industrial, adquieren unas dimensiones más grandes que las anteriores, 250 cm por 180 cm aproximadamente.

▼ Vidrio impreso.

▼ Dalla.

Vidrio americano

Creado por Louis Comfort Tiffany, se le llama así en Europa. Es un vidrio realizado mediante colada y posee unas aguas de colores, por lo general mezcladas con el blanco de la familia de los opalinos. La mezcla de óxidos diversos proporciona una superficie de colores distintos. Es un vidrio de los denominados interpretativos, ya que según cómo se lleve a cabo la dirección del corte, se puede asemejar a las formas del tronco de un árbol, a las nubes del cielo, a las plumas de un gallo, etc. Su opalinidad es apropiada para utilizarse dentro del campo de la iluminación.

Vidrio de molde

Se denominan así las piezas de vidrio efectuadas dentro de un molde, depositando la masa vítrea del color deseado y formando con sus relieves intensidades de un mismo tono de color. Las piezas más conocidas por su antigüedad son las cibas, pero existen infinidad de muestras y de formas.

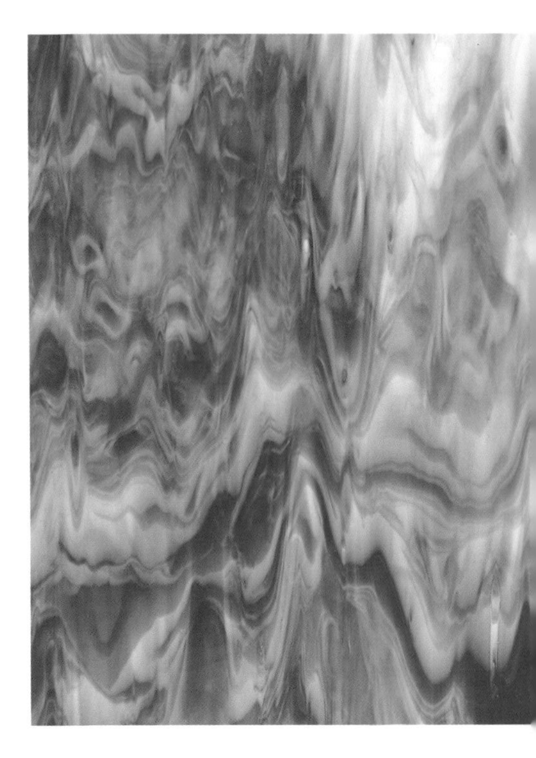

▲ Vidrio Tiffany o americano.

Dalla

Ésta es una pieza de vidrio de unos 20 mm de grosor y perímetro de 20 por 30 cm. Está fabricada siguiendo la técnica del vidrio colado, que se extrae del crisol con una barra de hierro macizo de 1,50 m denominada pontil, y se deposita en un molde, donde se plancha con una pala de madera mojada para adquirir planimetría y las medidas antes expuestas. La pasta no debe ser de una gran pureza. Las hay de muchos colores y para conseguir destellos en el vidrio se suelen aplicar desconchados en el momento de cortar las formas deseadas. Su corte se puede efectuar con la ruleta, el martillo y la tajadera o con un disco de diamante refrigerado con agua.

▼ Piezas de vidrio de molde.

▶ La imagen ilustra una figura realizada con grisalla. Cabe destacar los perfiles y modelados conseguidos con el fin de obtener una copia fiel de una pieza escultórica.

La grisalla

La grisalla es una pintura vitrificable que, por lo general, se presenta en color negro o marrón. Está compuesta de óxido de hierro o cobre y un fundente, el bórax. Tras un proceso de cocción, de aproximadamente 610 °C, queda unida a la superficie del vidrio. Para que actúe como pintura, se puede diluir con vinagre, agua, aguarrás o, como se hacía antiguamente, esencia de trementina y hiel de buey. Para adherirse a la superficie del vidrio es necesario aplicarle unas gotas de goma arábiga, dándole la consistencia necesaria para manipularla antes de su cocción en la mufla u horno.

Éste es el principal producto con que el vitralista pinta sobre el vidrio. Siempre se aplica por la cara interior del vitral, pero a veces se dan unos pequeños toques por la cara exterior para reforzar el modelado. Según esté más o menos diluido, el pintor puede controlar la incidencia de luz. Cuando se pinta con líneas duras, se le llama perfilado o *trait;* si se emplea con suavidad, como si se tratara de una aguada o veladura, se denomina *lavis.*

En el siglo XIV se descubrió casualmente el amarillo de plata, compuesto por sales de plata y ocre, que se fija en el vidrio mediante cocción sin necesidad de fundente. Con él pueden conseguirse unos colores de mufla muy valorados por el pintor, aplicándose por la cara exterior del vidrio. En los siglos XV y XVI se empleó con profusión en los cabellos, los ropajes, etc. Este descubrimiento dio paso a la creación de grisallas de colores como el amarillo, verde, azul y otros.

La sanguina, otra grisalla, también conocida como Jean Cousin, es una pintura vitrificable de color tierra rojiza, que se utilizó en los siglos XV y XVI para representar las carnaciones, aplicándose por el reverso del vidrio. Actualmente es muy difícil de encontrar.

Los esmaltes

Éstos son colores de gran vivacidad, pero con menor consistencia lumínica que la grisalla. Se emplearon para dar un toque de sofisticación en los vitrales clasicistas, neogóticos y modernistas.

Esta pintura vitrificable se basa en un esmalte incoloro formado por partículas de vidrio que fusionan rápida y fácilmente; de esta forma, los óxidos que dan el color no se volatizan. Así, su temperatura de fusión no debe sobrepasar nunca los 600 °C. Se presenta, a continuación, una relación de los productos que proporcionan los colores:

- Óxido de cobalto (azul).
- Óxido de cromo, bióxido de cobre puro (verde).
- Óxido de antimonio, sal amoniacal, alumbre y yeso (amarillo).
- Oxídulo de cobre (rojo).
- Óxido de hierro, peróxido de manganeso, y, si se desea más oscuro, se le añade un poco de cobalto (negro).
- Sesquióxido de hierro y óxido de estaño (naranja).

▶ Pieza pintada con esmaltes. Obsérvese que los colores no tienen la misma intensidad y cuerpo que la grisalla. El esmalte es más transparente.

Los materiales de soporte

Durante siglos, el único material de soporte empleado en los vitrales ha sido el plomo. Sin embargo, los avances tecnológicos y la experimentación llevada a cabo en el campo de la arquitectura a lo largo de todo el siglo XX han aportado nuevos materiales, cuyas propiedades proporcionan mayor ligereza al vitral y han permitido, desde el punto de vista artístico, el desarrollo de formas y diseños más osados y vanguardistas.

El plomo

La galena es el mineral más conocido del que se extrae el plomo, que siempre contiene cantidades más o menos importantes de otros metales, como plata, hierro, cinc, cobre o bismuto. Es un metal pesado; su peso específico es de 11,34 kg a 16 °C. Su color es blanco azulado, es brillante, blando y muy maleable. Al oxidarse con el aire adquiere una tonalidad grisácea característica. Debido a estas cualidades, fue el metal escogido en la Edad Media para unir las diferentes piezas de vidrio que forman el vitral. Cabe decir, no obstante, que no sólo cumple la misión de soporte y sujeción, sino que forma parte del dibujo y del diseño del vitral.

Las vergas de plomo llegan de la fundición en unos rollos de 25 kg aproximadamente, con unas guías en forma de H que se pasan por el torno de tirar plomos y que, tras un desbastado previo, permiten conseguir la medida y la forma deseadas.

▲ Aspecto del plomo antes de someterlo a un desbastado previo.

◀ Distintos perfiles de vergas de plomo. Los que se usan habitualmente son los de 5, 7 y 10 mm.

La verga de plomo consta de dos partes: el alma es el plano interior que da rigidez a la verga; lleva impresa un estriado o dentado, que también se llama refilado, para sujetar mejor los vidrios y la masilla. Las alas, o labios, son las que, mediante la acción del redondeado, sostienen los vidrios encastrados. La superficie del ala es el punto de referencia para establecer las medidas de la verga; así, por ejemplo, se dice que la verga es de 5 mm cuando la superficie del ala tiene esta medida. En los siglos XII y XIII el alma era gruesa y resistente y las alas redondeadas y estrechas. Éstas, dependiendo de su forma, también pueden llamarse alas planas, de media caña, etc. No es hasta el siglo XIV que se empieza a utilizar el torno de tirar plomo.

La cinta de cobre

La cinta de cobre fue el primer material de soporte que rompió con la técnica tradicional. Su principal diferencia respecto al plomo es que se trata de un material mucho más ligero. Tiffany la utilizó frecuentemente, en especial en las pantallas de las lámparas que decoraban el interior de las viviendas.

Consiste en una lámina pequeña de cobre con una cara adhesiva que se pega en el perímetro de la pieza, rodeándola. Existen diferentes anchos, según el grosor del vidrio empleado. Por ejemplo, las cintas de 5 o 6 mm son apropiadas para vidrios de 2,5 o 3 mm de grueso.

Para su montaje, se colocan los vidrios forrados con la cinta encima del dibujo y se procede a soldar con estaño, creando una trama muy resistente y versátil.

El cemento

El cemento armado, como material de soporte en los vitrales, se empezó a utilizar durante la primera mitad del siglo XX. Suele reservarse para sostener las dallas.

Para fabricar el hormigón armado se deben utilizar medidas proporcionales a 100 kg de arena o polvo de mármol y 30 o 40 kg de cemento portland gris o blanco. Se mezclan los materiales con agua hasta conseguir una argamasa y se procede a realizar con ella una red de varillas de acero de 4 mm de grosor.

Con este material se obtienen paneles de una gran solidez, equiparable a la de un muro. Desde el punto de vista plástico, el cemento transforma las finas líneas del plomo en trazos expresivos y proporciona al vitral un carácter distinto.

▲ Obsérvese la partición de los paneles de este vitral realizado con cemento.

▼ Cinta de cobre.

La silicona

La silicona, compuesta por sílex, producto que también se halla en el vidrio, cumple a la perfección la función de estructurar los distintos vidrios de un vitral. Este material, como muchos otros que se usan en la actualidad, es fruto de las investigaciones realizadas en los años treinta en Estados Unidos para aislar componentes eléctricos resistentes al calor.

Se trata de un producto líquido o pastoso que, en contacto con la humedad ambiental, se transforma en una masa elástica, de excelentes propiedades mecánicas, mediante la acción de un agente reticulante incorporado a su composición; la reticulación empieza a las tres horas de estar en contacto con el medio ambiente, y el secado se produce a los cinco días. Es una pasta consistente, de carácter no colante, y cuyas propiedades se mantienen con el tiempo. Con el tipo de silicona autonivelable se puede adherir cualquier clase de vidrio.

▲ Pistolas para aplicar la silicona.

La masilla o mástic

La masilla o mástic es una pasta confeccionada con aceite de linaza y sulfato de calcio (yeso). El aceite de linaza se extrae de las semillas del lentisco, un arbusto de olor resinoso, hoja perenne, flor púrpura y frutos en drupa que crece en los bosques mediterráneos. La cantidad de sulfato de calcio que se añade al aceite varía según la consistencia que se desee dar a la masilla. Este producto ya elaborado se encuentra a la venta en establecimientos especializados.

La masilla sujeta el vidrio y el plomo, impidiendo que la lluvia penetre en el interior a través de las uniones de los vidrios. Por ello, es conveniente aplicarla correctamente y comprobar que ha penetrado en la junturas. El aguarrás o un disolvente cualquiera facilitan esta tarea.

▲ ▼Las únicas siliconas apropiadas para la realización de vitrales son las denominadas monocomponentes, R-36 y R-35, experimentadas por los laboratorios de la empresa francesa Rhône-Poulen. La silicona autonivelable R-36 es muy líquida y de gran transparencia. La R-35 también es transparente, pero con una densidad similar a las usuales. Ambas son ácidas y tienen un cierto olor a vinagre.

▼ En la dirección de las manecillas del reloj: disolvente universal, para hacer más líquida la masilla y facilitar su penetración en las alas del plomo; aceite de linaza (en el vaso) para ligar mejor la masilla; masilla coloreada de gris; pincel plano para aplicar la masilla en el interior de los plomos; tinte orgánico negro (en el plato) para teñir la masilla amarilla y darle un tono gris; masilla de color amarillo.

HERRAMIENTAS

Las herramientas del vitralista son similares a las del vidriero, aunque más especializadas. Su forma y uso no han variado excesivamente con el tiempo; más bien se han añadido nuevos utensilios, a medida que el concepto de vitral ha ido evolucionando e incorporando otros materiales.
La mayoría de herramientas del vitralista suelen ser personales e intransferibles, dado que con el tiempo su forma se modifica según la presión ejercida por la mano.
Tradicionalmente, cada operario se fabricaba sus herramientas, adaptándolas a sus necesidades. Sin embargo, en la actualidad se pueden encontrar en establecimientos especializados herramientas de excelente calidad y diseñadas para un mercado cada vez más exigente.

El taller

Si las herramientas son fundamentales para llevar a cabo la ejecución de un vitral, también lo son el espacio y el mobiliario de trabajo. El taller del vitralista debe cumplir dos requisitos fundamentales: amplitud, para poder manipular y apoyar los vidrios cómodamente, e iluminación natural, necesaria para escoger los vidrios adecuados para la composición del vitral. Asimismo, cuando oscurece y se hace necesario el uso de luz artificial, ésta debe tener el mismo tono e intensidad que la natural; para ello, existen lámparas especiales que la reproducen con bastante exactitud.

Mobiliario de trabajo

Mesa de luz
La mesa de luz debe tener un cristal difusor, para que la luz de los focos no deslumbre. La mesa puede ser indistintamente horizontal o vertical. En ella se puede pintar, limpiar y estudiar un vitral cuando se realice una restauración.

▶ Interior de un taller de vitralista.

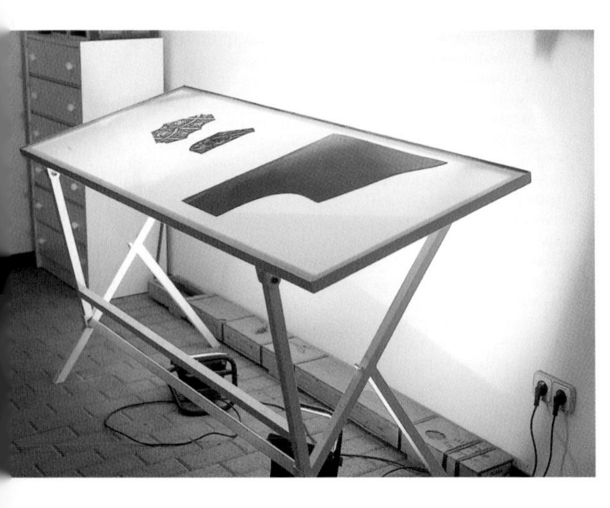

▼ Mesa de luz.

Estantería para vidrios

Ésta es la primera pieza del mobiliario que conviene tener en cuenta cuando se monta un taller. Se utiliza para almacenar y ordenar los vidrios, debe estar construida en madera, con divisiones para diferentes medidas de trozos y planchas de vidrio. Sus compartimentos no deben ser muy amplios, aproximadamente de unos 30 a 40 cm, donde se clasifican los vidrios por tonos, características, etc. No hay que llenarla en demasía, así es más fácil su extracción y manipulación. La estantería es un elemento común del vidriero y el vitralista.

Mesa de corte

Otro elemento común entre el vidriero y el vitralista es la mesa de corte. Ésta debe ser amplia. También se utiliza para realizar los dibujos a tamaño real. Debe conservarse con una perfecta planimetría.

Mesa de montaje

La mesa de montaje es específica del taller del vitralista. Las medidas pueden ser variables, según las necesidades; las más habituales son de 200 por 120 cm en su superficie y de 95 a 100 cm de altura. Debe ser de madera de buena calidad, y disponer de un sobre rígido y resistente; cuando éste se deteriora, se sustituye por otro. En ella se realizan todos los montajes, y se clavan clavos para sujetar el vitral. Los agujeros dejados por los clavos en la superficie de la mesa se suelen tapar cuando se enmasilla el vitral. Por regla general, el montaje suele realizarse de pie. Si se desea efectuar el montaje sentado, se respeta la altura de la mesa y se utiliza un taburete alto. Téngase en cuenta que según qué tareas obligan a trabajar desde los laterales de la mesa, por lo que su acceso debe ser fácil y cómodo.

▲ Estantería para vidrios.

▼ Mesa de montaje.

▼ Mesa de corte.

Tipos de herramientas

Dado que existe una gran variedad de herramientas, se han clasificado en tres grupos: herramientas de corte, abrasivas y de manipulación y de montaje.

Herramientas de corte

Con las herramientas de corte se puede dar la forma que se desee al vidrio. Habitualmente, cada operario tiene sus propias herramientas de corte, puesto que se adaptan a la presión que éste ejerce sobre ellas. Las más importantes son:

Ruleta de acero

Esta ruleta es la más económica. Tiene un mango de madera que incorpora un brujidor para roer o romper el vidrio. Alberga seis rulinas de acero fino aleado con templado especial, de las cuales sólo se utiliza una; cuando ésta se desgasta, se trabaja con otra girando el cabezal en sentido rotativo. Para su mayor duración, deben lubrificarse con aceite mineral; cada rulina contiene un anillo de fieltro a modo de cojín que sirve de depósito del aceite y lubrifica la rulina y su eje.

Ruleta de acero alto en carbono

Este tipo de ruleta tiene un único cabezal con una sola rulina, que se puede cambiar. El mango es corto y adaptable a la mano. Es de buen manejo y permite observar la línea por donde se debe cortar.

Ruleta de carburo de tungsteno

Lleva incorporado un depósito de aceite mineral en el mango, con lo cual la rulina se conserva en mejor estado. El diámetro de esta rulina es más pequeño que el de la ruleta anterior y cuando se desgasta debe cambiarse todo el cabezal.

Ruleta de espesor

Esta ruleta ha sido diseñada para cortar vidrios de 10 a 19 mm de espesor. Su mango se adapta a la mano y se sostiene como si fuera un martillo. La empuñadura del mango alberga el depósito del lubrificante.

Diamante

Ha sido la herramienta de corte más eficaz hasta la aparición de las ruletas antes citadas. Pero, incluso actualmente, la persona que posee esta herramienta y la sabe utilizar puede cortar cualquier vidrio, especialmente los vidrios más duros, como los rojos-masa.

Brujidor

Aunque esta herramienta no sirve para cortar, es necesaria para terminar algunos tipos de corte. Es una pletina de hierro o latón de sección rectangular, con una serie de muescas de distintos grosores y formas rectangulares y aristas vivas que se utilizan para roer el vidrio, eliminar irregularidades e introducirse en accesos difíciles. La bola del extremo se emplea para abrir los cortes mediante un golpe seco.

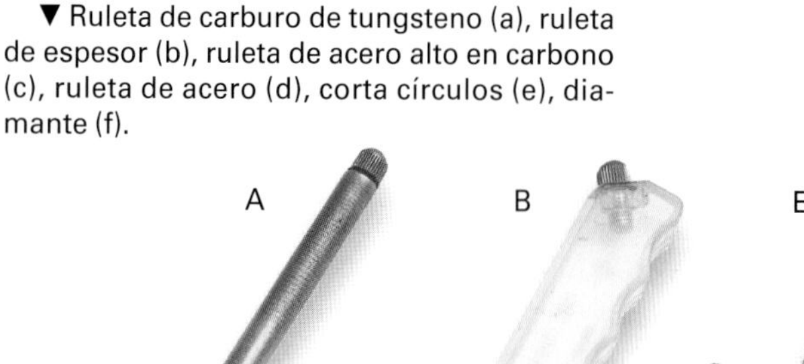

▼ Ruleta de carburo de tungsteno (a), ruleta de espesor (b), ruleta de acero alto en carbono (c), ruleta de acero (d), corta círculos (e), diamante (f).

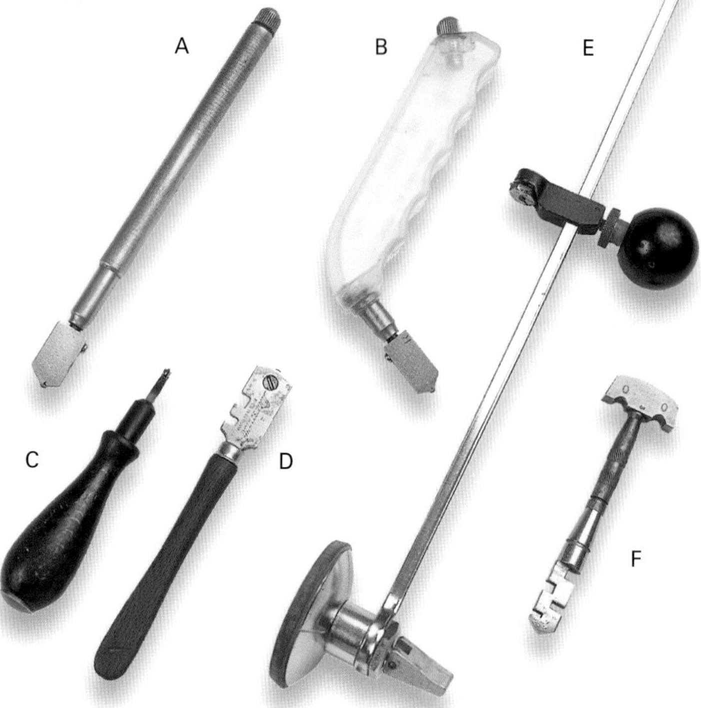

Corta círculos

Se usa para realizar circunferencias de un tamaño considerable. Posee una ventosa que se adhiere al vidrio y se gradúa por el radio donde está incorporada la ruleta.

Máquina de circunferencias o de cortar discos

Esta máquina es parecida a la anterior, pero funciona de manera distinta y corta circunferencias más pequeñas. Se apoya sobre un eje vertical girado mediante una manivela.

Máquina de disco

Esta máquina de disco de diamante está refrigerada hidráulicamente, impidiendo, de esta forma, que se calienten el disco y la pieza de vidrio. Es apropiada para cortar piezas de vidrio de un grosor considerable, como pueden ser las dallas de 20 mm de grosor o vidrios-masa.

Torno de óptico

Esta pequeña máquina es apropiada para realizar cortes en vidrios de tamaño reducido. El cilindro de base acompaña al vidrio y la rulina presiona sobre la superficie marcando el corte como lo haría cualquier rulina.

◀ Máquina de circunferencias.

▶ Máquina de disco.

▲ Torno de óptico.

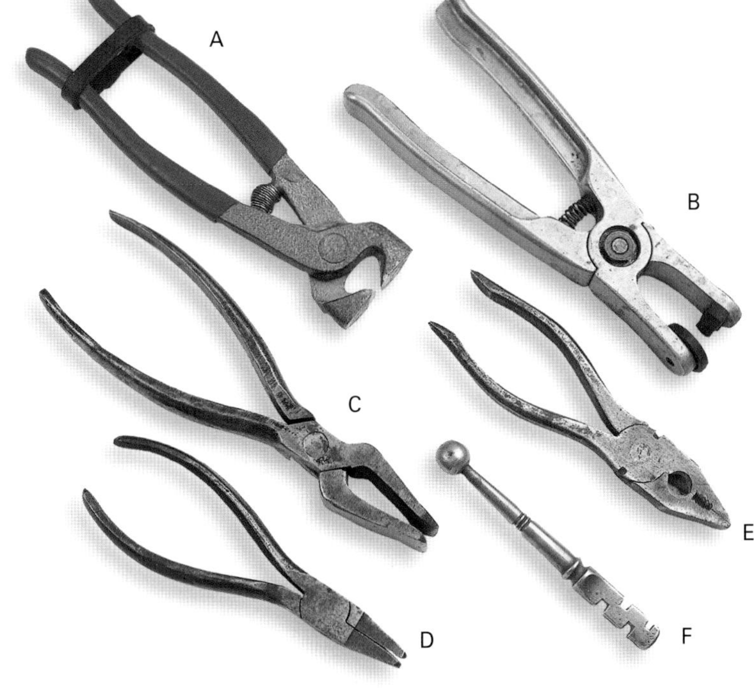

▲ Alicates de corte (a), alicates para abrir cortes (b), alicates de separar (c), alicates de remorder (d), alicates comunes (e), brujidor (f).

▼ Tajadera con todos los elementos necesarios para su uso.

Tajadera

Este instrumento primario sirve para cortar placas de mármol y también de vidrio. Con un golpe seco aplicado encima del corte realizado por la ruleta, la tajadera hace de cuña y parte en dos la plancha de vidrio. Sólo se usa para las dallas.

Alicates

En la actualidad, existen en el mercado diferentes alicates con tenazas.

Los alicates para abrir cortes se fabrican con aluminio. Su mordaza redondeada puede regularse siempre 90° respecto a la línea de corte; la abertura de corte se controla presionando las tenazas.

Existen diversos tipos de alicates de remorder o roer, con las mordazas más anchas o en forma de pico; todos se fabrican con un hierro blando que permite triturar con facilidad el vidrio sin romperlo.

Los alicates de separar tienen unas tenazas de 25 mm de ancho. Se adhieren a la superficie del vidrio y separan los fragmentos.

Los alicates comunes tienen un sinfín de usos; se utilizan para sacar los clavos, cortar los alambres e incluso roer los vidrios.

Los alicates de corte se emplean para cortar vidrios de hasta 6 mm de espesor; tienen la punta de metal duro.

Tijeras de vitralista

También denominadas tijeras de restar o tijeras de cortar plantillas, realizan un doble corte gracias a sus tres hojas. Una de las hojas tiene el grosor del alma del plomo, por lo que restan, generalmente, un 1,75 mm. También existen tijeras de vitralista específicas para trabajar con cinta de cobre; en este caso, restan 1 mm. Con este tipo de tijeras se cortan los patrones o plantillas de los vitrales emplomados o con cinta de cobre.

Tijeras comunes

Con ellas se cortan los perímetros de los patrones del vitral emplomado y los patrones del vitral de cemento o de silicona. También se emplean para cortar las alas del plomo cuando se precisa efectuar un postizo.

Cuchilla

Es muy útil para cortar el papel y la cartulina de los dibujos a tamaño natural.

▼ Tijeras de vitralista (a), tijeras comunes (b), cuchilla (c).

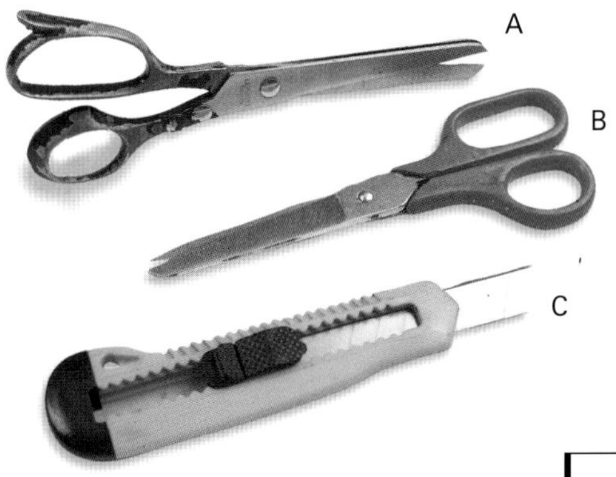

Herramientas abrasivas y de manipulación

Cabe recordar aquí que la manipulación de vidrios entraña un alto riesgo. Por eso es conveniente tomar las máximas medidas de precaución e intentar minimizar el peligro de accidentes, utilizando los instrumentos de forma adecuada y puliendo los cantos de las piezas cortadas siempre que sea necesario.

▲ Bloque de carburo de silicio y lija de mano diamantada.

Bloque de carburo de silicio

Se utiliza para pulir los cantos del vidrio. Es conveniente mojarlo antes de su uso para evitar que el polvo del vidrio salte.

Lija de mano diamantada

Tiene una superficie abrasiva de diamante y su especial fijación hace que el trabajo se reduzca de manera significativa, siendo de larga duración. Es aconsejable mojar la lija para que el polvo del vidrio no salte.

Amoladora eléctrica

Esta máquina, con fresas de diamante, es muy útil para matear los cantos de los vidrios. También se emplea para realizar formas de corte un tanto difíciles y que entrañan peligro de roturas. Está refrigerada hidráulicamente. Una vez terminada la operación, la cinta de cobre se adhiere con mucha facilidad.

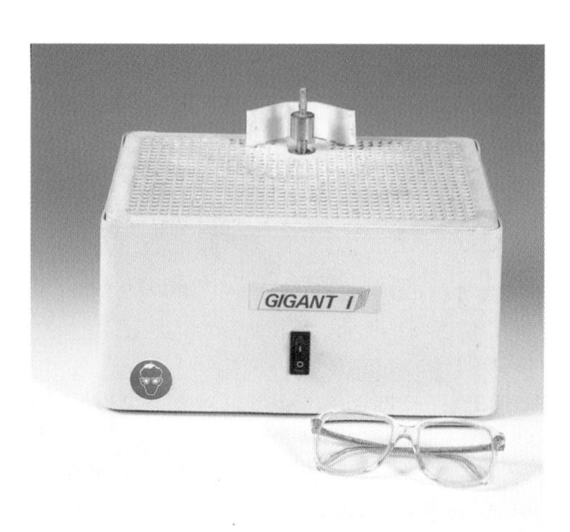

▲ Amoladora eléctrica.

Disco abrasivo

Está compuesto por un gran número de aletas de carburo de silicio. Existen de distintos granos, como el de 80, que desgasta con facilidad el vidrio, o el de 200, que lo pule más suavemente. No precisa agua. Se acopla a cualquier máquina taladradora portátil de bricolaje.

▼ Disco abrasivo.

Torno de cinta

Esta máquina sólo se encuentra en los talleres de vidrieros profesionales. Sirve para pulir los cantos de los vidrios con una cinta abrasiva continua refrigerada con agua. Colocando la cinta adecuada, también puede abrillantar los cantos de los vidrios.

▲ Torno de cinta.

Cepillos

Los cepillos son unas herramientas muy útiles e imprescindibles en el taller del vitralista. Se fabrican de varios tipos:

Los cepillos de raíces se usan para limpiar el vitral tras la operación de enmasillar, y para la limpieza en general; no se embozan nunca. Se fabrican de distintas medidas; también se pueden encontrar de plástico.

Los cepillos de esparto tienen unas hebras más finas que las de los de raíces. Se emplean en la limpieza de los acabados del vitral y para limpiar las mesas del taller. Para obtener una pátina pavonada debe usarse un cepillo de esparto gastado por el uso y cepillar insistentemente en los plomos y las soldaduras.

Los cepillos metálicos pueden ser de hierro, bronce o latón. Se utilizan para rascar el plomo viejo con el fin de realizar una nueva soldadura de estaño. También sirven para limpiar en seco la superficie del vidrio; en este caso se procurará no rayar el vidrio.

▼ Cepillo de esparto (a), cepillo de plástico (b), cepillo de raíces (c), cepillo pequeño de esparto (d).

► Pincel de perfilar *trenars* para diapreado, entrelazados, filetes, *smear shading*, etc. (a), pincel de perfilar con mayor cantidad de pelo para conseguir trazos más vigorosos, como los denominados *trait* (b), pinceles de tamaño reducido para retoques de líneas o detalles (c).

▲Cepillo de púas de hierro (a), cepillo de púas de latón (b), estropajo de acero inoxidable (c), estropajo de aluminio (d).

Estropajos metálicos

Tienen la misma utilidad que los cepillos metálicos, pero se presentan en aluminio o acero inoxidable. Son útiles para la limpieza de cualquier superficie de difícil acceso. No rayan.

Pinceles

Se fabrican de muchos tipos y calidades. Cada operario puede utilizar el que mejor se adapte a sus necesidades.

Los pinceles de perfilar pueden ser de diversas medidas, pero todos ellos deben tener el pelo largo. Los que se utilizan para filetear *(trenars)* están confeccionados con pelo de oreja de buey. Pueden tener forma de aguja, de espada, etc. Se emplean en la realización de diapreados, entrelazamientos, perfilados, *smear shading, trait*... También sirven para dibujar con betún de Judea y para realizar trabajos al ácido.

Los pinceles de carga tienen una gran cantidad de pelo. Se emplean para transportar las grisallas o los esmaltes desde la paleta hasta la superficie del vidrio. También sirven para realizar trazos vigorosos. Son de pelo fino de marta o tejón.

El unidor tiene forma de paletina y está hecho con pelo de tejón legítimo de unos 10 cm de largo. Sirve para difuminar o unir los trazos realizados por los pinceles y realizar el *lavis* y el puntillado. Se presenta en diferentes anchos.

Los pinceles de modelar deben utilizarse cuando la pintura está seca y antes de introducir los vidrios en la mufla. Proporcionan personalidad a la obra, puesto que cada pincel es distinto y el artista lo escoge a su gusto y comodidad. Los hay de cerdas cortas y redondas, de cerdas blandas o duras, finos, gruesos... Con ellos se lleva a cabo el puntillado, creando diminutos puntos de luz sobre la superficie de la pintura. Usándolos secos se consigue el *enlevé*.

▲ Dos tipos de unidores (a), diversos tipos de pinceles de carga (b).

Máquina de pasar plomo

Sirve para dar el calibrado deseado a las vergas de plomo. Consta de unos cojinetes que desbastan la verga mediante unas ruedas de 5 mm de grosor, con dientes, distanciadas 2 mm, que arrastran la tira. Después de desbastar la verga, se colocan los cojinetes definitivos con las ruedas de acabado, dando un acabado más fino. Los cojinetes efectúan las alas de la verga de plomo y las ruedas son las que proporcionan el alma.

Existen cojinetes de diferentes medidas y dibujos. En la actualidad, se pueden encontrar vergas ya pasadas por la máquina en los establecimientos donde se venden herramientas para vitralistas.

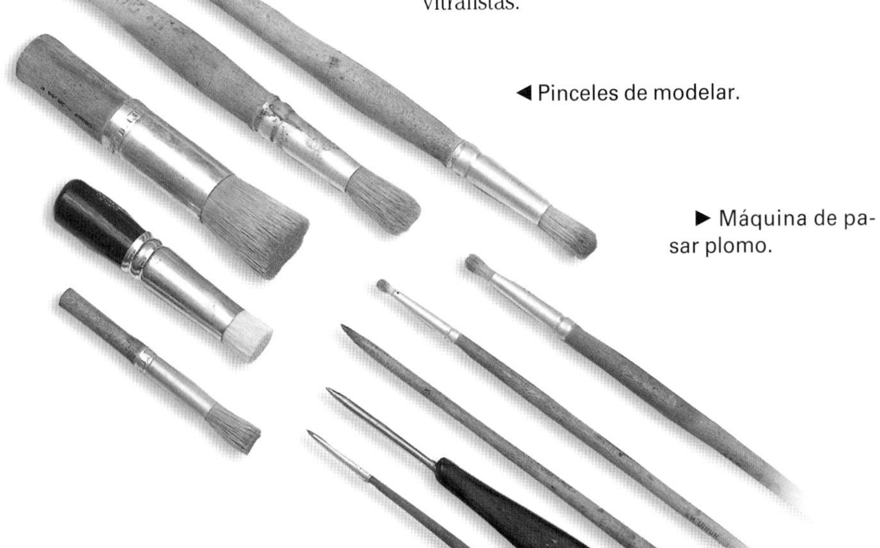

◄ Pinceles de modelar.

► Máquina de pasar plomo.

▲ Tajador de plomo con mango para clavar clavos (a), tajador de plomo con mango de madera (b), espátula aplicadora (c), tingles (d), alicates comunes (e), martillo (f), clavos (g).

Herramientas para emplomar

En la operación de emplomado se utilizan muchos instrumentos. A continuación, se citan los más habituales. Antes, sin embargo, debe tenerse en cuenta que se van a necesitar clavos; éstos deben ser de acero templado y pulido de 36 mm de largo, con la punta cónica y afilada para facilitar su clavado.

Martillo

Esta herramienta es imprescindible en cualquier taller. Los hay de distintos tipos: de goma, de bola, de pico, etc. Para la realización del emplomado se necesita un martillo ligero, con la cabeza de hierro para clavar los clavos y el mango de madera, preferiblemente de haya, para golpear las esquinas de los vidrios y ajustarlos dentro de las vergas de plomo.

Tajador de plomo

Es una herramienta de acero con mango de madera que se utiliza para cortar los plomos. Es conveniente mantenerlo siempre muy afilado, puesto que de lo contrario en vez de cortar el plomo lo aplastaría. El afilado se puede llevar a cabo con una espátula de acero.

Tingle

Es una barra de hierro o madera terminada en punta y con mango de madera. Se introduce entre las alas y el alma del plomo con el fin de abrirlo o enderezarlo. Su grosor es de 5 mm.

Espátula aplicadora

Se utiliza para aplicar la masilla y redondear los plomos, presionando con ella el alma del plomo. Con una espátula de madera se puede eliminar el corte para no estropear el plomo o el vidrio.

▼ Soldador de 100 vatios con cabeza plana (a), soldador de 100 vatios con cabeza en forma de cincel (b), soldador de 75 vatios con cabeza plana (c), soldador térmico (d), soldador de pico (e).

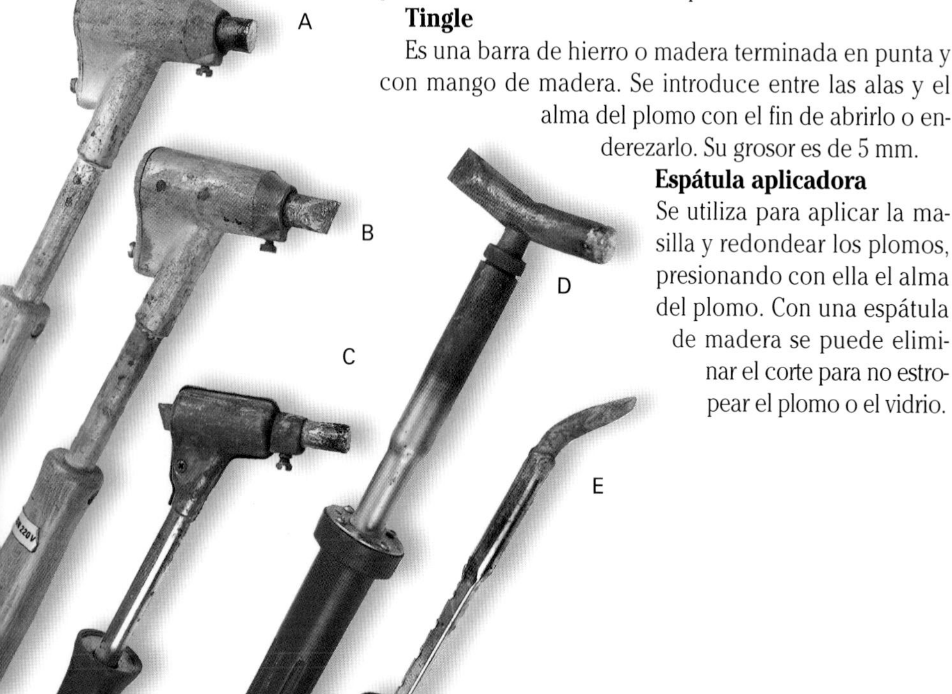

Herramientas y materiales para soldar

La operación de soldar es imprescindible para unir la red de plomos o cintas de cobre que sujetan los vidrios. Los utensilios y sustancias que se emplean habitualmente para este menester se citan a continuación.

Soldador

Es una herramienta eléctrica de 100 vatios y con forma de martillo, con punta de cobre de 16 mm de diámetro, presentada con cabeza en forma de cincel. Es muy apropiado para soldar las barras de refuerzo o los ángulos.

Soldador térmico

Está compuesto de dos brazos; uno de los extremos es redondeado y sirve para soldar perfiles; el otro tiene una boca de cincel para los ángulos. Su temperatura de trabajo es de 300 °C. Tiene incorporado un automatismo térmico que impide que la temperatura sobrepase los grados deseados. Es muy útil para trabajar en las restauraciones.

Soldador de 75 vatios

Es apropiado para soldar vergas de pequeñas dimensiones. Su temperatura es más baja que la del anterior, por lo que la soldadura con estaño se puede controlar con mayor facilidad.

Soldador de pico

Se utiliza para introducir su punta en los accesos más difíciles y pequeños. La carga de estaño es pequeña, como las soldaduras que realiza.

Estaño

Es un metal blanco y brillante, sus principales propiedades son la ductilidad y la maleabilidad. Fundido se transforma en óxido estannoso y estánnico después. Mezclado con plomo, sirve para soldar metales. Se presenta en varillas de un 60 % de estaño y un 40 % de plomo. El color de la soldadura es plateado. Si se quiere dar un tono más gris, la proporción tiene que ser de 33 % de estaño y 67 % de plomo.

Esterina

Es una pasta que se presenta en estado sólido y contiene ácidos inorgánicos, como los ácidos nítrico, sulfúrico y fosfórico. Éstos hacen que sea buena conductora del estaño en las soldaduras. Con el objeto de conseguir una pasta óptima para su aplicación, debe mezclarse la esterina con colofonia y aceite de oliva.

▼ Barras de estaño (a), colofonia (b), esterina (c), aceite de oliva (d).

Tipos de hornos

Antiguamente las piezas de vidrio se horneaban colocándolas una encima de otra, separadas por una fina capa de yeso que servía de aislante. Por eso, a veces los restauradores hallan manchas producidas por el amarillo de plata que, en el momento de la cocción, había traspasado una de esas capas aislantes. Obviamente, los hornos eléctricos actuales simplifican la operación y ofrecen una mayor seguridad.

Horno de carga frontal

Con resistencias de calentamiento en las cuatro paredes laterales y en la base, termoelemento de platino-radio (pirómetro) y sistema de regulación automático o manual, es el horno eléctrico tradicional. Su duración es muy larga, dado que, aunque puede alcanzar una temperatura de 1.300 °C, puesto que ha sido fabricado para cocer cerámica, la hornada de un vitralista oscila entre los 550 y los 620 °C. Su capacidad es de 50 cm^3.

Las hornadas se realizan por pisos. Las piezas de vidrio pintadas se colocan encima de una plancha de acero a la que previamente se le ha puesto una capa de yeso deshidratado. Las diversas planchas de acero se separan entre sí con unos dados de hierro o de cerámica. Para deshidratar el yeso en polvo, que puede comprarse en tiendas especializadas, sólo debe realizarse una hornada previa, colocando el polvo en las bandejas y dejando que la temperatura llegue a 250 °C. Al sacarlo se comprueba que el polvo se ha cuarteado. Si esta operación se hubiese efectuado con los vidrios, éstos hubieran calcado dichas grietas, deformándose su planimetría. Para que la temperatura llegue a 620 °C se necesitan de tres a cinco horas, dependiendo de la carga del horno, y cuarenta y ocho horas para extraer la hornada, ya que es muy importante su curva de enfriamiento. Este horno tiene un enfriamiento lento si se compara con los más actuales, ya que sus paredes están realizadas con ladrillos refractarios, cubiertos en su lado exterior por una chapa de hierro, con un material aislante entre las dos paredes. Esto hace que el proceso de enfriamiento sea más lento.

Al adquirir un horno de este tipo, es necesario tener en cuenta su potencia y si se dispone de suficiente energía eléctrica, aunque muchos de estos hornos funcionan con energía doméstica, o trifásica, con un consumo menor de kilovatios.

◀ Horno de carga frontal.

Horno de carga superior

También denominado monostrato, o sea, de un solo nivel, ofrece una mayor velocidad de cocción y de enfriamiento que el anterior. En sus paredes interiores tiene fibra cerámica de alta densidad, y una chapa de hierro en sus paredes exteriores. Sus resistencias están revestidas con una protección de cuarzo. Un microprocesador permite regular la temperatura mediante el pirómetro con plena exactitud de grados de calor y de tiempo de cocción y paro automático programado. Se debe colocar en un lugar resguardado de las corrientes de aire. Con él se pueden realizar cocciones de grisalla en doce minutos y extraerlas en treinta minutos. El consumo es mínimo y se pueden hornear piezas más grandes que en los hornos tradicionales. Estos hornos están ideados para realizar el termoformado y la fusión, alcanzando temperaturas de hasta 850 °C.

Gracias a la observación y la experiencia puede interpretarse la temperatura a partir de los colores del fuego. Estos colores sólo son visibles en una atmósfera oxidante, como durante la cocción de grisallas o esmaltes cerámicos. Así, mientras que a unos 500 °C (1.022 °F) no se observa ningún color, entre los 550 y 600 °C (1.022 – 1.112 °F) el interior del horno empieza a tomar un tono rojizo, parecido al del cielo a la salida del sol; entre los 600 y los 700 °C (1.112 – 1.292 °F) se empieza a oscurecer, pasando del rojo oscuro a 790 °C (1.454 °F) al rojo-cereza, naranja, amarillo claro, blanco deslumbrante y azulado a los 1.500 °C (2.732 °F).

▶ Horno de carga superior.

Aspectos *técnicos*

En cualquier disciplina artística es imprescindible el dominio de la técnica. La técnica ofrece las herramientas necesarias para llevar a cabo cualquier proyecto artístico, abre las puertas a las infinitas posibilidades creativas y su conocimiento permite incluso transgredir las propias normas. Gracias a ella y a su evolución a lo largo de los siglos, el vitral sigue disfrutando en la actualidad de una gran vitalidad y desarrollo; son muchas las personas en todo el mundo que se dedican a experimentar nuevas técnicas y materiales, con lo que cada vez son más innovadoras las propuestas estéticas de sus creaciones.

Es por ello que las siguientes páginas se dedican a explicar el proceso técnico de realización de un vitral, desde la elaboración del proyecto hasta el acabado final. El conocimiento de los materiales y las herramientas no son suficientes para llevar a cabo un vitral, hay que saber cómo y cuándo aplicarlos, de que manera cortar el vidrio para que no se rompa, cómo emplomar los cantos de un vidrio o ensamblar una tira de plomo con otra, cuál es el orden de las operaciones para que el resultado final sea óptimo, etc.

Elaboración del proyecto

Antiguamente, los vitrales se creaban y ejecutaban en el interior del mismo edificio del que después pasarían a formar parte, vistiendo y embelleciendo sus paredes. En la actualidad, los vitrales se realizan en el taller y, posteriormente, son trasladados a su lugar de ubicación. Ello implica, antes de proceder a realizar el boceto, el análisis y la observación previos del espacio donde será instalado el vitral y de la cantidad y calidad de la luz que éste deberá tamizar.

El **boceto** es el primer paso que efectúa el artista para concretar una idea, es decir, para darle forma. En la realización de vitrales, el boceto constituye la fase previa al proyecto; no se trata de un simple apunte sino de un dibujo bastante elaborado.

En el **proyecto** se delimita la idea previa y se le da una forma definitiva. Para poder llevar a cabo un vitral, es necesario que el proyecto informe sobre los colores de los vidrios, sus calidades, su construcción con las líneas de plomo, el montaje y la estructura en que debe emplazarse. Asimismo, sus medidas deben ser las del vitral a escala.

El diseño o **maqueta** se efectúa en los casos en que el proyecto no ofrece suficiente información. La representación gráfica a escala acerca al artesano a la realidad de la obra. Todos los posibles problemas que pueden surgir durante el proceso de elaboración, ya sean de color, medidas, volumen o proporciones, deben estar resueltos en la maqueta, puesto que una vez comenzado el trabajo es muy difícil llevar a cabo modificaciones, a excepción de que se trate de cambios puntuales.

En la realización de maquetas se suele utilizar la escala 1:10, y, si es un diseño de gran formato, la escala 1:20 u otras más pequeñas.

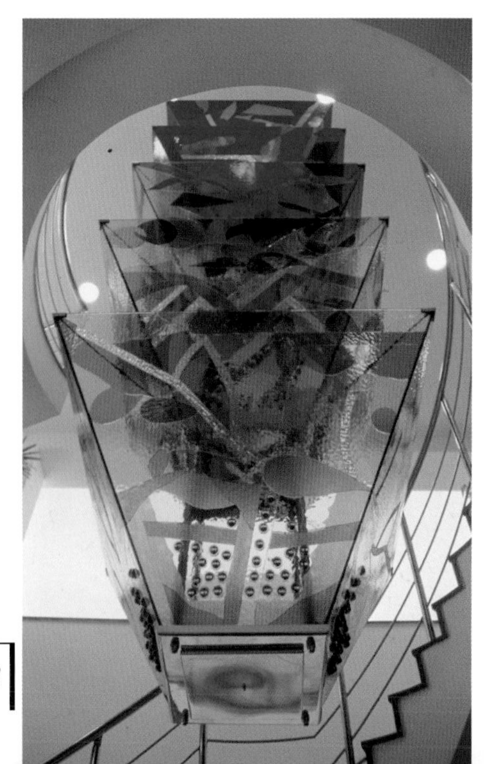

▲ Para realizar el dibujo previo o boceto se puede emplear un lápiz de mina blanda BH o B1.

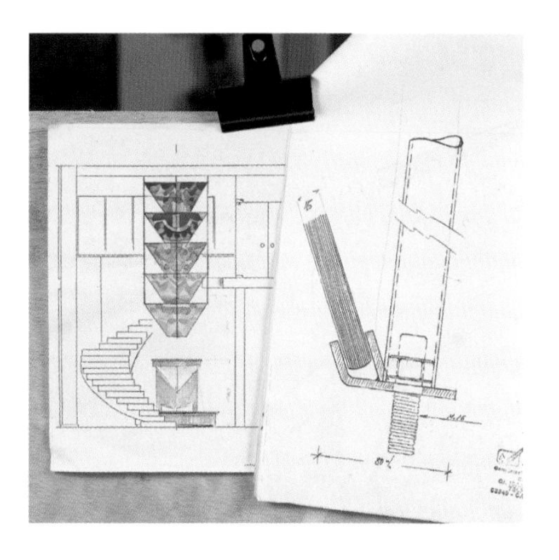

▲ A veces, el proyecto debe incorporar el dibujo de los anclajes que soportarán las planchas de vidrio y del espacio donde va a ser colocado el vitral.

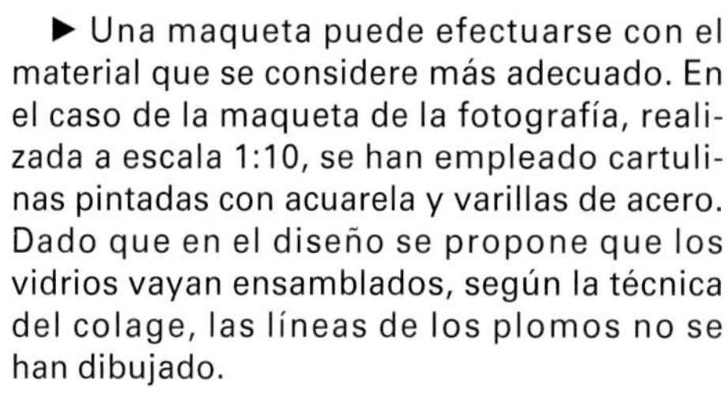

▶ Una maqueta puede efectuarse con el material que se considere más adecuado. En el caso de la maqueta de la fotografía, realizada a escala 1:10, se han empleado cartulinas pintadas con acuarela y varillas de acero. Dado que en el diseño se propone que los vidrios vayan ensamblados, según la técnica del colage, las líneas de los plomos no se han dibujado.

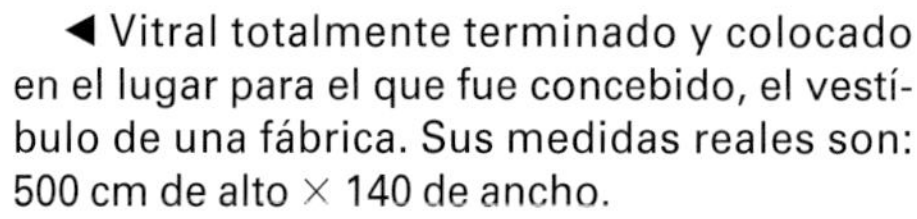

◀ Vitral totalmente terminado y colocado en el lugar para el que fue concebido, el vestíbulo de una fábrica. Sus medidas reales son: 500 cm de alto × 140 de ancho.

▲ El boceto sirve de modelo para realizar el proyecto, que en esta ocasión ha sido efectuado a escala 1:10 y con acuarela; el dibujo de los plomos se ha marcado con tinta de color negro.

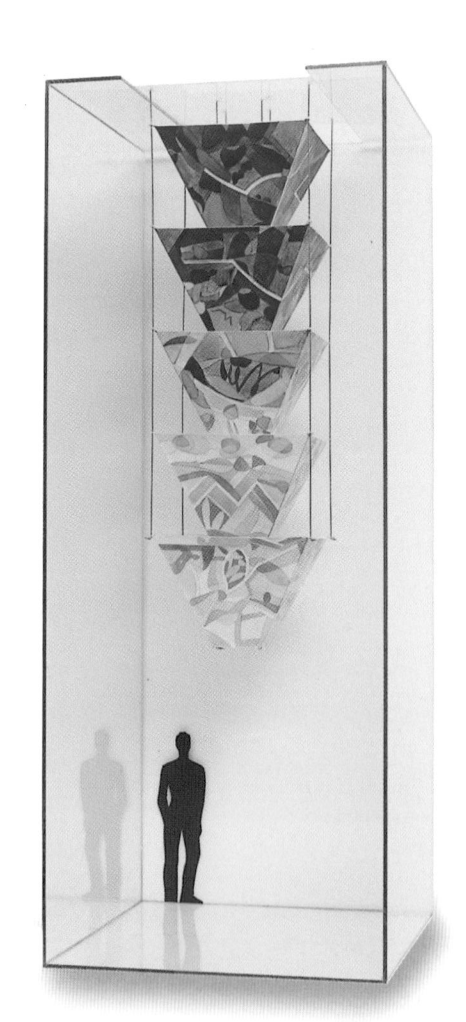

▲ Marc Chagall es el autor del boceto y el proyecto de unos vitrales para una sinagoga de Jerusalén. En esta fotografía se puede contemplar el primer boceto (15 × 20 cm) que realizó con pincel, tinta china y mina de plomo.

▲ El segundo boceto preparatorio (29,5 × 40,5 cm) lo ejecutó con tinta china; el dibujo y la aguada los hizo con pincel.

▲ En el primer proyecto (15 × 20,2 cm) introdujo el color con acuarela y reforzó el dibujo con tinta china.

▼ Chagall preparó la maqueta (22 × 48 cm) con guache y un colage de papeles de colores.

▼ Diseño definitivo del vitral (32 × 42 cm), elaborado con guache y colage.

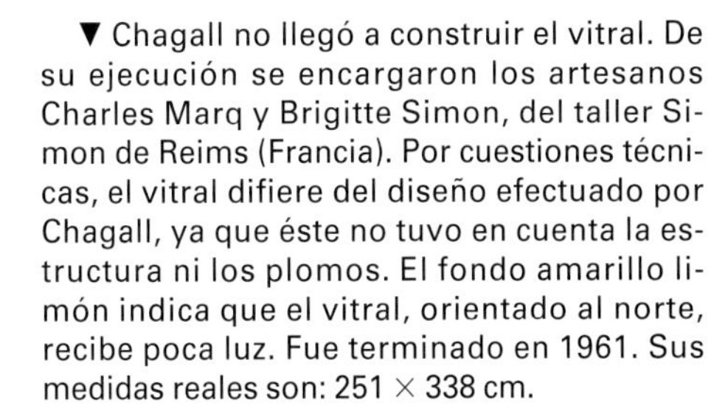

▼ Chagall no llegó a construir el vitral. De su ejecución se encargaron los artesanos Charles Marq y Brigitte Simon, del taller Simon de Reims (Francia). Por cuestiones técnicas, el vitral difiere del diseño efectuado por Chagall, ya que éste no tuvo en cuenta la estructura ni los plomos. El fondo amarillo limón indica que el vitral, orientado al norte, recibe poca luz. Fue terminado en 1961. Sus medidas reales son: 251 × 338 cm.

Dibujo a tamaño natural

Con el nombre de **cartón** se designa el dibujo preparatorio, a medida real, previo a la ejecución de un vitral y posterior al proyecto.

Para la realización del cartón es aconsejable emplear un papel de 150 g, como el que se usará en estos ejercicios. En los casos en que deban efectuarse grisallas, es mejor que el papel sea de color blanco, puesto que de este modo el dibujo destacará más.

En el cartón se anotan todas las acotaciones necesarias para la construcción del vitral: los plomos, con sus dibujos y las variaciones en sus calibrados o grosores, las numeraciones del muestrario de los vidrios, etcétera.

El cartón también sirve para calcar los patrones o plantillas que posteriormente se emplearán para cortar los vidrios. Para la realización de los patrones se debe usar un papel cuyo grosor no sea inferior a 250 g; el más eficaz es el de 350 g.

En la Edad Media, al igual que en la actualidad, el cartón servía para el montaje del vitral. Esta operación se puede llevar a cabo, bien colocando el cartón sobre la mesa y montando el vitral encima, o poniéndolo a un lado y montando el vitral directamente encima de la mesa con ayuda de una escuadra.

◀ **1.** Primer paso en el proceso de realización de un cartón o dibujo a escala real. El proyecto se ha efectuado a escala 1:10. Las pequeñas variaciones que se puedan hacer respecto al boceto serán para mejorarlo e incidir en sus detalles.

▼ **2.** Detalle que muestra en primer término el perímetro o la anchura del vitral. La línea exterior es la medida justa del sitio donde debe colocarse el vitral. La línea interior paralela corresponde al vidrio. Se debe restar 6 mm de la medida total para poder envolver el perímetro con un plomo de 7 mm y obtener 2,5 mm de tolerancia en cada lado.

▼ **3.** Detalle de cómo se ha de dibujar la línea de plomo para que aparezca limpia, sin que se superponga a la anterior. Se dejan unos milímetros entre línea y línea, dependiendo del grosor del plomo que se desee emplear. Las líneas del dibujo deben ser nítidas y bien definidas para facilitar el calcado posterior.

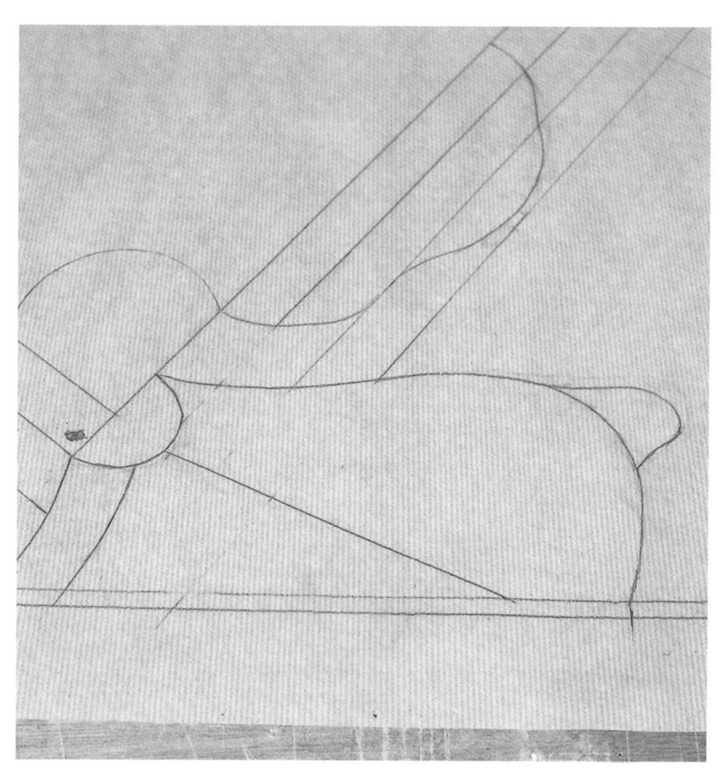

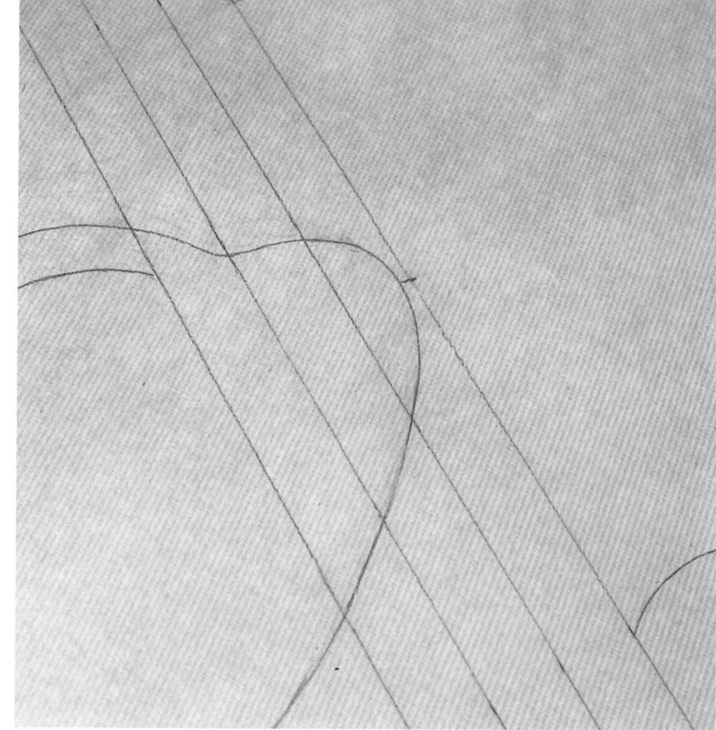

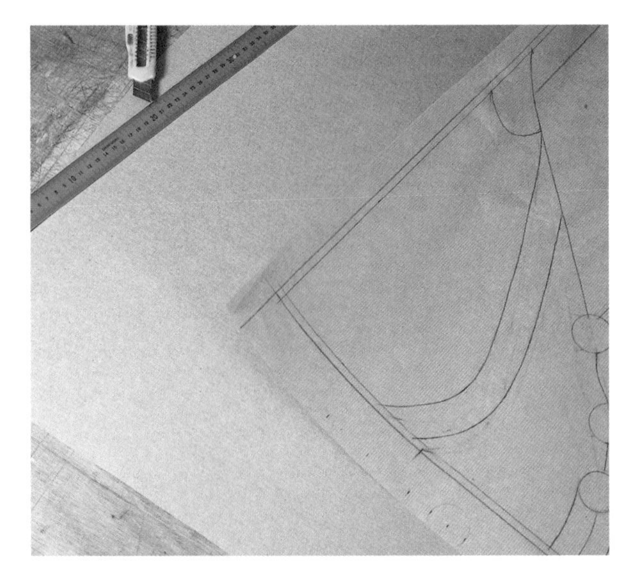

◀ **5.** Acto seguido, se coloca papel carbón encima del papel de 350 g, con el lado de la tinta hacia abajo. Si se desea calcar a la inversa, primero se coloca el papel carbón hacia arriba y sobre él el papel de 350 g, con lo que se obtiene el dibujo del revés.

▲ **4.** Terminado el dibujo a escala real, se procede a calcarlo para obtener los patrones. Para ello, se toma un papel o cartulina de 350 g, cuyas medidas sean ligeramente superiores a las del dibujo, y se coloca encima de la mesa.

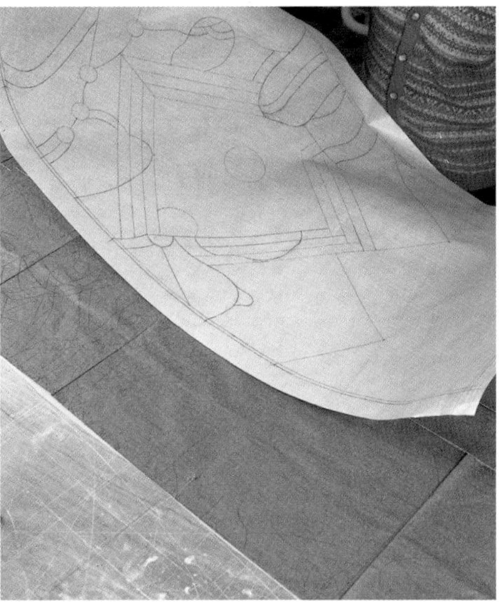

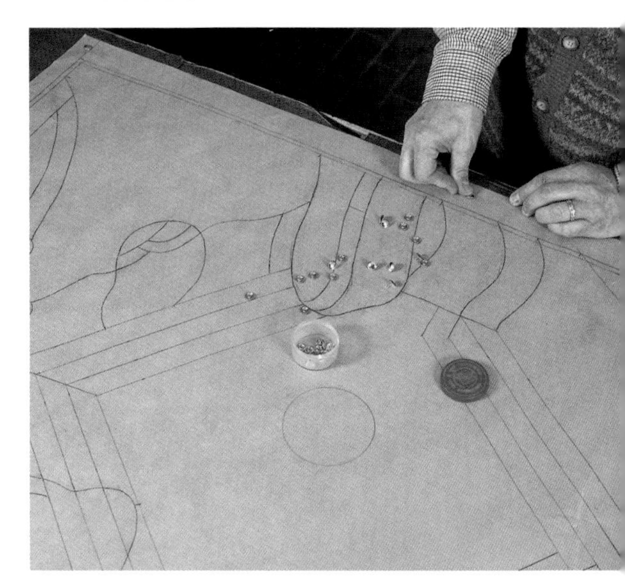

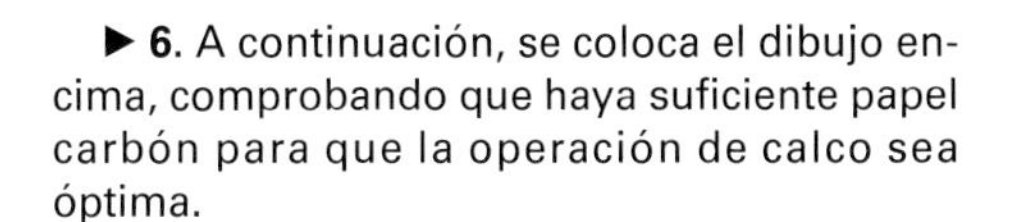

▶ **6.** A continuación, se coloca el dibujo encima, comprobando que haya suficiente papel carbón para que la operación de calco sea óptima.

▶ **7.** Se sujeta el dibujo a la cartulina y al papel de calco. Aunque en este caso se hace mediante chinchetas, que se clavan a la mesa, también puede efectuarse con cinta adhesiva si se desea trasladar todo el conjunto.

▲ **8.** Lo primero que debe calcarse es el perímetro del vitral o panel. Solamente se calca la línea interna, la que corresponde al vidrio. Es aconsejable emplear un lápiz de punta dura o un bolígrafo de un color distinto al del lápiz con que se ha efectuado el dibujo.

▲ **9.** Se prosigue del mismo modo con todas las líneas rectas que se puedan trazar con una regla.

▲ **10.** Finalmente, se procede a calcar las líneas restantes. Siempre se debe calcar por el centro de la línea donde irá el plomo. De este modo, se evitan problemas en el momento de cambiar el grosor o el calibrado del plomo.

◀ **11.** Muestrario de los vidrios que se van a emplear en el vitral. Obsérvese que cada vidrio tiene una etiqueta en la parte superior: es la referencia que sirve de guía para establecer los colores sobre el dibujo.

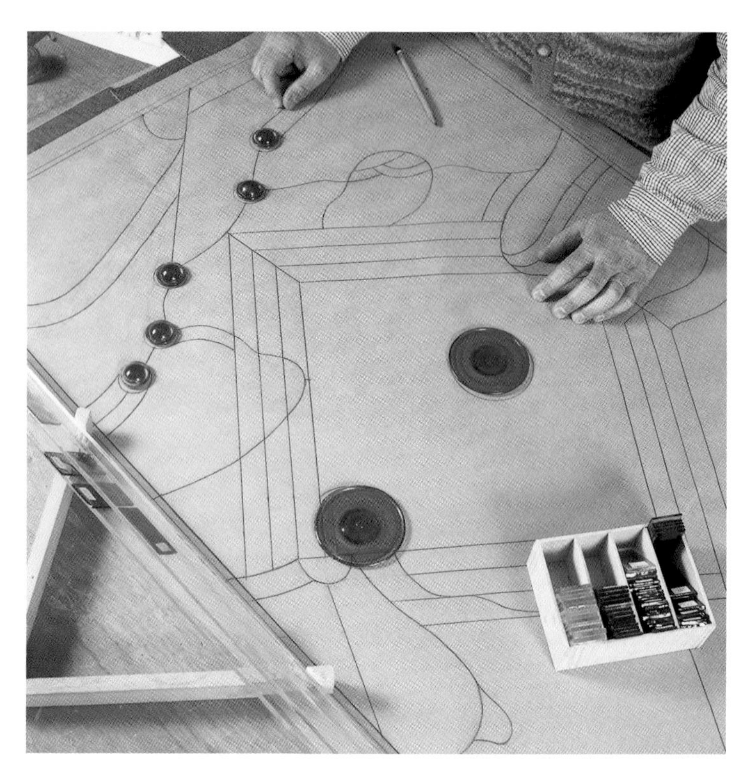

◀ **13.** Se siguen extrayendo las piezas del muestrario y separando los colores que aparecen en el proyecto.

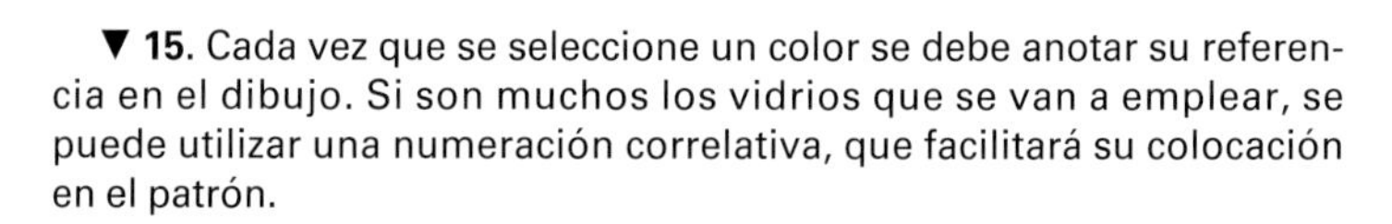

▲ **12.** El proceso de seleccionar los colores del vitral se inicia con las piezas singulares, es decir, las no referenciadas. En primer término, se pueden contemplar las cibas, piezas de vidrio soplado o realizadas con molde, que se distinguen por su boudine, protuberancia o bollón en el centro de la pieza. En segundo término, pueden observarse unos botones o joyas efectuados con moldes.

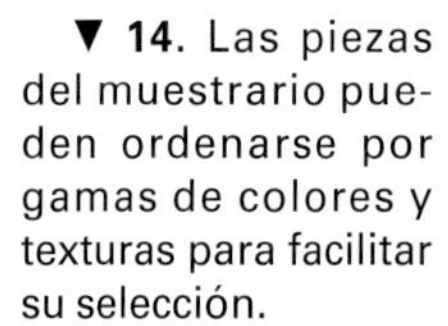

▼ **14.** Las piezas del muestrario pueden ordenarse por gamas de colores y texturas para facilitar su selección.

▼ **15.** Cada vez que se seleccione un color se debe anotar su referencia en el dibujo. Si son muchos los vidrios que se van a emplear, se puede utilizar una numeración correlativa, que facilitará su colocación en el patrón.

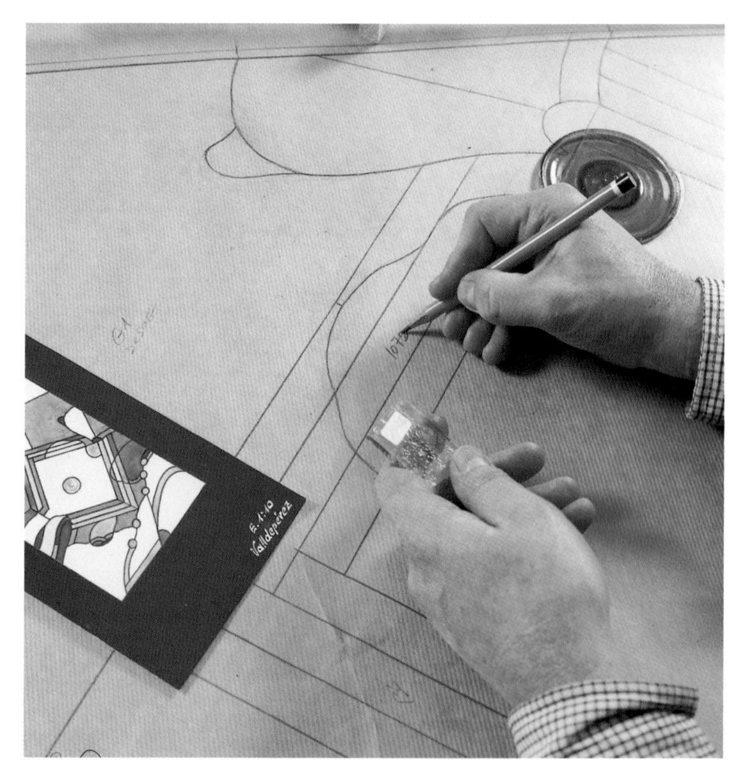

▲ **16.** Tras seleccionar los colores del vitral y referenciarlos en el dibujo, se marcan las peculiaridades técnicas del vitral. En este caso, se indica con un lápiz de color una pequeña curva en la punta del ángulo recto para recordar que así se debe hacer cuando se corten los patrones.

◀ **17.** Seguidamente, se procede a desmontar los papeles. Primero se levanta una punta para verificar que la operación de calco se ha efectuado correctamente. Si es así, se retiran el papel carbón y el dibujo.

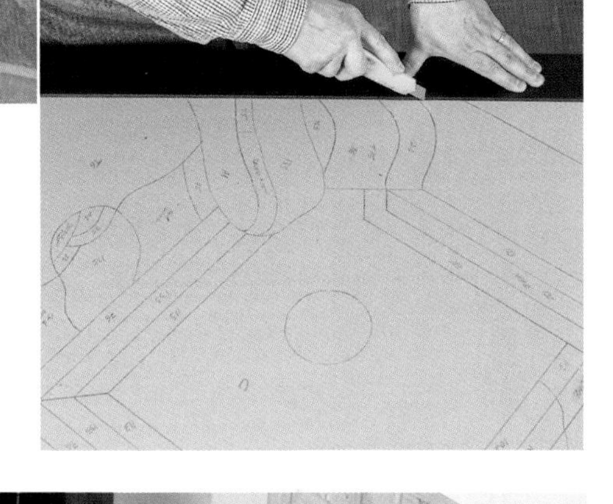

▶ **18.** Se corta el perímetro de la cartulina en que se ha calcado el dibujo. Esta operación puede realizarse con una cuchilla o con unas tijeras de uso común.

▲ **19.** A continuación, se procede a cortar los patrones mediante las tijeras de vitralista. Es importante efectuar esta operación adecuadamente, siguiendo las líneas por el centro, y procurando que el corte sea continuo. Obsérvese la pequeña tira sobrante de las plantillas: ésta es el resultado de restar 1 mm del perímetro de cada plantilla, correspondiente al grosor del alma del plomo.

▶ **20.** Tras cortar todas las plantillas, éstas se colocan encima del dibujo y se comprueba que no falte ninguna.

Corte del vidrio

Los grandes artesanos de la Edad Media empleaban un punzón de hierro calentado al rojo vivo para cortar el vidrio. De este modo conseguían herir la superficie de la plancha; luego, mediante unos alicates de roer, le daban la forma deseada. Actualmente, este proceso se lleva a cabo de manera mucho más sencilla, gracias a la evolución de la técnica y la fabricación de herramientas adecuadas.

En el siguiente ejercicio se explican las diversas técnicas de corte, las herramientas apropiadas para ello y su correcta manipulación. Sin embargo, cabe tener en cuenta que, como en cualquier trabajo de artesanía, la práctica es la que proporciona saber y buen oficio.

► Para una correcta conservación y ordenación de los vidrios, es aconsejable colocarlos en estantes de madera, clasificándolos por tamaño y color.

◄ Una de las muchas formas de sostener una ruleta consiste en colocar los dedos en la posición que muestra la imagen. De este modo, se aprisiona la herramienta formando un solo cuerpo con la mano. La parte de la herramienta que contiene las pequeñas ruedas debe situarse siempre en el lado exterior de la pieza que se desea cortar.

▲ A la vez que se ejerce presión con la ruleta sobre el vidrio, ésta se hace rodar por su superficie. Un ruido similar al del movimiento del papel de celofán y la aparición de una pequeña raya blanca en la superficie de la plancha indican que el corte ha sido efectuado.

◄ En caso de no haber conseguido realizar el corte, se intenta presionar con la ruleta sobre la plancha de vidrio, tal como muestra la imagen. Es muy importante que la herramienta se mantenga en posición vertical.

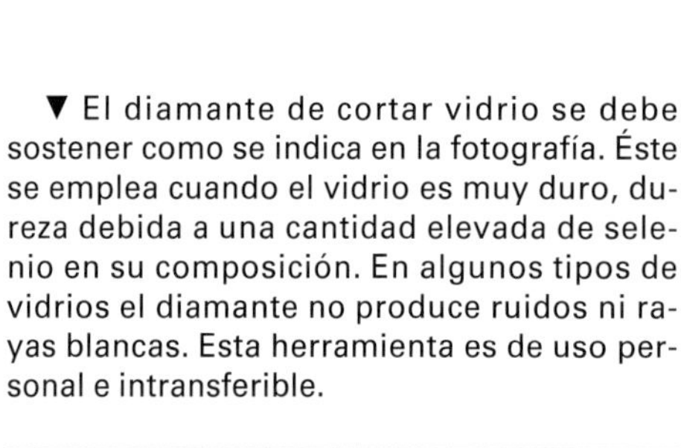

▼ El diamante de cortar vidrio se debe sostener como se indica en la fotografía. Éste se emplea cuando el vidrio es muy duro, dureza debida a una cantidad elevada de selenio en su composición. En algunos tipos de vidrios el diamante no produce ruidos ni rayas blancas. Esta herramienta es de uso personal e intransferible.

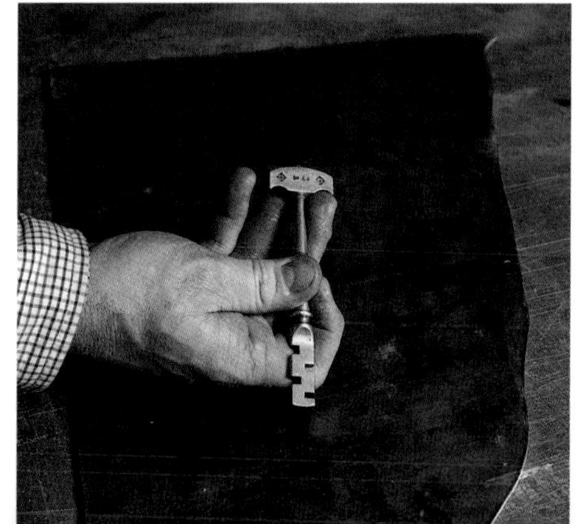

▲ La ruleta lubrificada con aceite, que se deposita en el interior del mango, y con una pequeña rueda en un cabezal único, es una herramienta de larga duración gracias a su lubrificación constante. Se fabrican de diferentes maneras y cortes y son idóneas para los cortes industriales y vidrios de gran grosor. Su forma permite mantenerla en posición inclinada durante su manejo.

▲ **1.** Se procede a cortar una plancha de vidrio con algunas de las herramientas mencionadas. Con un lápiz graso o un rotulador se marca en el vidrio el lugar donde se va a efectuar el corte. Para realizar cortes rectos es aconsejable emplear una regla.

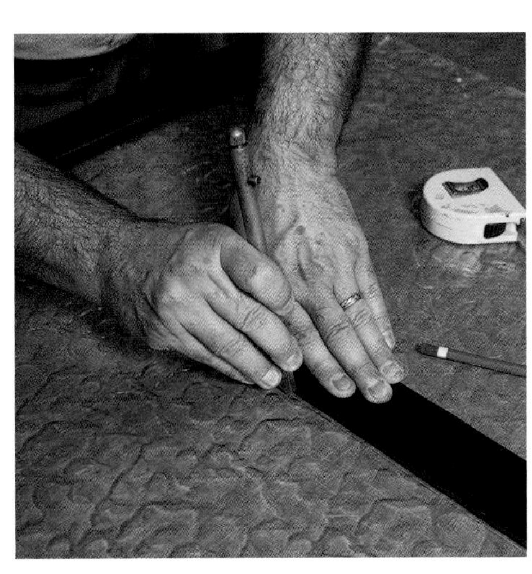

▲ **2.** Para que el centro del corte de la pequeña rueda coincida con la marca es necesario desplazar la regla 2,5 mm de la señal. Con el fin de que la regla no se mueva, se sujeta firmemente con la mano o colocándole unos pesos encima.

▲ **3.** Se sitúan los dedos de las manos tal como muestra la fotografía y, acto seguido se presiona cuidadosamente sobre las dos partes de la plancha de vidrio, intentando separarlas. De este modo se rompen las moléculas del vidrio.

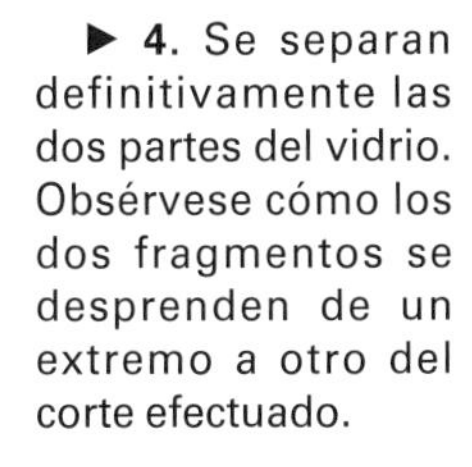

▶ **4.** Se separan definitivamente las dos partes del vidrio. Obsérvese cómo los dos fragmentos se desprenden de un extremo a otro del corte efectuado.

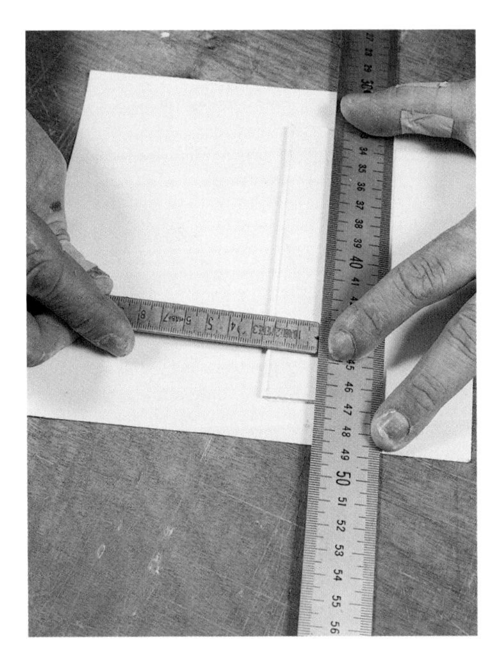

◀ **5.** En los casos en que se tengan que realizar tiras de vidrio en línea recta, se puede confeccionar una galga de vidrio a la medida deseada.

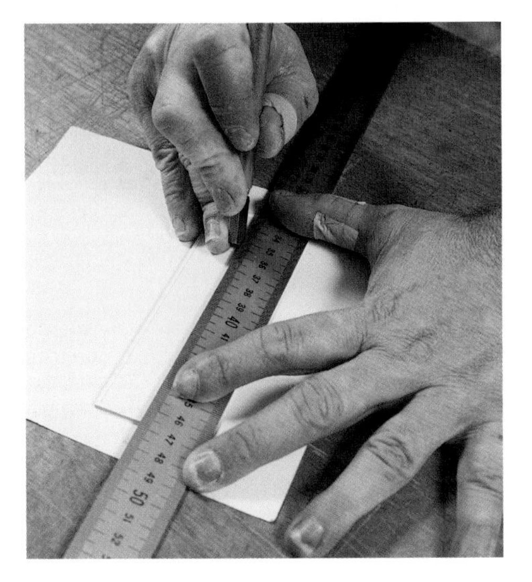

◀ **6.** Tras marcar las medidas se procede al corte de la galga. La ruleta restará su propio grosor.

▶ **7.** Con una esponja de diamante o una piedra de carburundum, se pulen las aristas del vidrio para evitar que corten, y se rectifica la forma dejando la regleta lista para su uso.

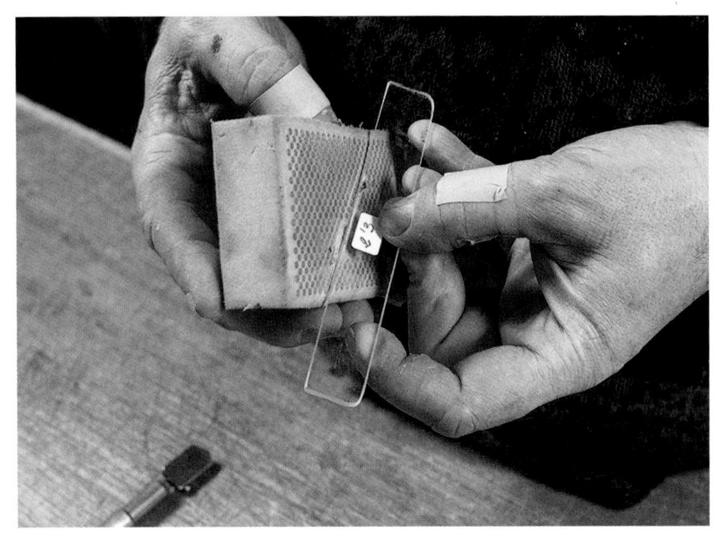

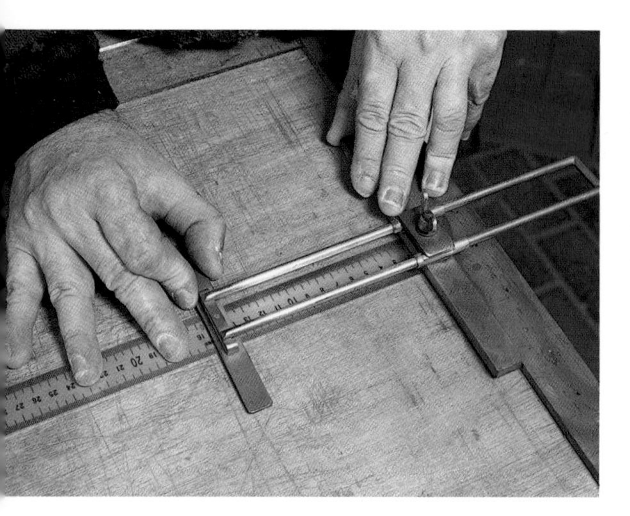

▲ **8.** Acto seguido, se fija una galga metálica a la medida deseada, teniendo en cuenta que debe restarse el grosor de la ruleta.

▲ **9.** Se desliza la galga a lo largo de la plancha de vidrio, a la vez que se corta apoyando la ruleta en el extremo inferior de la galga metálica.

▲ **10.** Con ayuda de los dedos pulgares se debe presionar cuidadosamente el vidrio para abrir el corte.

▲ **11.** Para cortar las tiras de vidrio, se apoyan la plancha de vidrio y la galga, también de vidrio, en una regla o listón de madera de un grosor superior al de la plancha de vidrio. Seguidamente, se deslizan a la vez la ruleta y la galga por la superficie de vidrio.

▲ **12.** Mediante este sistema se pueden cortar tiras de vidrio con una exactitud extraordinaria y gran rapidez.

◀ **13.** Mediante una máquina denominada cortadora de óptico (que consta de una ruleta, en la punta, y un muelle para presionar la plancha) se puede cortar un vidrio en la forma precisa.

▶ **14.** Con un lápiz de cera o un rotulador se dibuja el perímetro de la plantilla encima de un trozo de vidrio.

▲ **15.** A continuación, con una mano se sujeta el vidrio y con la otra se hace girar el tambor en que se apoya el vidrio para cortarlo.

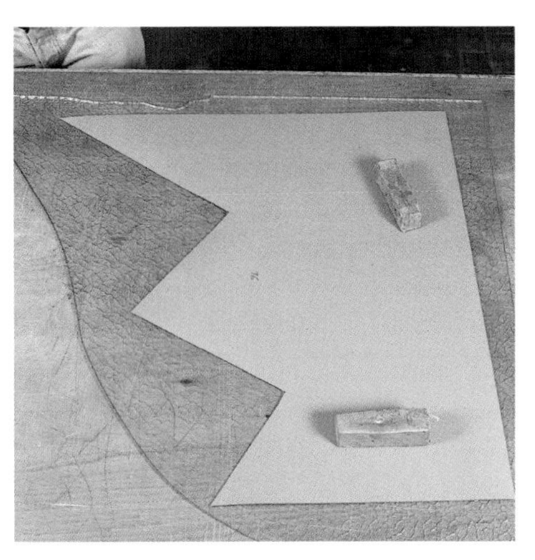

▲ **16.** Seguidamente, se explica cómo cortar ángulos rectos. Se empieza por la parte más difícil: los ángulos interiores del vidrio.

▲ **17.** En primer lugar, se cortan las partes sobrantes de la plancha. La plantilla se sujeta mediante unos pesos.

◀ **18.** Con los alicates se terminan de romper las partes sobrantes del vidrio. Obsérvese que esta operación se lleva a cabo redondeando el vidrio para evitar que se tense y se rompa.

▶ **19.** Es importante que la plantilla permanezca inmóvil, pues de lo contrario, el montaje posterior de las piezas no coincidiría.

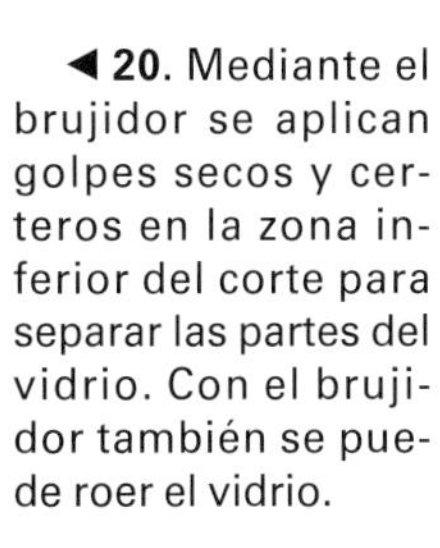

◀ **20.** Mediante el brujidor se aplican golpes secos y certeros en la zona inferior del corte para separar las partes del vidrio. Con el brujidor también se puede roer el vidrio.

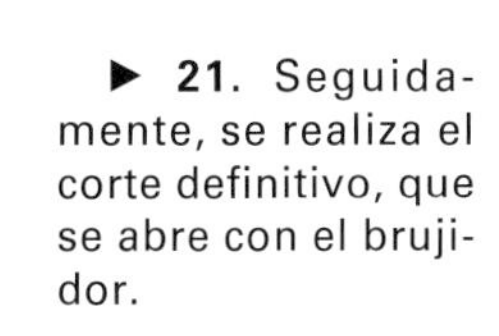

▶ **21.** Seguidamente, se realiza el corte definitivo, que se abre con el brujidor.

◀ **22.** Con los alicates se rompen las partes restantes.

▶ **23.** También con los alicates, se eliminan los trozos de vidrio que quedan para conseguir el ángulo recto deseado.

▲ **24.** Para cortar el ángulo exterior de la pieza de vidrio se puede emplear una regla.

▲ **25.** Los cortes rectos también pueden efectuarse con la ayuda de la plantilla.

▲ **26.** Si el corte ha sido certero, la rotura se realiza con facilidad y limpieza.

◀ **27.** Una vez terminada la pieza, se deposita en el sitio que le corresponde del dibujo. Obsérvese la perfección que presentan los ángulos rectos.

▼ **28.** Con la máquina de cortar discos, compuesta por un eje central y una manivela, se pueden cortar discos de vidrio.

▲ **29.** Obsérvense la punta de la ruleta y el eje central, que sirven para aumentar o disminuir el diámetro de la circunferencia.

▲ **30.** Una vez seleccionada la medida de la circunferencia, se hace girar la ruleta con la manivela.

▲ **31.** Para encastrar una ciba en el vidrio, previamente se realiza una serie de círculos concéntricos para debilitarlo.

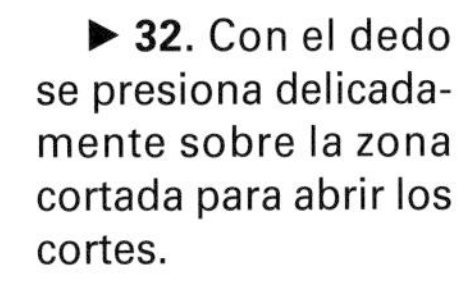

► **32.** Con el dedo se presiona delicadamente sobre la zona cortada para abrir los cortes.

► **33.** Con el fin de abrir un poco más los cortes, se aplican unos ligeros golpes con el brujidor.

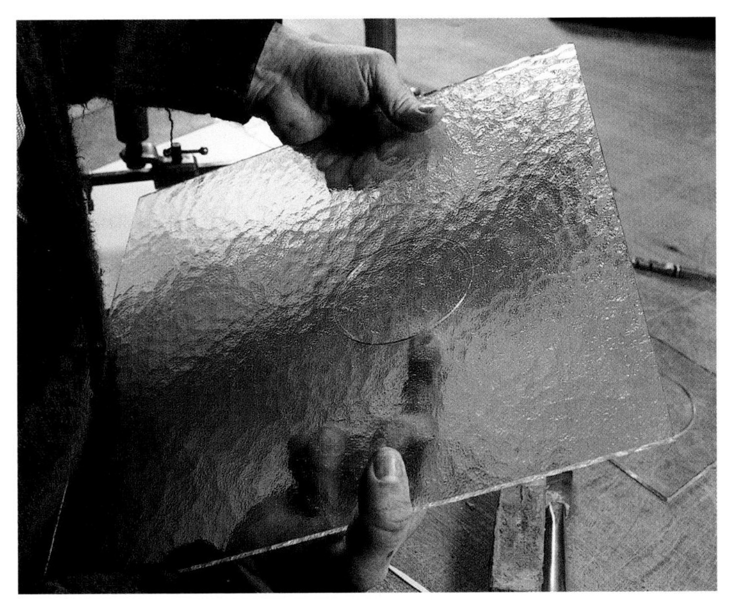

◄ **34.** Acto seguido, se llevan a cabo unos cortes radiales en las circunferencias.

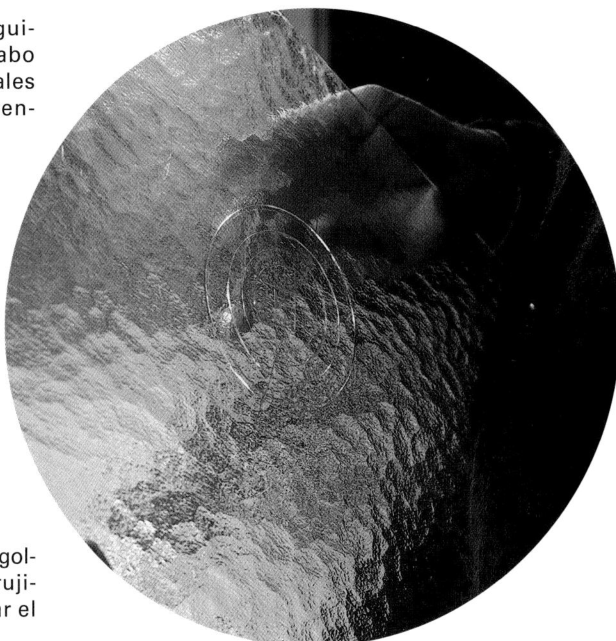

► **35.** Se sigue golpeando con el brujidor para debilitar el vidrio.

◀ **36.** Para realizar un agujero en el vidrio, se coloca un martillo de bola redonda debajo de éste, y con otro martillo se golpea suavemente la superficie.

◀ **37.** Tras varios golpes, se consigue efectuar un pequeño orificio en el centro del círculo, por el que se introduce el brujidor.

▲ **38.** Con las ranuras del brujidor se roe el vidrio, realizando círculos concéntricos.

▲ **39.** Lenta y pacientemente se van eliminando los círculos concéntricos. Póngase atención, porque en un descuido se puede romper el vidrio por una parte no deseada.

▲ **40.** Con la extracción del último círculo se llega al final de la operación.

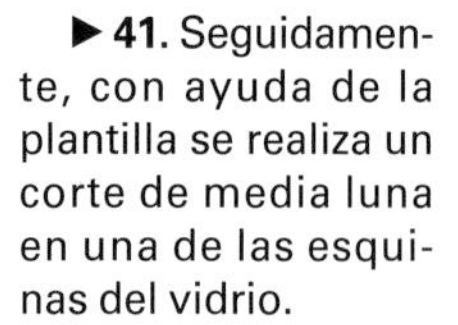

▶ **41.** Seguidamente, con ayuda de la plantilla se realiza un corte de media luna en una de las esquinas del vidrio.

◀ **42.** Con sumo cuidado, se procede a retirar el vidrio sobrante.

▲ **43.** Para eliminar las tensiones del vidrio, en este caso se realiza un corte en forma de triángulo en la mitad de la pieza de vidrio que se desea extraer. A continuación, con el brujidor se efectúan varios golpes secos.

▲ **44.** Por último, con ayuda de los alicates se desprenden los trozos del vidrio.

▲ **45.** Con un trozo de vidrio a modo de cuchillo, se pulen las aristas de la plancha para que no corten.

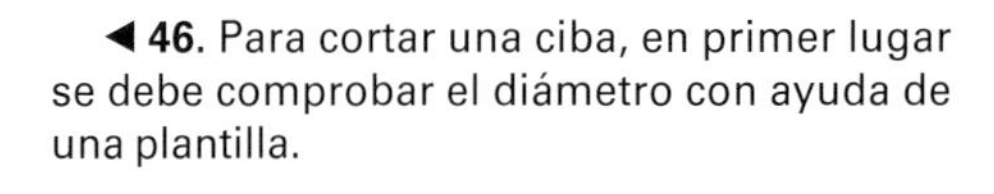

◀ **46.** Para cortar una ciba, en primer lugar se debe comprobar el diámetro con ayuda de una plantilla.

◀ **47.** Utilizando la plantilla a modo de guía, se procede a cortar la ciba despacio y remarcando los pequeños relieves. Para proteger la protuberancia del centro de la ciba, ésta se coloca sobre una superficie blanda donde pueda hundirse el bollón.

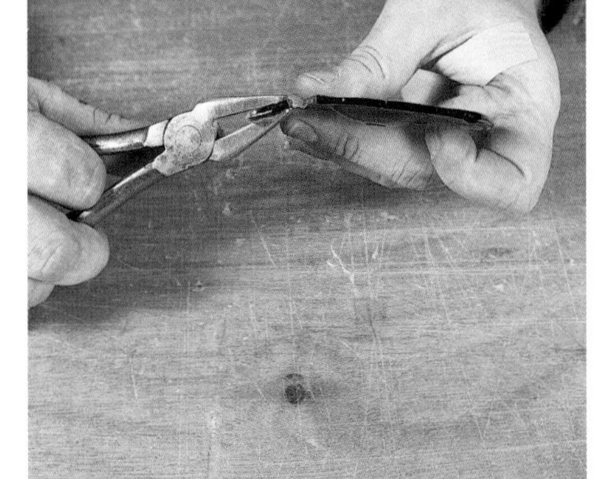

◀ **48.** Mediante los alicates se parten los trozos sobrantes de la ciba. Si ésta es muy gruesa, se golpea suavemente la pieza por la parte inferior del corte.

▶ **49.** Para realizar un corte con un cierto grado de dificultad, se puede emplear una máquina con fresas de diamante. Previamente, se debe señalar, con un lápiz graso o un rotulador y una plantilla, la forma que se desea ejecutar.

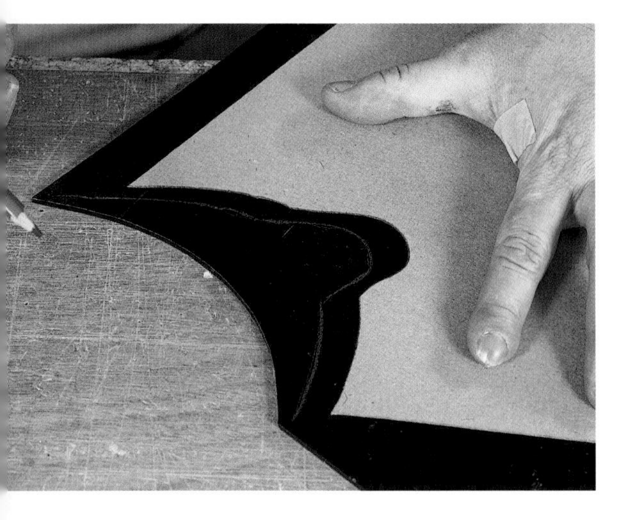

▲ **50.** Antes de desbastar la pieza debe comprobarse que la línea del dibujo es nítida.

▲ **51.** Mediante la ruleta se eliminan los vidrios sobrantes.

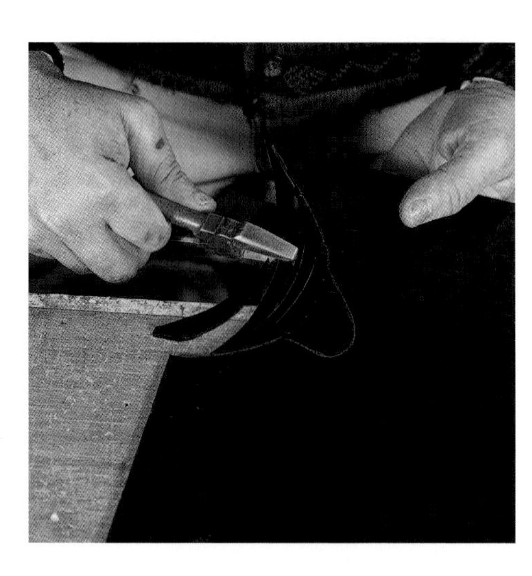

▲ **52.** Los alicates facilitan la tarea de desprender los fragmentos de vidrio sobrante.

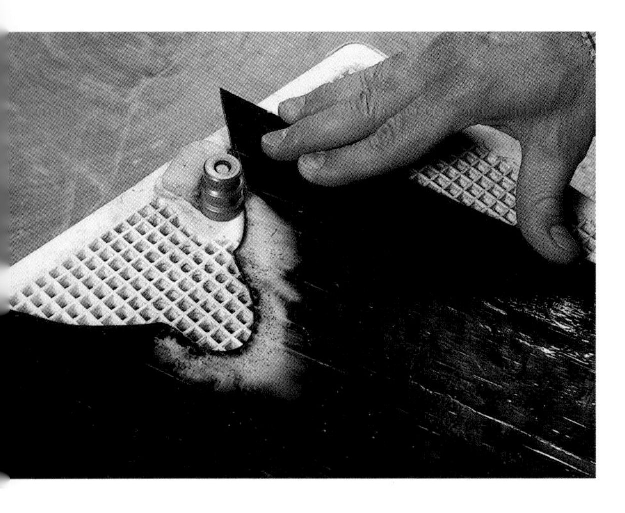

▲ **53.** Con ayuda de la máquina con fresas de diamante, refrigerada hidráulicamente, se irá cortando el vidrio hasta alcanzar la marca trazada.

▲ **54.** Para ajustarse de modo preciso a la forma deseada, se coloca la plantilla encima del vidrio.

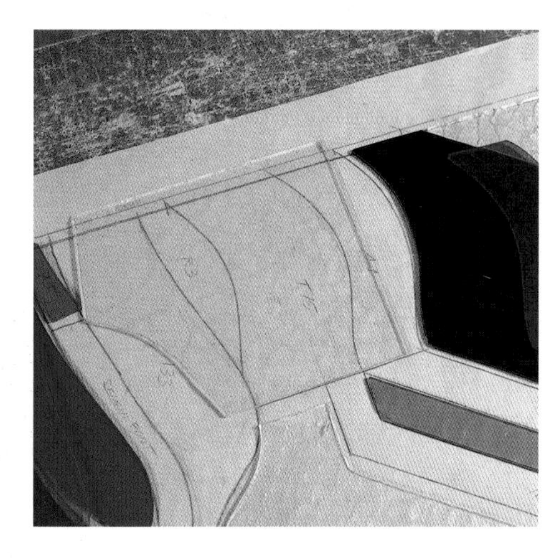

▲ **55.** Seguidamente, se explica otro sistema de cortar el vidrio, dándole una forma concreta y sin utilizar una plantilla. Para ello, se coloca un trozo de vidrio encima del dibujo que se desea efectuar.

▼ **56.** Con una mano se sujeta firmemente el vidrio y con la otra se inicia el corte.

▲ **57.** El vitralista debe sostener la ruleta un poco inclinada hacia él y proceder a cortar el vidrio de abajo arriba con el objeto de poder seguir la línea del dibujo con la herramienta.

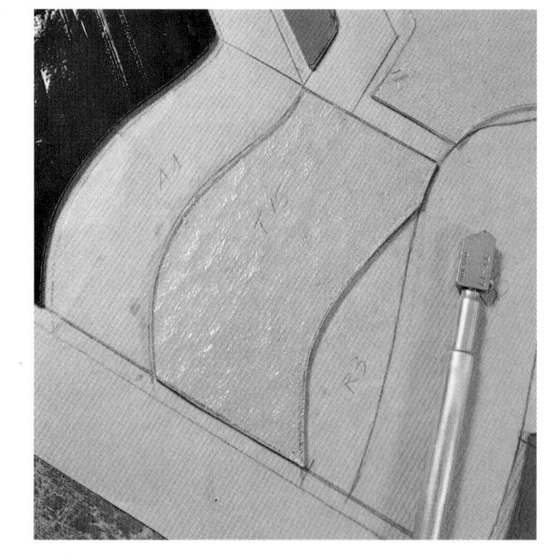

▲ **58.** Una vez cortada, la pieza se coloca en su sitio en el dibujo. Obsérvese que el corte se ha realizado 1 mm por encima de las líneas de delimitación, para que la pieza, en una fase posterior, pueda emplomarse.

▲ **59**. Las plantillas se colocan encima de la plancha de vidrio, de modo que ocupen el menor espacio posible para ahorrar material.

▲ **60**. Con el diamante, se corta el trozo de vidrio en el que están depositadas las plantillas.

▲ **61**. Para que el corte sea más limpio, es preferible que el perímetro de las plantillas no toque el borde del vidrio.

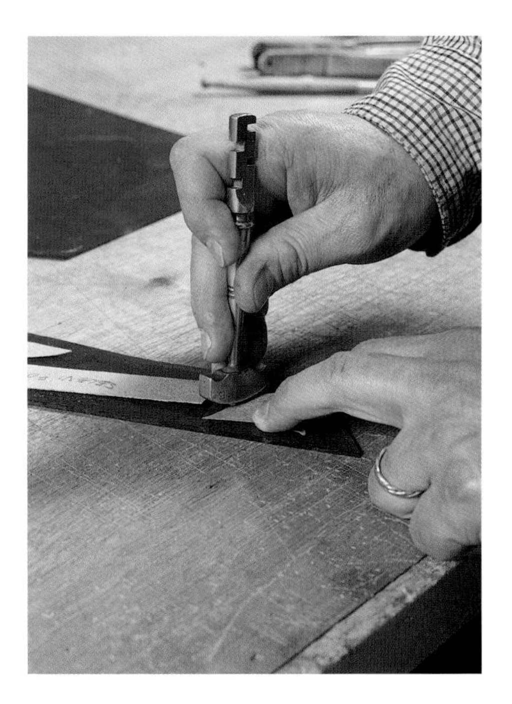

▲ **62**. La operación de cortado se debe iniciar siempre por la pieza que sea más fácil de desprender del resto del conjunto. En este caso, se empieza por la más pequeña.

▲ **63**. Las piezas restantes se cortan teniendo en cuenta la indicación descrita en el paso anterior.

▲ **64**. Con ayuda de los alicates se presiona en la zona de corte para separar las partes del vidrio.

► **65**. Una vez terminado el corte de todas las piezas y colocadas éstas encima del dibujo, ya se puede proceder a emplomar, a menos que se deban pintar los vidrios. Es aconsejable conservar las plantillas hasta la colocación definitiva del vitral en su lugar de destino, por si se produjera alguna rotura.

Emplomado

Las propiedades del plomo (blandura, ductilidad y maleabilidad) hacen de éste un material idóneo para manipular. Es por esto que los primeros vitralistas lo emplearon como soporte para sus vitrales. Éstos se inspiraron en los mosaicos romanos, como los de Ravena y Pompeya, para crear un arte que, en vez de teselas, emplea pedazos de vidrio.

La verga o tira de plomo en forma de H ha sido hasta finales del siglo XIX el único soporte que ha tenido el vitral. A partir de esta fecha, han surgido nuevos materiales, como la cinta de cobre, el cemento armado u hormigón, el aluminio, las siliconas, los epóxicos, el fussing, etc. Sin embargo, el plomo sigue siendo el material que ofrece mayores prestaciones, tanto por lo que se refiere a la ejecución, como a la conservación y restauración de vitrales.

Existen vergas de plomo de diferentes calibres y medidas. En los ejercicios siguientes se trabaja con plomo de 7 mm, uno de los más habituales; no obstante, en los ejemplos desarrollados en el apartado "Paso a paso" se emplean distintos grosores, según las necesidades técnicas y estéticas.

▲ Rollo de plomo de 25 k aproximadamente, tal como llega al taller del vitralista procedente de la fundición. Obsérvese la canal que servirá de guía para poder introducir los cojinetes.

▲ Diferentes perfiles que se pueden obtener mediante el uso de cojinetes de distintas formas.

► Colocación de los cojinetes de desbaste en el torno de pasar plomo. En los dos ejes del cabezal de la máquina hay unas pequeñas ruedas; son las que producen las estrías que aparecen en la canal. La distancia entre una y otra rueda será la del alma de la verga de plomo, que suele oscilar entre 1,5 y 2 mm de grosor. Las estrías de la canal se efectúan con el fin de que el vidrio quede firmemente sujeto y para facilitar la adherencia de la masilla.

▲ Antes de introducir la tira de plomo en la máquina es necesario lubrificarla con aceite mineral.

► Al pasar la verga por los cojinetes de desbaste, ésta se estira y adquiere una forma más afinada. El desbaste se realiza con el fin de que el plomo no se recaliente y para que adquiera una forma más estilizada.

◄ Para obtener el grosor deseado, después de la operación de desbaste se colocan los cojinetes adecuados y unas ruedas con estrías más finas. La longitud de la verga puede llegar a triplicarse respecto a su longitud original.

▲ La verga de plomo se estira utilizando una pequeña herramienta de hierro en forma de T con una muesca en medio. Mediante un tornillo, se sujeta la herramienta a la mesa, y se introduce en ella la punta de la verga, tal como se muestra en la imagen.

▲ A continuación, se estira la verga lentamente, hasta lograr el temple adecuado.

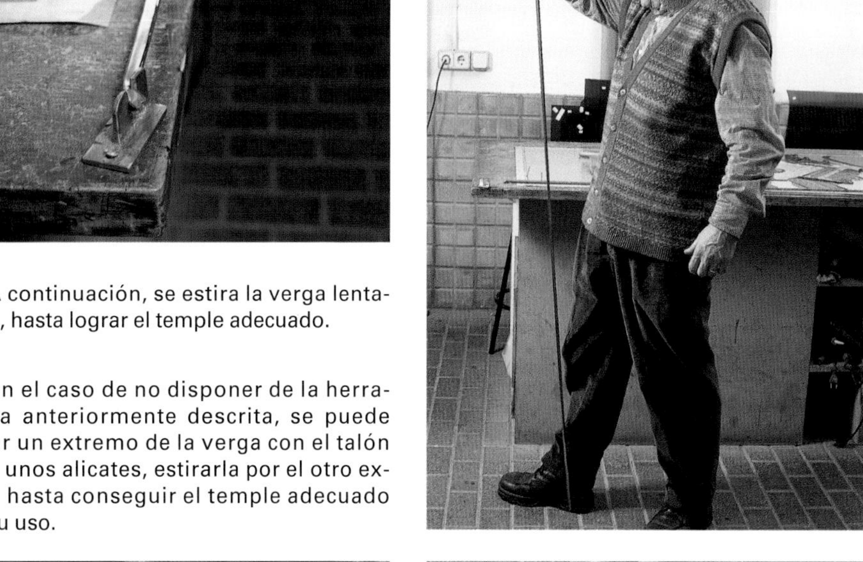

► En el caso de no disponer de la herramienta anteriormente descrita, se puede sujetar un extremo de la verga con el talón y, con unos alicates, estirarla por el otro extremo hasta conseguir el temple adecuado para su uso.

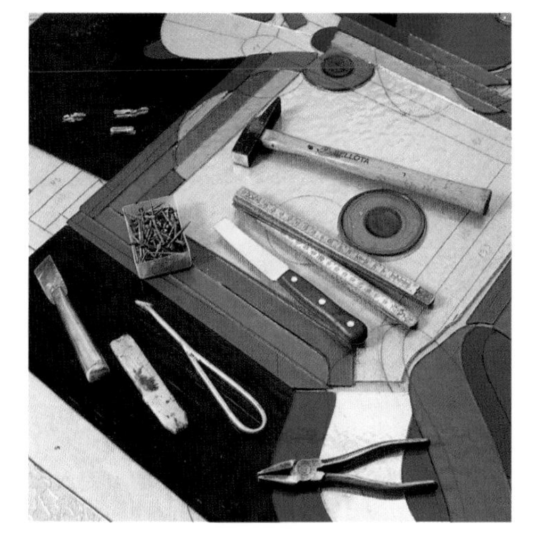

▲ Herramientas necesarias para realizar la operación de emplomado: martillo, clavos, tajador de plomo o espátula de corte, tingle, espátula de metal, espátula de madera, alicates y metro.

▲ **1.** Se inicia el emplomado sujetando una pieza grande de vidrio, que servirá de soporte de las demás, con clavos de acero de forma cónica. Para que la sujeción sea más efectiva es aconsejable inclinar ligeramente los clavos hacia el vidrio.

▲ **2.** Mediante el metro, se mide la longitud de la verga de plomo que se tiene que cortar.

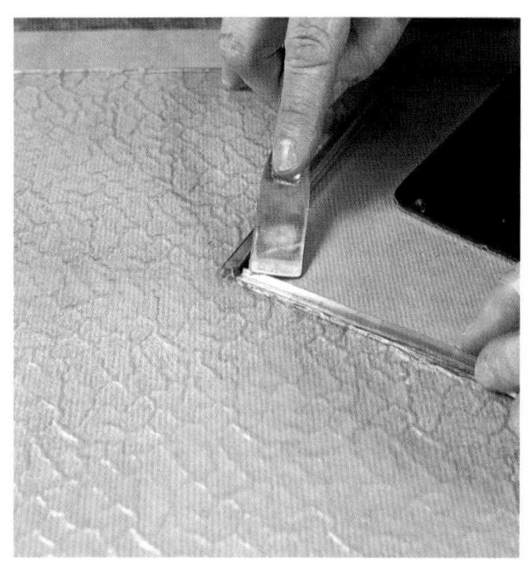

◄ **3.** Acto seguido, se procede a cortar el plomo. Se debe realizar un corte limpio y preciso.

◄ **4.** Para adaptar los plomos al ángulo recto del vidrio, se efectúa un bies en forma de cartabón en los dos extremos. Obsérvese que el canto del vidrio queda alojado en el interior de una de las guías de la verga de plomo.

▲ **5.** Por último, se juntan los dos plomos, obteniendo un perfecto ángulo recto.

▲ **6.** A continuación, se explica otro sistema de emplomar un ángulo recto. Con el tajador de plomo, se cortan y separan las alas de un extremo del alma de la verga de plomo.

▲ **7.** Obsérvese cómo queda la verga tras realizar la operación anterior.

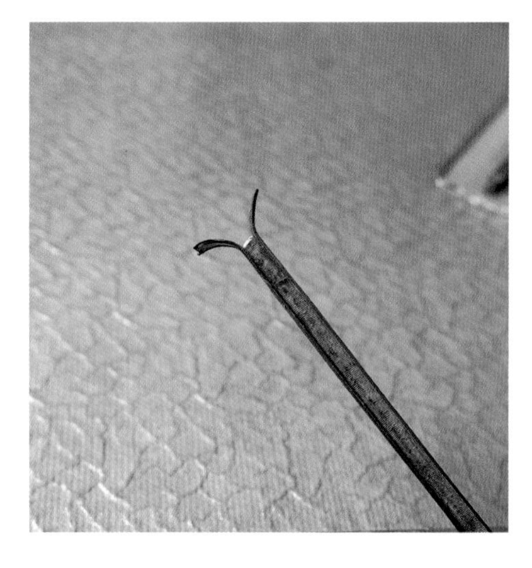

▲ **8.** Se corta el trozo de alma con unas tijeras comunes o de cortar metales. Se repite la operación con el trozo de verga correspondiente al otro lado del ángulo recto.

▲ **9.** Las vergas de plomo se deslizan por el canto del vidrio hasta que sus alas se solapan.

▲ **10.** Obsérvese cómo se solapan las alas.

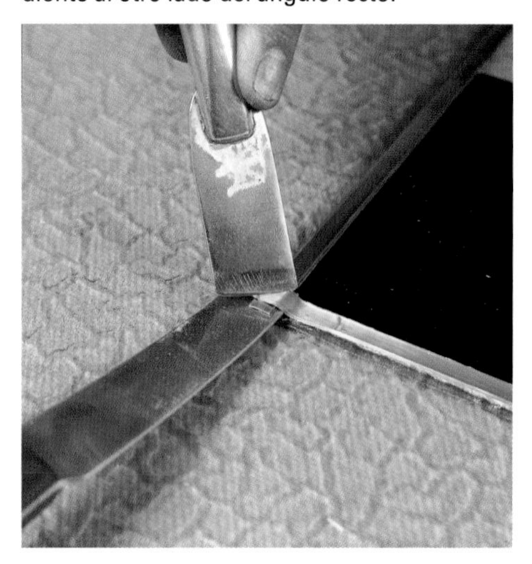

◀ **11.** Para proteger el vidrio, se coloca una espátula entre éste y las alas de plomo. A continuación, con el tajador se cortan las alas en diagonal, y se retiran los trozos sobrantes.

◀ **12.** Adviértase que el resultado final es el mismo que con el sistema anterior. Esta operación debe repetirse en la cara inferior del vidrio.

▲ **13.** El ensamblaje entre las distintas tiras de plomo que forman la red de un vitral debe ser perfecto. Ésta es una de las operaciones más importantes del emplomado, puesto que proporciona consistencia al vitral.

Para ensamblar dos tiras de plomo, previamente se debe efectuar una pequeña cuña en el extremo del plomo, aplanando el alma de éste con un ligero golpe de martillo.

▲ **14.** Después, se gira la verga para que la cuña quede en la parte inferior y favorezca el deslizamiento.

▲ **15.** Con ayuda de un tingle o una espátula, se introduce la verga de plomo en la guía de la otra verga.

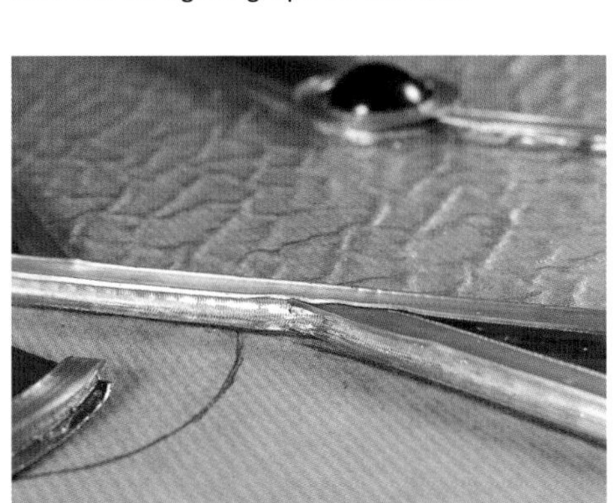

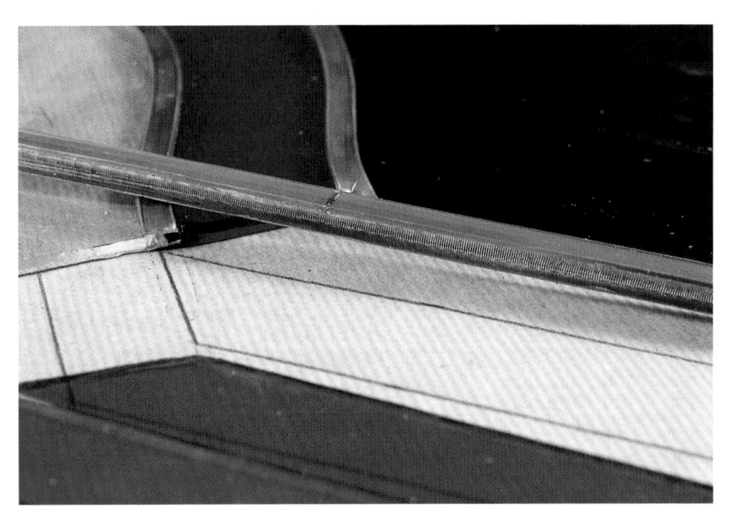

◄ **16.** En esta imagen se puede observar cómo se ensambla un plomo con otro.

◄ **17.** Seguidamente, se explica cómo conseguir un ángulo sin necesidad de cortar la verga. En primer lugar, se coloca la tira y se señala el punto donde debe doblarse.

▲ **18.** Con el tajador, se realizan unas pequeñas incisiones en las alas del plomo para solaparlas con la punta del otro plomo. Es conveniente que el tajador esté perfectamente afilado, puesto que, de lo contrario, en vez de cortar las alas las aplastaría.

▼ **19.** Gracias a las incisiones efectuadas en la verga, ésta se puede doblar con mayor facilidad.

▼ **20.** Se introducen los vidrios en la verga. Obsérvese que el dibujo formado por la línea de plomo es nítido y limpio.

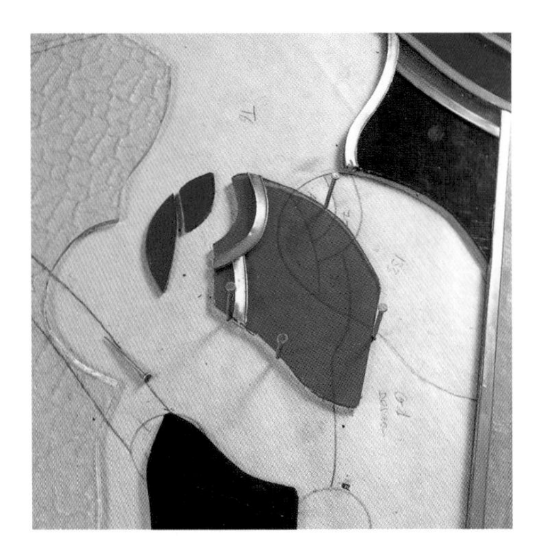

▲ **21.** En el caso de tener que emplomar vidrios de formas complicadas se procede del siguiente modo. En primer lugar, se sujeta con clavos la pieza principal, y, seguidamente, se emploman a ella las partes más pequeñas.

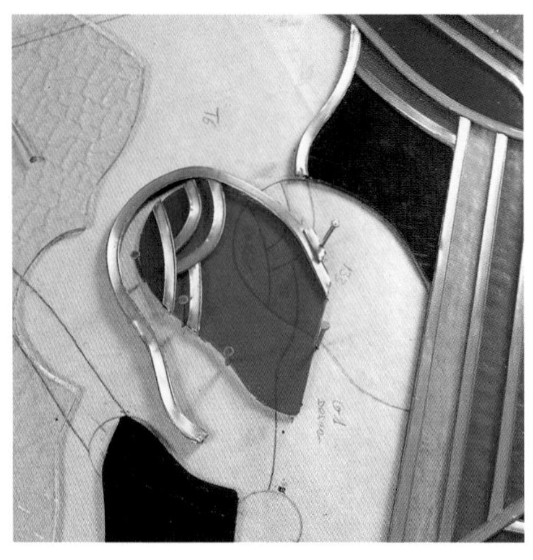

▲ **22.** Para sujetar firmemente con clavos una parte del vitral que ya ha sido emplomada, se emplea un trozo de plomo para presionar sobre el clavo y, de este modo, no estropear la tira.

▲ **23.** Una vez terminado de emplomar el conjunto de piezas, éstas se deslizan con sumo cuidado por la superficie de la mesa hasta el lugar que les corresponde en el dibujo del vitral.

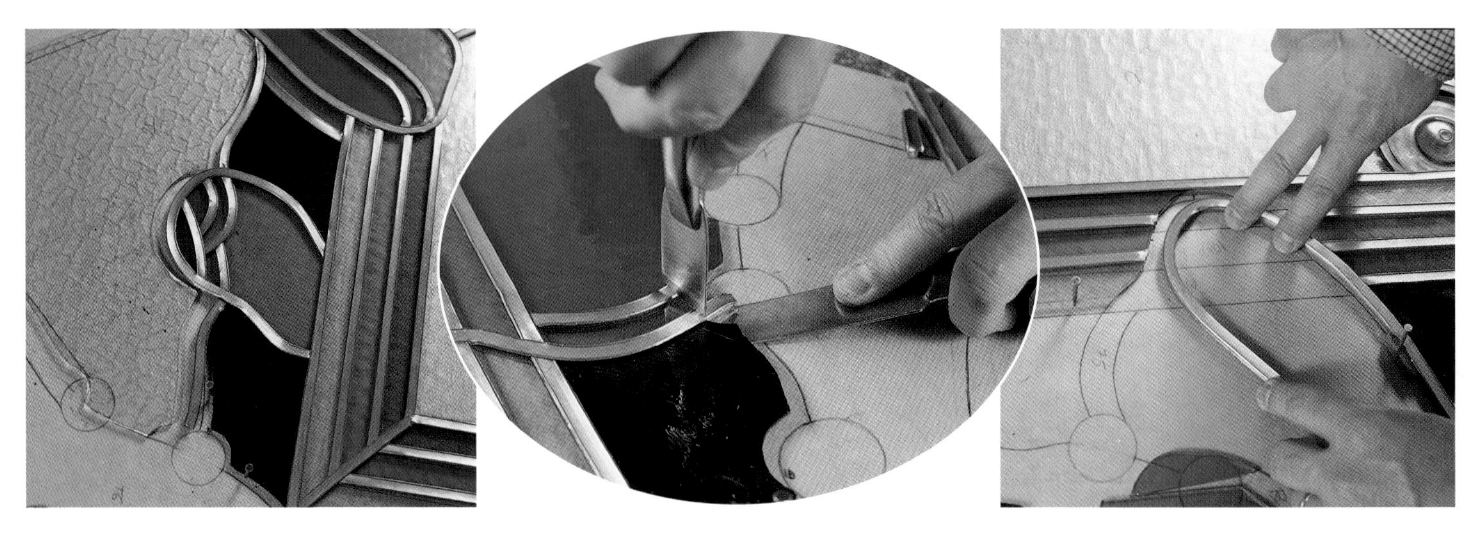

▲ **24.** A continuación se emploma la siguiente pieza de vidrio, y así sucesivamente.

▲ **25.** Siempre que se emplee el tajador para cortar las puntas sobrantes de plomo y poderlas introducir en la canal de otro plomo, se debe poner una espátula debajo para proteger el dibujo.

▲ **26.** En la fotografía se puede observar cómo se monta una tira de plomo, de modo que las puntas de los otros plomos y los vidrios se introducen en ella. Se presiona sobre la tira para que tome la forma del contorno.

► **27.** Tras su colocación, se sujeta la tira con un clavo, protegiendo las alas del plomo con un trozo de plomo sobrante.

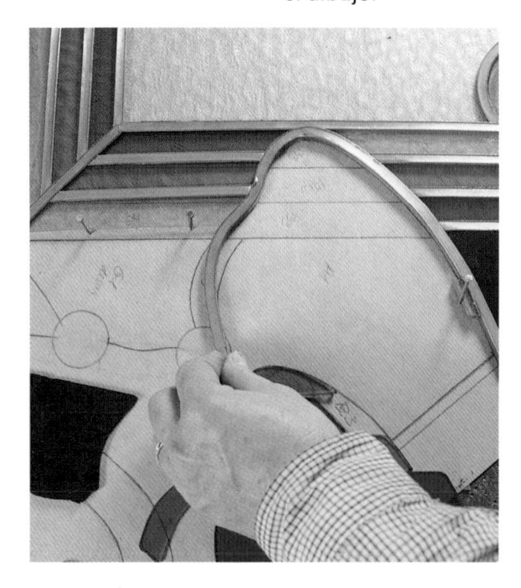

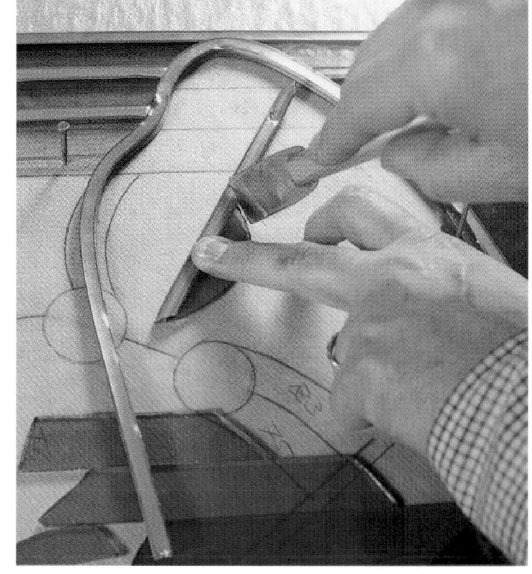

◄ **28.** Para colocar una pieza de vidrio en el hueco delimitado por la tira de plomo, en primer lugar ésta debe emplomarse. Para ello, se desliza una tira de plomo por el canto del vidrio y, con ayuda de un tajador, se corta el plomo sobrante.

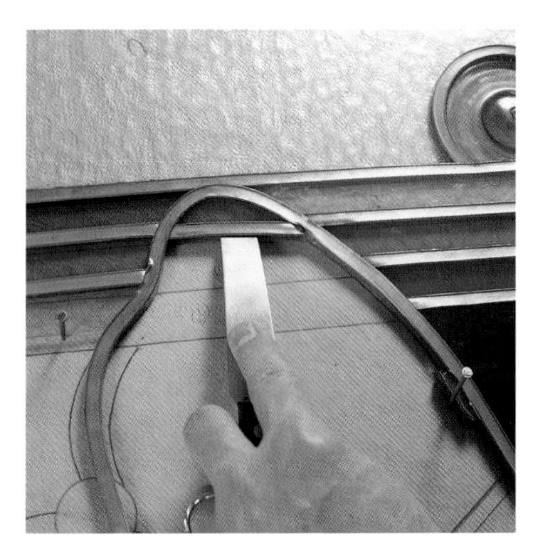

▲ **29.** Se aplanan las puntas para poder ensamblarlas y, con ayuda de una espátula, se coloca la pieza en su sitio.

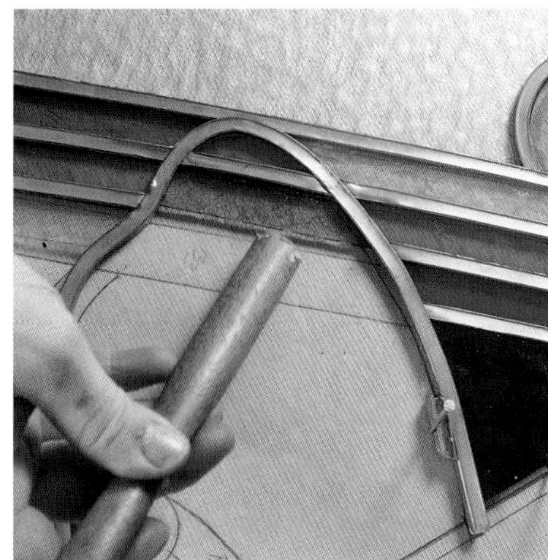

▲ **30.** A continuación, se procede a montar el siguiente vidrio. Con el fin de que quede perfectamente ajustado a la tira de plomo, se aplican unos golpes suaves con el mango del martillo.

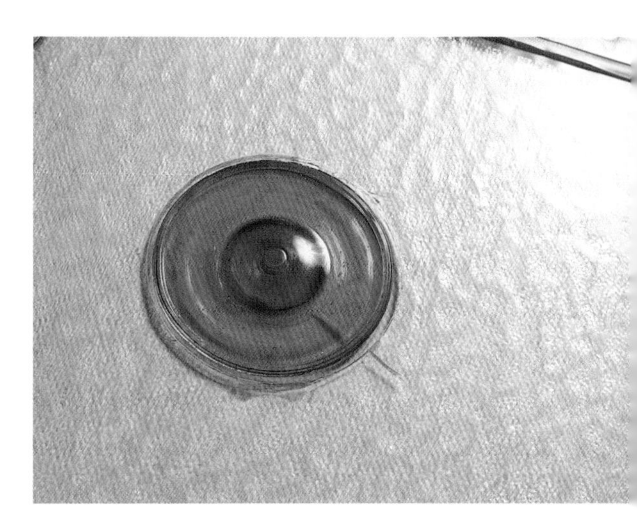

▲ **31.** Acto seguido, se explica cómo encastrar un vidrio en otro. En este caso concreto, se trata de encajar una ciba en un vidrio.

▼ **32.** En primer lugar, se dispone una tira de plomo alrededor del perímetro de la ciba para medir la longitud de la misma.

▲ **33.** Seguidamente, se corta la verga, que se introduce en los bordes del agujero del vidrio.

► **34.** Para que la tira de plomo quede perfectamente ajustada pueden cortarse las puntas.

◄ **35.** Con ayuda del tingle, se levanta una parte del ala superior interior hasta conseguir una alineación vertical respecto a la base. De este modo, se abre el espacio necesario para introducir la ciba.

► **36.** Se empieza a introducir la ciba por la parte del plomo que no se ha levantado. Mediante una espátula, se acompaña la ciba hasta alojarla en el interior de la circunferencia. Téngase en cuenta que la protuberancia de la ciba debe estar siempre en la parte superior del vitral.

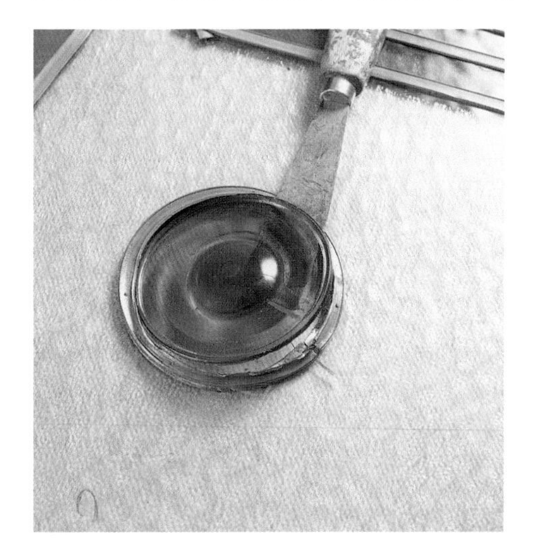

▲ **37.** Una vez colocada la ciba en el interior de la circunferencia, se procede a devolver el ala de plomo a su posición inicial con la ayuda de un tingle.

▲ **38.** Por último, con una espátula de madera, para evitar rayar el vidrio, se redondean el plomo que sujeta la ciba y la plancha de vidrio.

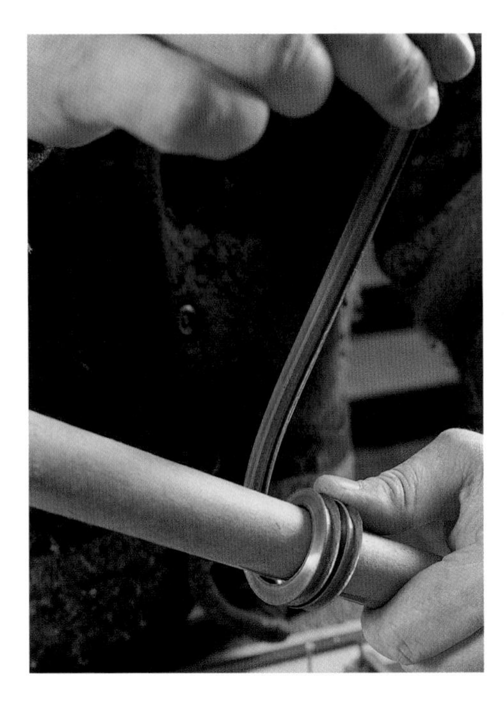

▲ **39.** Para emplomar varias cibas, se puede utilizar un cilindro de diámetro algo inferior al de las cibas y enroscar una verga de plomo hasta obtener el mismo número de aros que de cibas.

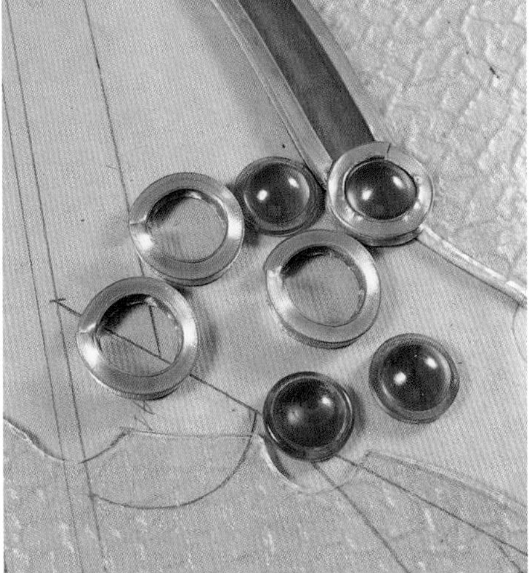

◀ **40.** Seguidamente, se extrae la espiral del cilindro y, mediante un tajador, se efectúa un corte vertical en ésta con el fin de separar los aros.

◀ **41.** Luego, se disponen los aros alrededor de las cibas y se colocan en su sitio correspondiente del dibujo.

◀ **43.** Seguidamente, se montan las piezas, ensamblando las puntas en las tiras de plomo que rodean la cibas.

◀ **42.** Previamente a su ensamblaje, se deben aplicar unos golpes con el martillo en las puntas de las tiras de plomo de los vidrios ya emplomados para que adquieran forma de cuña. Para proteger el dibujo, mientras dura esta operación es conveniente colocar un tajador debajo de las puntas.

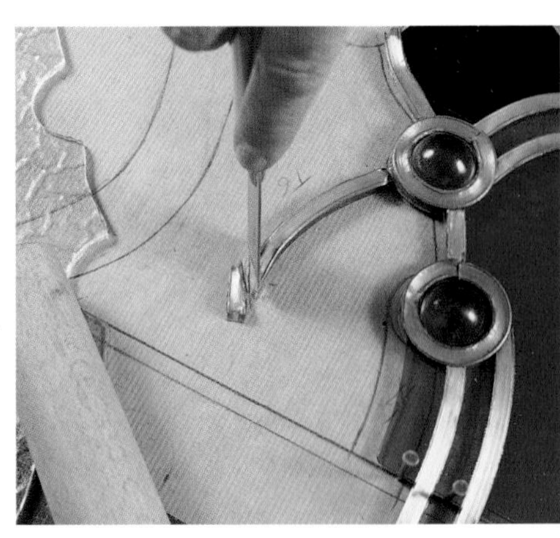

▲ **44.** Para ensamblar un plomo con otro que tenga forma oblicua, se corta la punta del plomo siguiendo la curvatura de la pieza en cuestión.

▲ **45**. Luego, con un tajador o un tingle, se aplana la punta para introducirla en la canal del otro plomo.

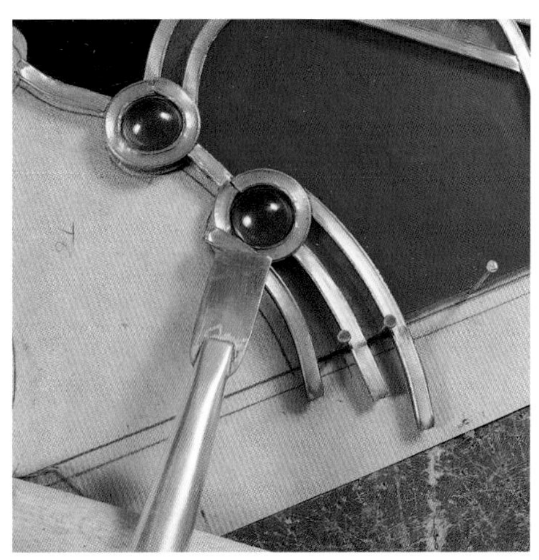

▲ **46**. Con ayuda del tajador, se aprietan las alas de los plomos para que la sujeción sea mayor.

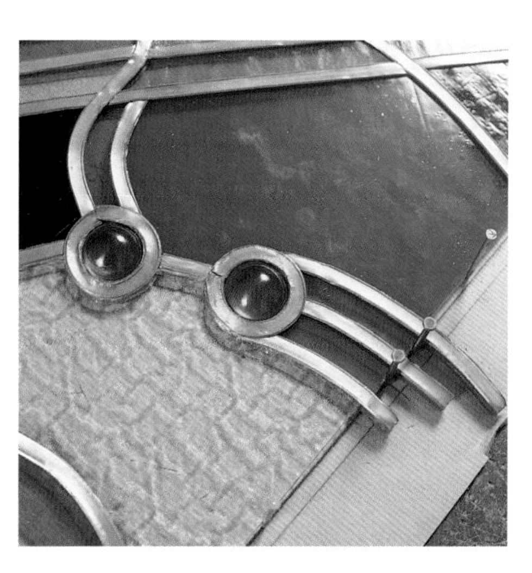

▲ **47**. Obsérvese que la unión de las dos puntas del plomo que rodea la ciba coincide con la ensambladura de otra tira de plomo. De este modo, sólo se precisará una soldadura para unir las tres puntas.

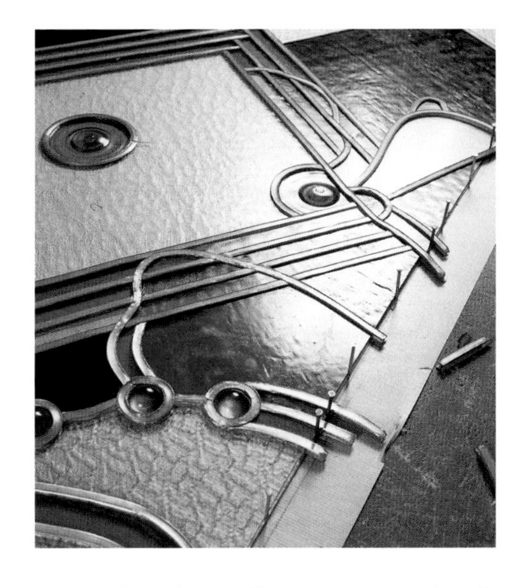

▲ **48**. En la fotografía se puede apreciar cómo todo el perímetro del vitral está sujeto con clavos para impedir su desplazamiento.

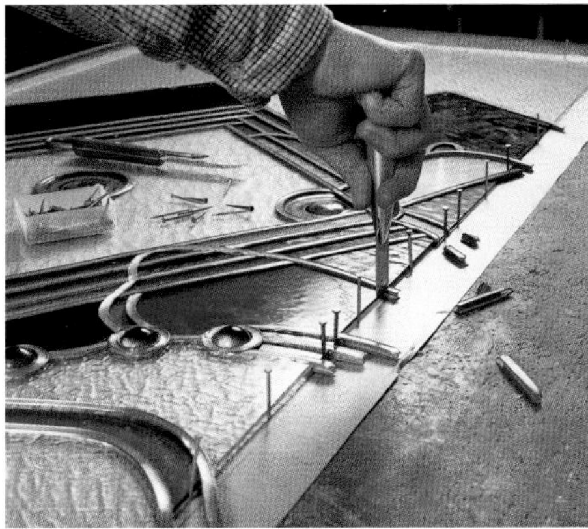

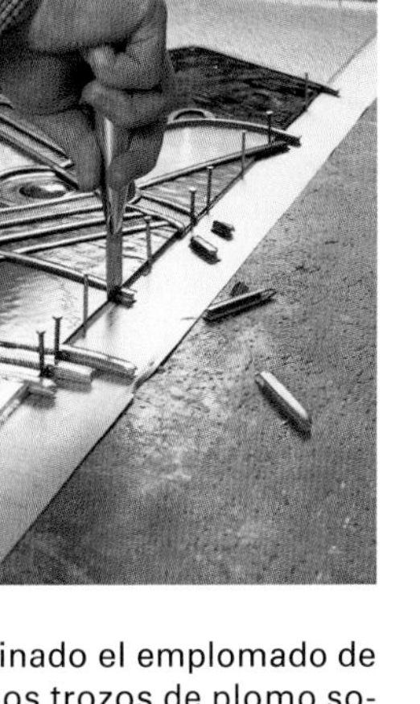

▲ **49**. Una vez terminado el emplomado de las piezas, se cortan los trozos de plomo sobrante con el tajador y se aplanan las puntas.

► **50**. Seguidamente, se procede a emplomar todo el perímetro del vitral. Una forma de sujetar el plomo del perímetro es mediante la colocación de pequeños trozos de plomo sobrante entre el clavo y el plomo del perímetro, a modo de cuña.

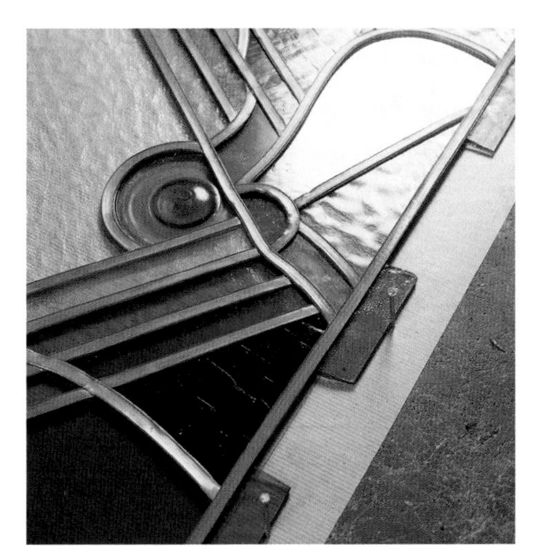

◄ **51**. Para sostener el plomo del perímetro, en vez de trozos de este mismo material se pueden emplear fragmentos de vidrio.

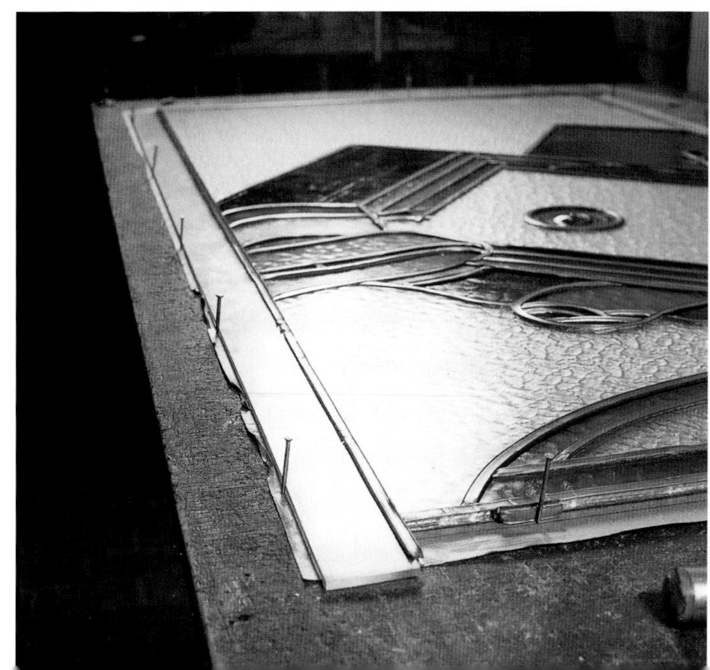

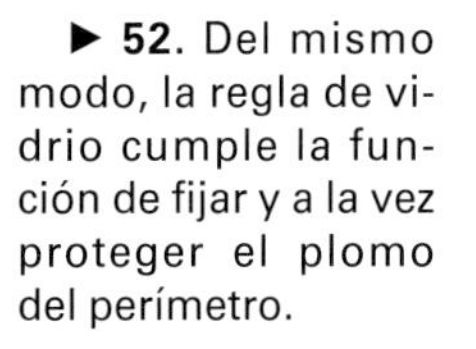

► **52**. Del mismo modo, la regla de vidrio cumple la función de fijar y a la vez proteger el plomo del perímetro.

▲ **53**. Acto seguido, se redondea el plomo del vitral con una espátula de madera, que impide que se raye el vidrio.

▲ **54**. Para esta operación también se puede emplear una espátula metálica. En este caso, se debe actuar con sumo cuidado para no estropear el vidrio.

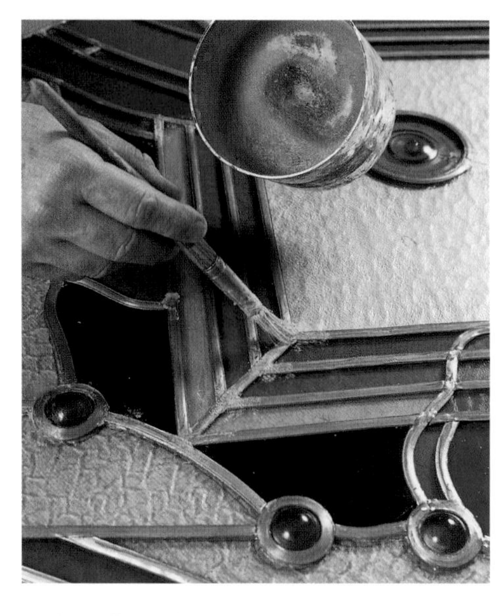

▲ **55**. Posteriormente, se aplica esterina en todas las junturas del plomo.

◄ **56**. Con un soldador eléctrico y estaño del 55 %, presentado en varilla, se sueldan todas las junturas.

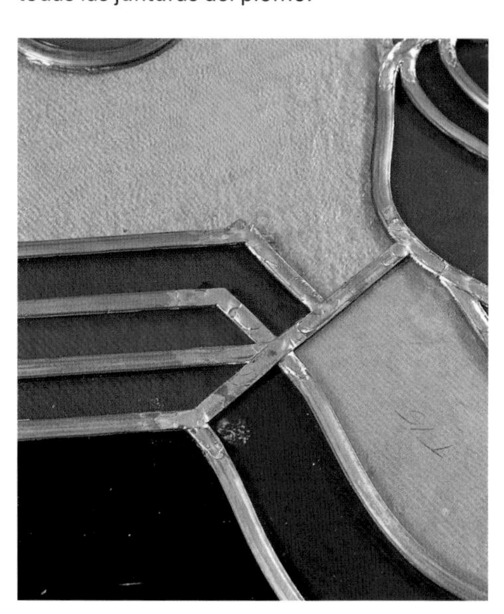

► **57**. Obsérvese que las soldaduras efectuadas sobre las puntas afectan a toda la superficie de la unión; de este modo se consigue una mayor sujeción.

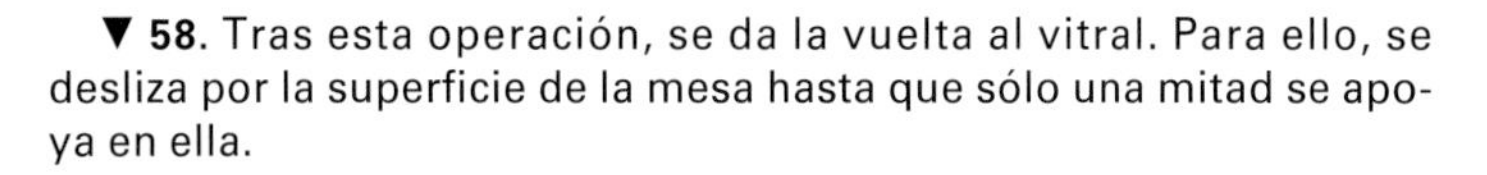

▼ **58**. Tras esta operación, se da la vuelta al vitral. Para ello, se desliza por la superficie de la mesa hasta que sólo una mitad se apoya en ella.

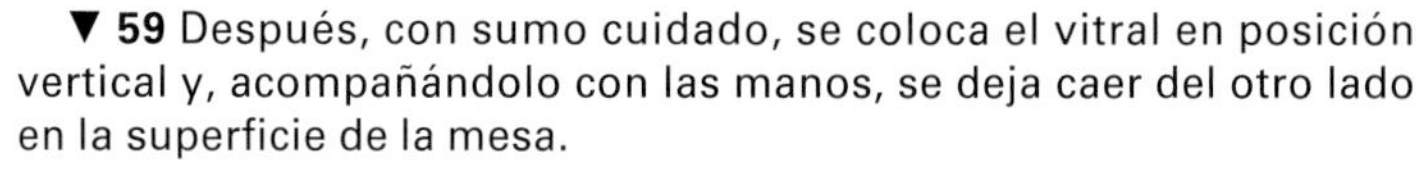

▼ **59** Después, con sumo cuidado, se coloca el vitral en posición vertical y, acompañándolo con las manos, se deja caer del otro lado en la superficie de la mesa.

◄ **60.** Se redondea el plomo de la cara inferior del vitral, esta vez con una espátula metálica. Con el objeto de salvar los relieves que tienen las cibas y los botones de vidrio, se coloca debajo un material blando de 1 cm de grosor.

► **61.** Se untan con esterina las junturas del plomo.

◄ **62.** Con un soldador eléctrico y estaño del 55 % se procede a soldar las junturas.

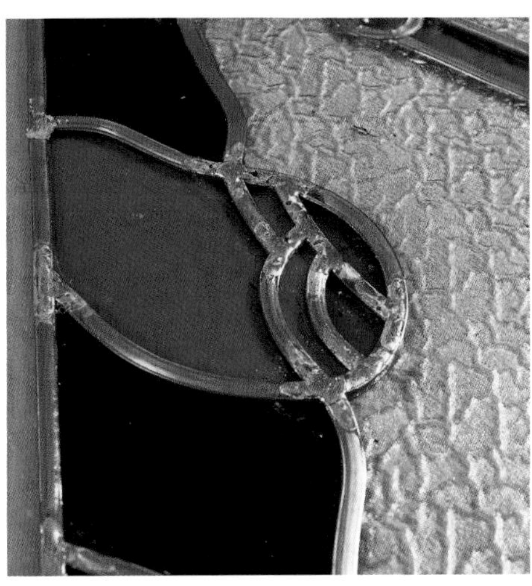

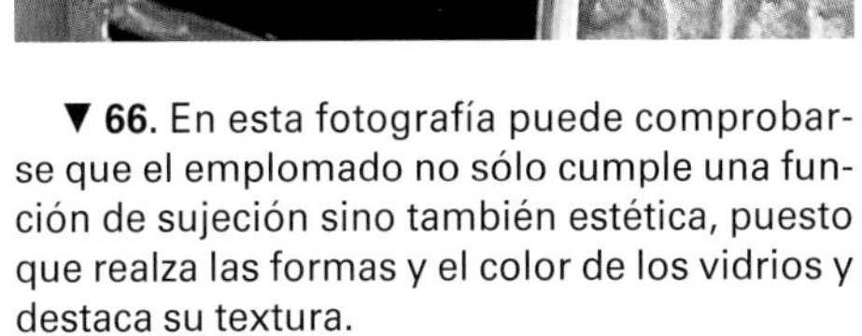

► **63.** En esta fotografía se puede apreciar cómo el estaño se ha deslizado por la superficie del plomo.

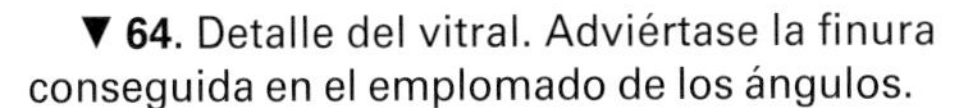

▼ **64.** Detalle del vitral. Adviértase la finura conseguida en el emplomado de los ángulos.

▼ **65.** En esta imagen se puede apreciar la precisión con que ha sido encastrada y emplomada la ciba.

▼ **66.** En esta fotografía puede comprobarse que el emplomado no sólo cumple una función de sujeción sino también estética, puesto que realza las formas y el color de los vidrios y destaca su textura.

Enmasillado

Tras emplomar y soldar, ya se puede contemplar el resultado final del proceso de realización de un vitral, e incluso éste ya se podría colocar en el lugar para el que fue concebido. Sin embargo, la obra todavía no esta terminada, puesto que el plomo, por muy bien redondeado que esté, no sujeta firmemente el vidrio. Para conseguir una sujeción definitiva y resistente, que evite la vibración y el deterioro causado por la intemperie, se debe llevar a cabo una operación de enmasillado.

La masilla tradicional, o mástic, empleada por el vidriero se encuentra en las tiendas especializadas. Se trata de una pasta elaborada con sulfato de calcio y aceite de linaza mezclados, que se adhiere a las superficies de madera y de hierro y actúa como soporte del vitral, a modo de listón; es muy duradera y repele el agua, por eso se emplea para exteriores.

Para conseguir la estanqueidad del vitral, es necesario mezclar la masilla con un chorro de aguarrás; de este modo, se consigue licuar la pasta a gusto del vitralista y prepararla para que pueda penetrar fácilmente en la parte interior de los plomos del vitral.

La masilla tarda treinta días en secar totalmente desde el momento de su aplicación.

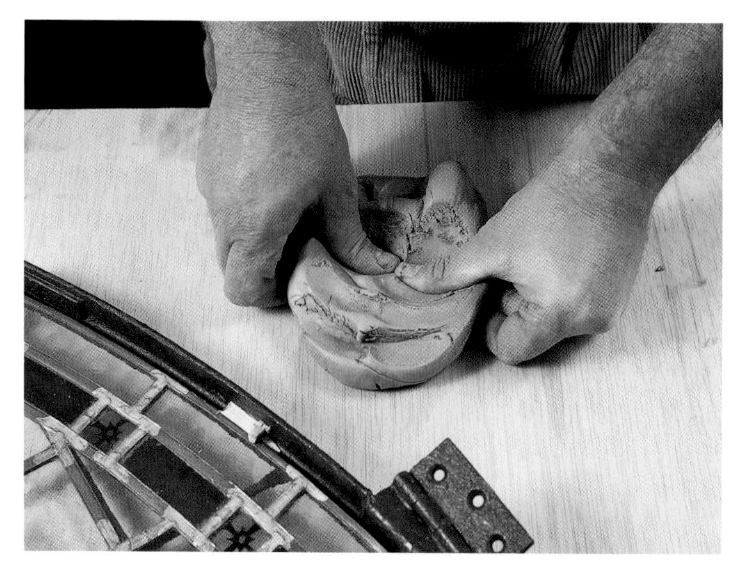

◀ **1.** Previo paso a su aplicación, la masilla debe amasarse hasta conseguir una pasta uniforme que no se adhiera a la mesa de trabajo. En la fotografía, la masilla se ha teñido con pigmento negro.

▶ **2.** Para aplicar la masilla entre el ángulo de hierro y el vitral, se presiona la pasta con el dedo pulgar.

▼ **3.** Mediante una espátula de superficie muy fina, se vuelve a presionar la masilla y se recorta la pasta sobrante. De este modo, la masilla realiza la misma función que un listón de madera o hierro.

▶ **4.** En un recipiente se licua la masilla con aguarrás. Seguidamente, se procede a impermeabilizar el vitral. Con un cepillo de cerdas de plástico o un pincel grueso, se aplica el mástic en dirección a los plomos. La mejor manera para que el líquido penetre en el interior de las alas de los plomos es efectuando un movimiento rotativo con todo el brazo.

▲ **5.** Obsérvese que la masilla ya ha penetrado en las alas de los plomos, depositándose en su interior e incluso traspasando a la otra cara. Ello indica que la operación ha llegado a su fin.

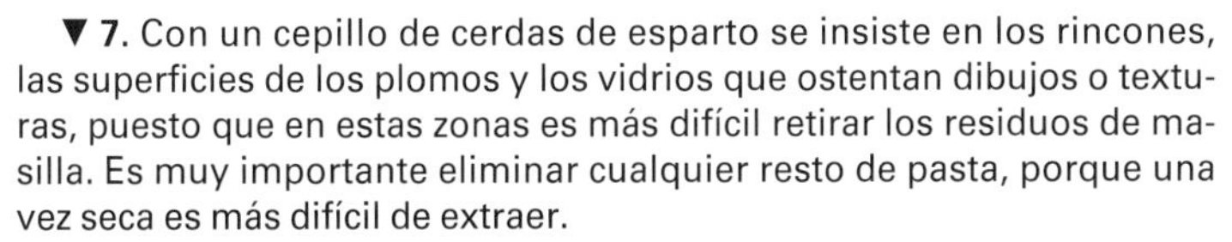

▼ **7.** Con un cepillo de cerdas de esparto se insiste en los rincones, las superficies de los plomos y los vidrios que ostentan dibujos o texturas, puesto que en estas zonas es más difícil retirar los residuos de masilla. Es muy importante eliminar cualquier resto de pasta, porque una vez seca es más difícil de extraer.

▲ **6.** Para secar y limpiar la masilla restante lo mejor es emplear serrín.

▼ **8.** Acto seguido, se limpia la cara inferior del vitral.

▲ **9.** Para la limpieza de la cara inferior se procede del mismo modo que con la cara superior. Previamente, se deben colocar unas planchas blandas de 1 cm de grosor que salven los gruesos de las cibas y los botones de vidrio que se han empleado en la confección del vitral.

► **10.** Transcurridas 48 horas, se debe recortar, con ayuda de un punzón de metal, hueso o madera, la masilla que sobresalga del interior del plomo a causa de las manipulaciones anteriores.

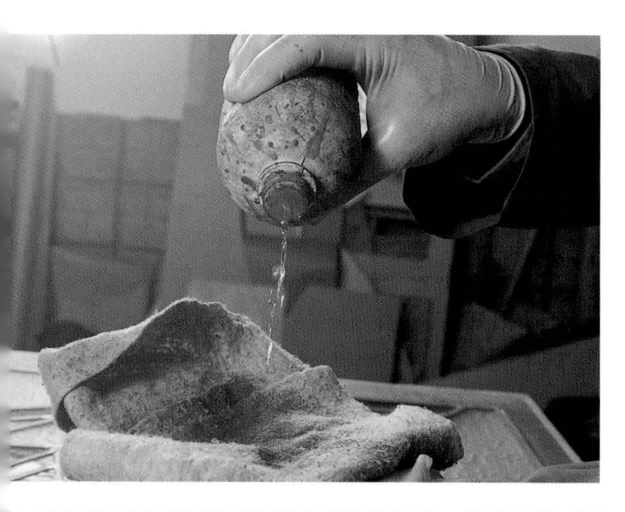

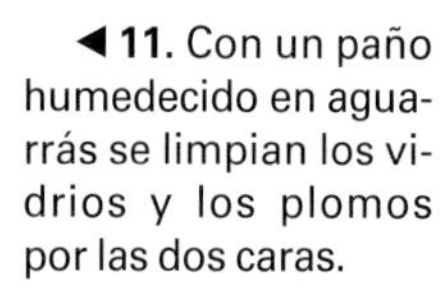

◄ **11.** Con un paño humedecido en aguarrás se limpian los vidrios y los plomos por las dos caras.

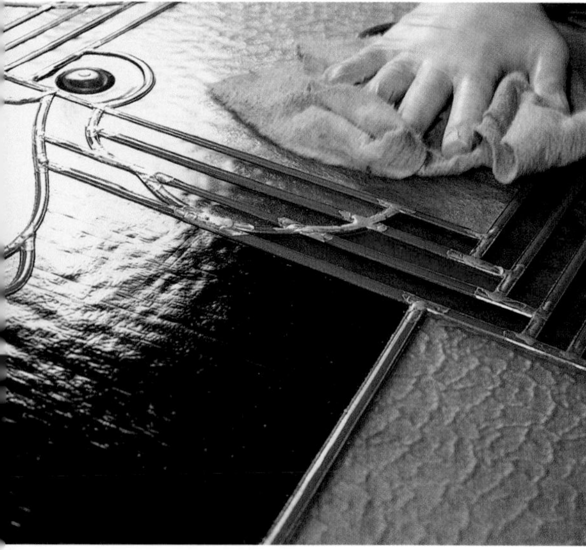

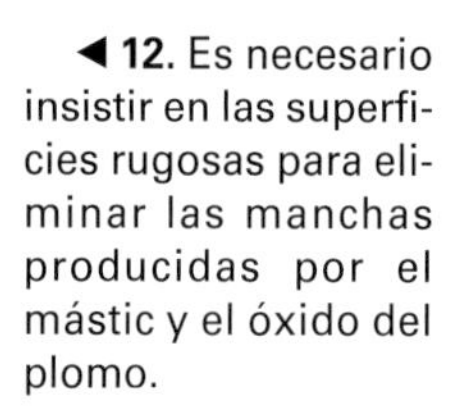

◄ **12.** Es necesario insistir en las superficies rugosas para eliminar las manchas producidas por el mástic y el óxido del plomo.

► **13.** Con un paño de algodón limpio se secan las dos superficies del vitral.

◀ **15.** Con la ayuda de un paño, preferentemente de lana, se esparce el bicarbonato sódico por toda la superficie del vitral, a la vez que se realizan movimientos circulares para que la operación de limpieza sea más efectiva.

◀ **14.** El vitral también se puede limpiar con bicarbonato sódico.

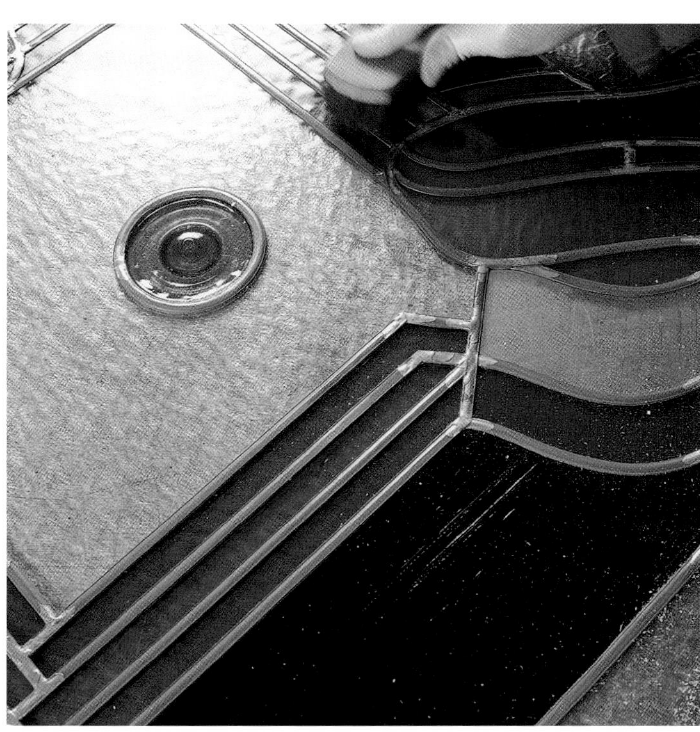

▲ **16.** En el pavonado de los plomos, es decir, la operación de ennegrecer por un igual los plomos y las soldaduras de estaño, es necesario utilizar un cepillo de pelo que esté algo desgastado. Se cepillan los plomos y las soldaduras insistentemente hasta lograr un resultado homogéneo; con esta operación se favorece la conservación del plomo.

▶ **17.** Con la operación anterior el proceso de realización del vitral ha llegado a su fin. Sólo resta colocarlo en el sitio para el cual fue concebido. Sus medidas son: 72 cm de ancho × 136 de alto.

Pátinas

Entre los siglos XIX y XX, arquitectos, expertos en metales, joyeros y vitralistas, con el fin de conocer y reproducir la técnica y los materiales empleados por los artesanos de la Edad Media, desarrollaron una nueva manera de hacer vitrales. De este modo, grandes diseñadores y artistas como Tiffany crearon muebles y lámparas empleando la técnica de la cinta de cobre y las pátinas. Asimismo, a principios del siglo XX pintar una pieza de plomo de color dorado para imitar el latón constituía una práctica común.

Si bien el vitral no precisa pátinas, puesto que el pavonado es suficiente, para lograr un acabado distinto, que se integre a un conjunto arquitectónico, y proporcionar unas calidades diferentes al plomo, el uso de éstas se hace necesario.

Los componentes de las pátinas se pueden encontrar en las tiendas especializadas. El proceso que se explica a continuación sirve para cualquier pátina. La de este ejemplo, concretamente, ha sido elaborada con sulfato de cobre, y se ha aplicado sobre la base de estaño, con la que previamente se han cubierto las tiras de plomo.

◀ **1.** Después de emplomar el vitral, se coloca esterina en todo el plomo de las dos caras del vitral.

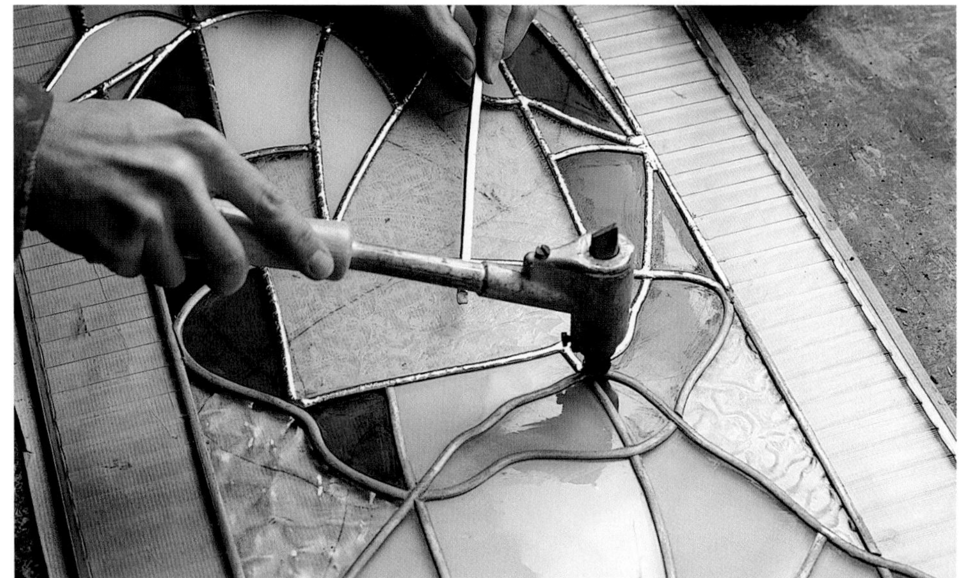

▶ **2.** Con el soldador eléctrico y estaño del 55 %, se estaña toda la superficie del plomo por las dos caras.

◀ **3.** A continuación, se lleva a cabo la operación de enmasillado, dado que en este caso el montaje es con plomo y no con cinta de cobre. Una vez la masilla ha adquirido consistencia, se procede a limpiar con sumo cuidado todo el estaño mediante un estropajo de aluminio o acero.

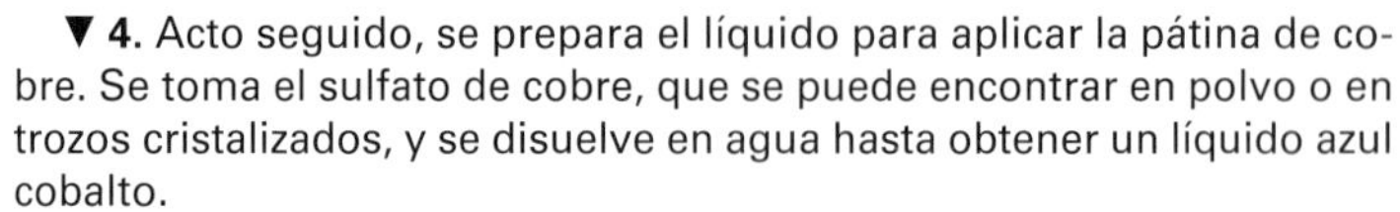

▼ **4.** Acto seguido, se prepara el líquido para aplicar la pátina de cobre. Se toma el sulfato de cobre, que se puede encontrar en polvo o en trozos cristalizados, y se disuelve en agua hasta obtener un líquido azul cobalto.

◀ **5.** Con ayuda de un paño, se extiende el líquido por el estaño, hasta conseguir el color del cobre deseado. Para efectuar esta operación es aconsejable protegerse las manos con guantes de goma.

▶ **6.** Con un paño humedecido o una esponja, se limpia el líquido de sulfato de cobre sobrante que ha quedado en la superficie de los vidrios.

▲ **7.** Se seca el vitral con un paño limpio hasta conseguir sacar brillo de la pátina. Esta operación de secado también se puede realizar con serrín. Todos estos pasos se efectuarán de igual modo en la otra cara del vitral.

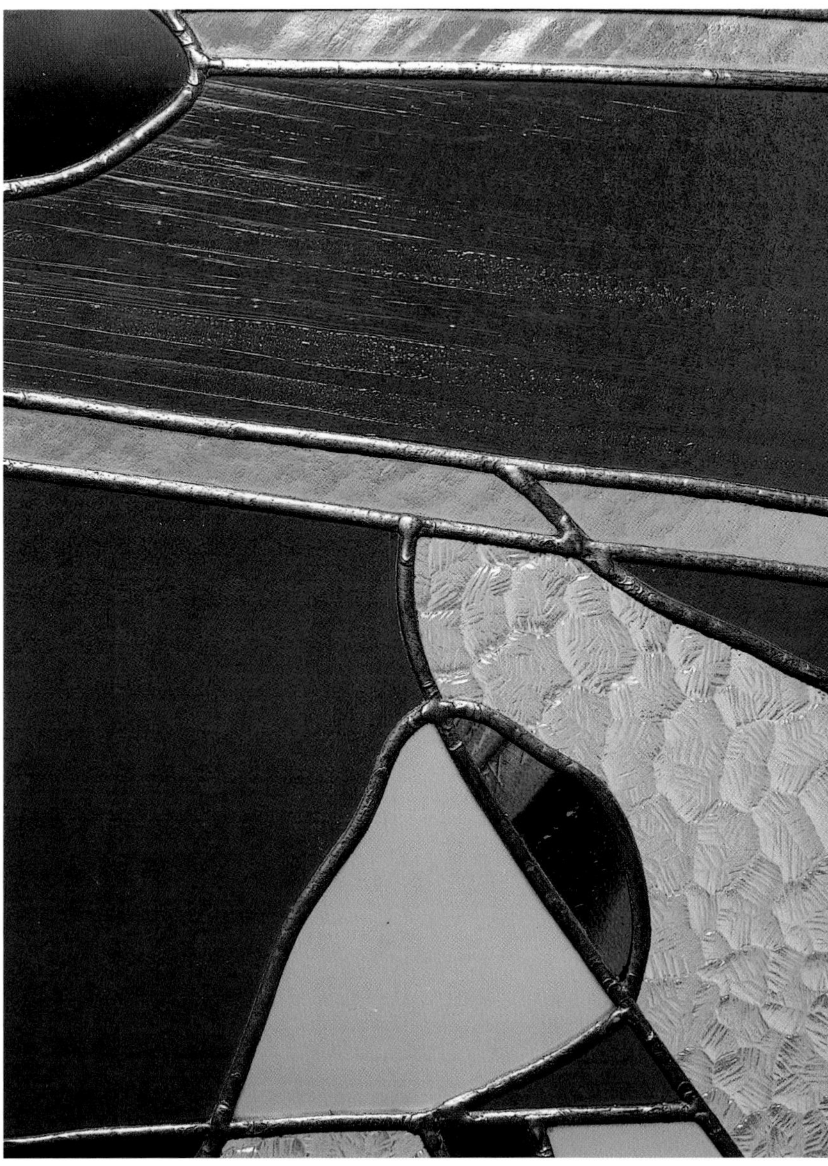

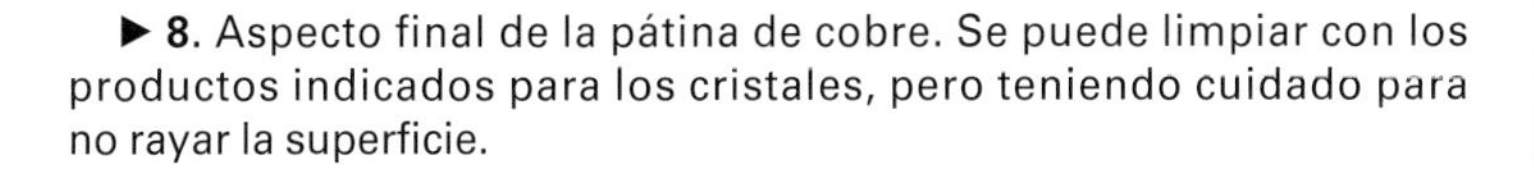

▶ **8.** Aspecto final de la pátina de cobre. Se puede limpiar con los productos indicados para los cristales, pero teniendo cuidado para no rayar la superficie.

Cualquier trabajo manual requiere un aprendizaje y unos ejercicios para que las manos ejecuten las ordenes que reciben del cerebro. Cuando la coordinación ya es perfecta el aprendiz se convierte en maestro. Así pues, para dominar un oficio es necesario practicar, experimentar y equivocarse, aprendiendo de los propios errores e intentando solucionar los problemas con los medios que se tengan al alcance. Los ejercicios que se desarrollan a continuación son una muestra de las múltiples posibilidades técnicas y materiales que ofrece el oficio de vitralista. En ellos se demuestra que el vitral siempre va ligado al concepto de luz, pero no necesariamente al de color, existiendo vidrios incoloros que adquieren un lenguaje propio si se utilizan convenientemente. Asimismo, el lector puede observar como el soporte del vitral se transforma hasta adquirir carta de naturaleza, participando en el diseño y el dibujo o, incluso, haciéndose invisible a los ojos del espectador. Así, pues, en cada paso a paso se introducen aspectos nuevos, tanto técnicos como conceptuales, para que el usuario pueda elegir el que mejor se adapte a sus necesidades y profundice en el oficio de vitralista. Además, toda esta información se complementa con un apartado dedicado a la restauración, donde se explican las técnicas y materiales imprescindibles para llevar a cabo la rehabilitación y limpieza de un vitral antiguo.

Paso a *paso*

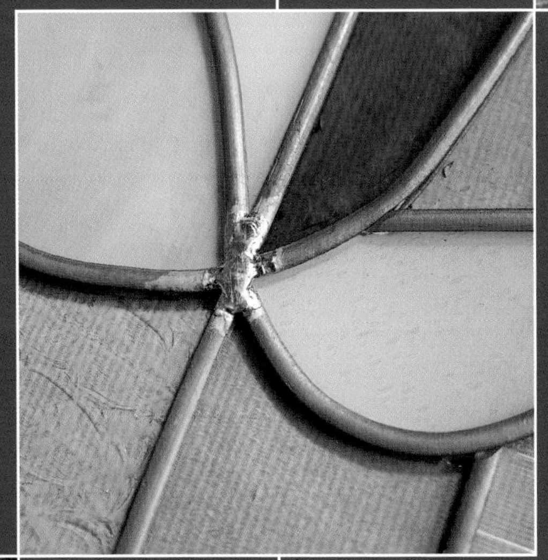

Vitral dibujado con líneas de plomo

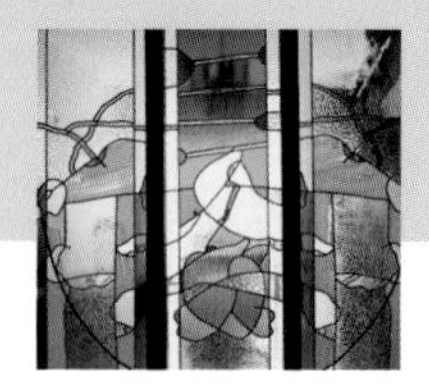

En este ejercicio se explican las fases de realización de un vitral ejecutado con líneas de plomo, cuyas alas de media caña son más rígidas de lo habitual. Dado que este tipo de plomo tiene una gran dureza debido a los cojinetes utilizados, no precisa de refuerzos posteriores que proporcionen mayor consistencia al vitral. Su acabado es muy depurado y, por tanto, adecuado para los vitrales cuya ubicación final es un punto cercano al observador. También se describe cómo dibujar una línea con plomo, con lo cual este material, cuya función primera es de soporte, puede llegar a alcanzar carta de naturaleza, jugando con el color y las formas de los vidrios.

▲ **1.** Diseño de todo el conjunto realizado con acuarela a escala 1:10. El vitral está compuesto por tres hojas de 64 cm de ancho por 195 cm de altura cada una.

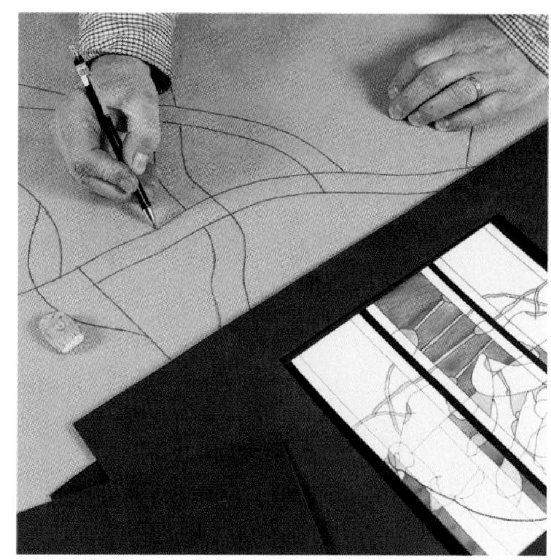

▲ **2.** Se realiza el dibujo a escala real en un papel de 150 gramos.

▲ **3.** Acto seguido, se calca el dibujo con ayuda de papel carbón.

▲ **4.** Para distinguir los cambios de grosor del plomo, se marca con un lápiz de punta gruesa y distinto color.

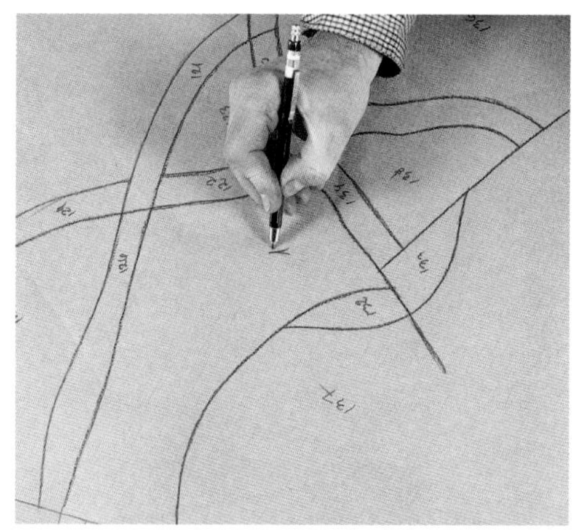

▲ **5.** En el dibujo también es necesario marcar con números los distintos vidrios utilizados.

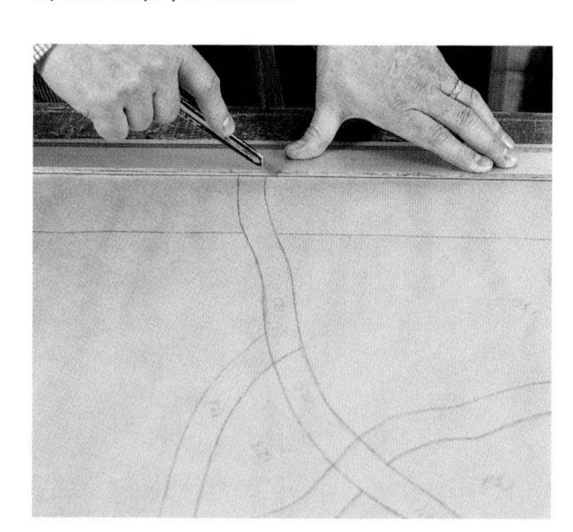

▲ **6.** Con unas tijeras de uso común o una cuchilla se corta el perímetro.

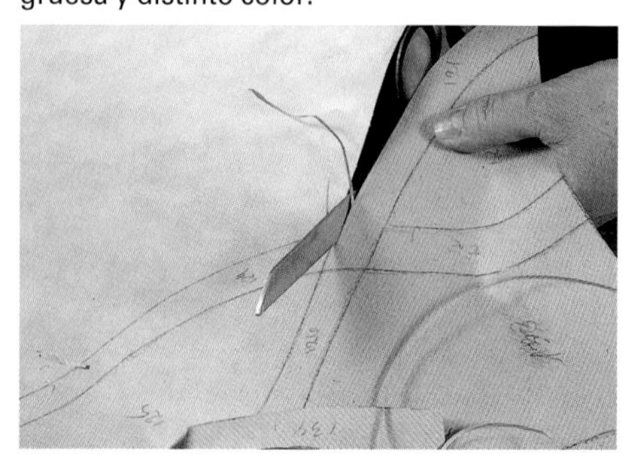

◀ **7.** Con las tijeras de vitralista se cortan los patrones o plantillas de los distintos vidrios que se utilizarán. Obsérvense las virutas de cartulina, de 1,9 mm, que restan de las plantillas para poder efectuar la operación de emplomado.

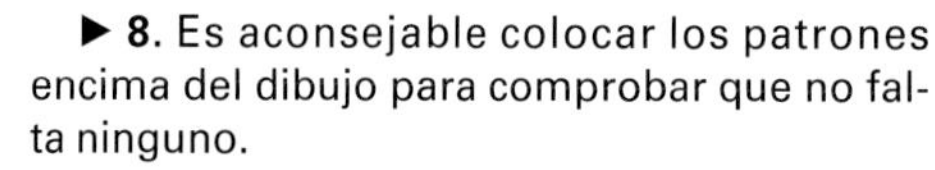

▶ **8.** Es aconsejable colocar los patrones encima del dibujo para comprobar que no falta ninguno.

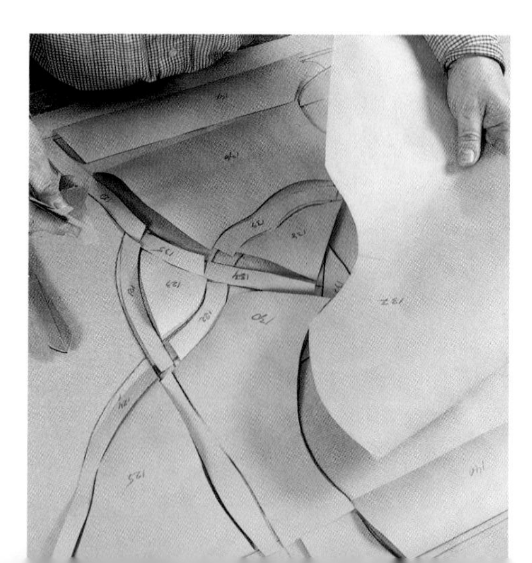

▲ **9.** Con el patrón como guía y la ayuda de una ruleta se procede a cortar el vidrio.

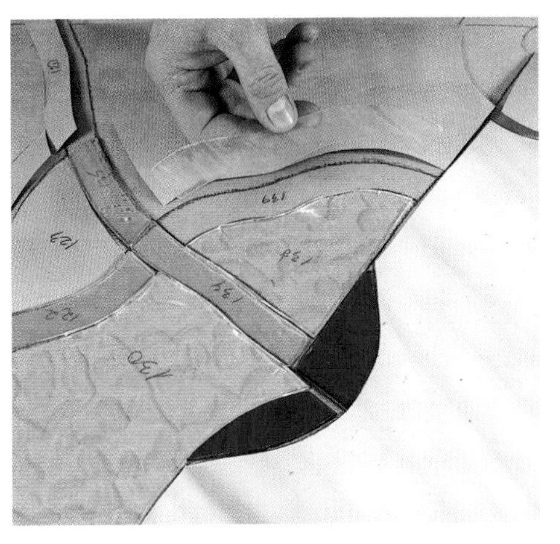

▲ **10.** Los vidrios cortados se colocan encima del dibujo. Cuando el vitral está completo, se puede proceder a su emplomado.

▲ **11.** El plomo de media caña se caracteriza por su rigidez.

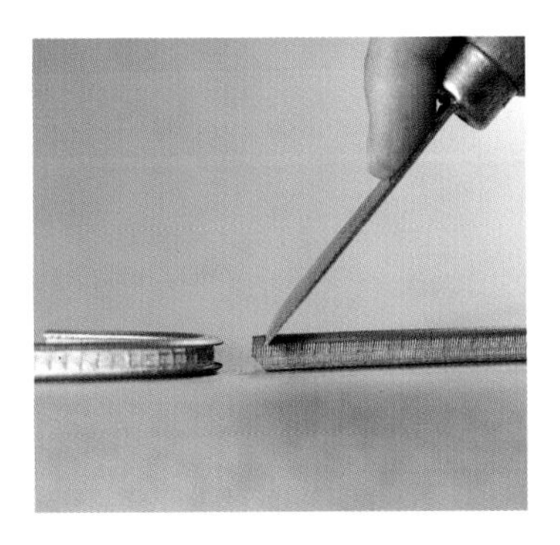

▲ **12.** Para ensamblar las dos piezas de plomo es necesario efectuar una cuña, cortando las partes superior e inferior del plomo, con la espátula de corte o el tajador de plomo en el extremo de la pieza que se desea insertar.

▲ **13.** Acto seguido, se ensamblan ambas piezas y se sueldan con una soldadura de estaño.

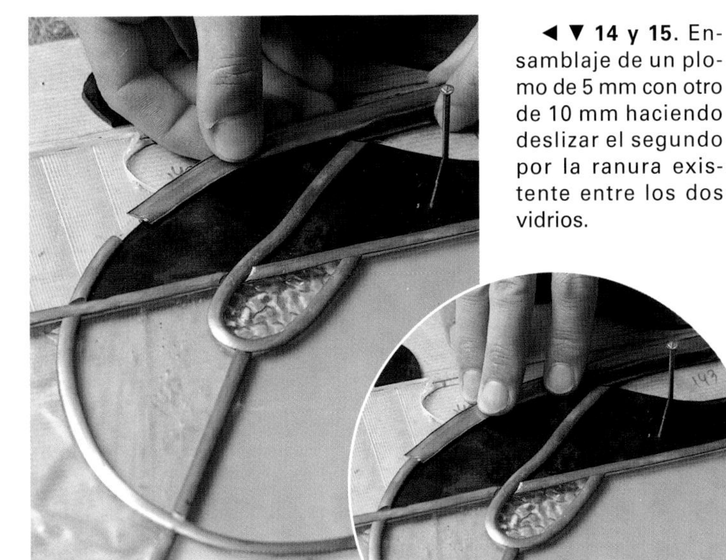

◄ ▼ **14 y 15.** Ensamblaje de un plomo de 5 mm con otro de 10 mm haciendo deslizar el segundo por la ranura existente entre los dos vidrios.

▼ **16.** Seguidamente, se inicia el proceso de dibujar con una línea de plomo encima del vidrio. Tras marcar la medida y la dirección del plomo encima de éste, se corta con unas tijeras un ala del plomo y se elimina el grosor del alma.

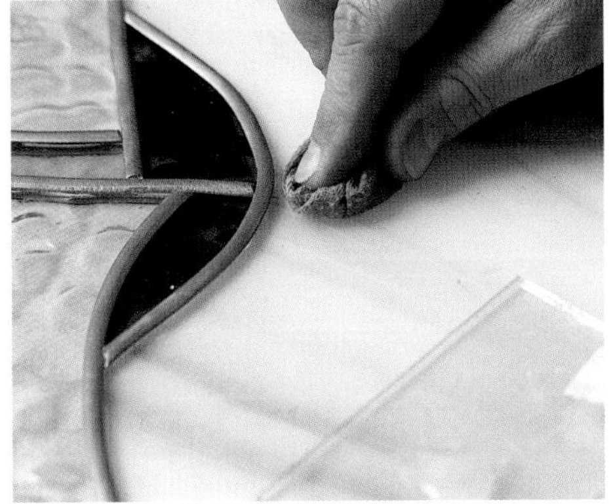

▲ **17.** Se limpia el vidrio con alcohol para eliminar los restos de grasa.

► **18.** Se aplica una cola multiuso en el ala de plomo y se pega al vidrio.

▲ **19.** Se ajusta y se presiona el plomo con un dedo sobre la superficie, suavemente, y procurando en todo momento no manchar el vidrio.

▲ **20.** Para una fijación definitiva es necesario soldar el ala de plomo con la pieza de plomo en contacto. Previamente, se aplica esterina con un pincel.

▲ **21.** Con un soldador se calienta el estaño hasta fundirlo y se une el ala de plomo con el resto de la verga.

▲ **22.** Se termina de emplomar y soldar el vitral.

▲ **23.** Obsérvese en este detalle de una soldadura cómo ha corrido el estaño por la superficie de plomo.

▲ **24.** Una vez terminado el proceso de soldadura, se aplica masilla. En este caso es aconsejable utilizar un tipo de masilla más sólida que la habitual.

▼ **25.** Con una brocha plana se extiende bien la masilla, procurando que penetre en el interior de las alas.

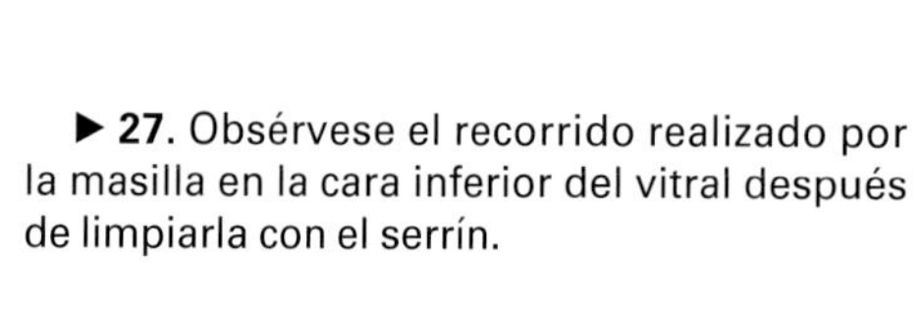

▲ **26.** Se limpia la masilla con serrín, que también penetra en el plomo y, junto con la masilla, forma una argamasa compacta.

► **27.** Obsérvese el recorrido realizado por la masilla en la cara inferior del vitral después de limpiarla con el serrín.

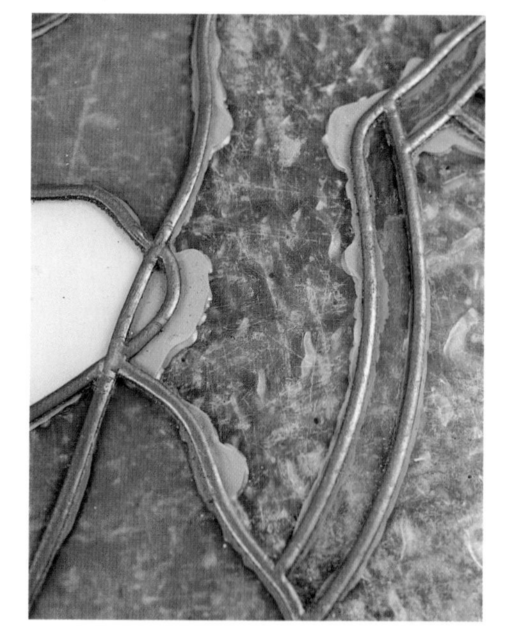

▲ **28.** Se pasa con suavidad el cepillo de esparto para no arrastrar la masilla que sujetará los vidrios.

▲ **29.** Transcurridas 48 horas, se recorta la masilla con un punzón. Téngase en cuenta que la pasta alojada en el interior del plomo no se debe extraer.

▲ **30.** Con un pincel se termina de limpiar los restos de masilla del vitral.

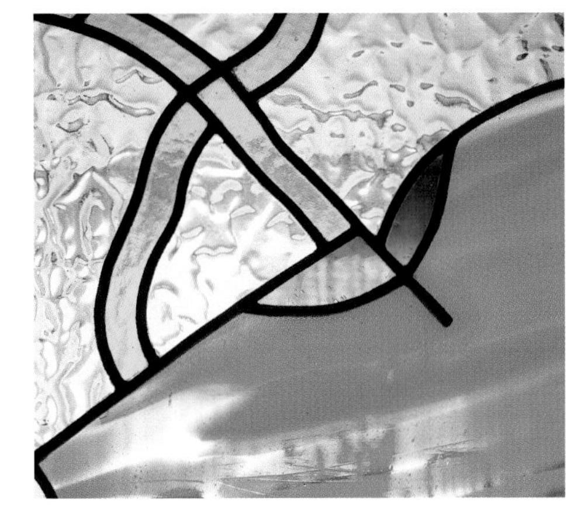

▲ **31.** Detalle del plomo dibujado encima del vidrio.

▲ **32.** Detalle del dibujo del plomo de diferentes grosores.

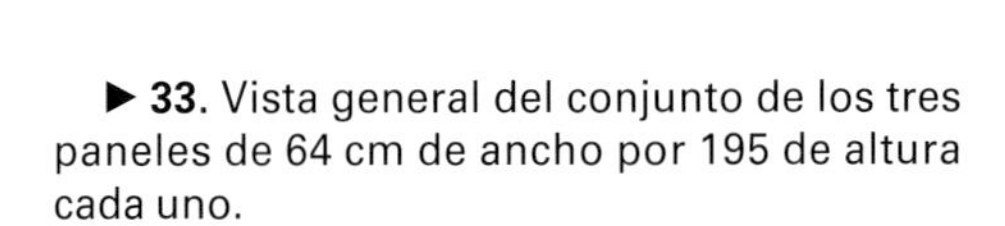

► **33.** Vista general del conjunto de los tres paneles de 64 cm de ancho por 195 de altura cada uno.

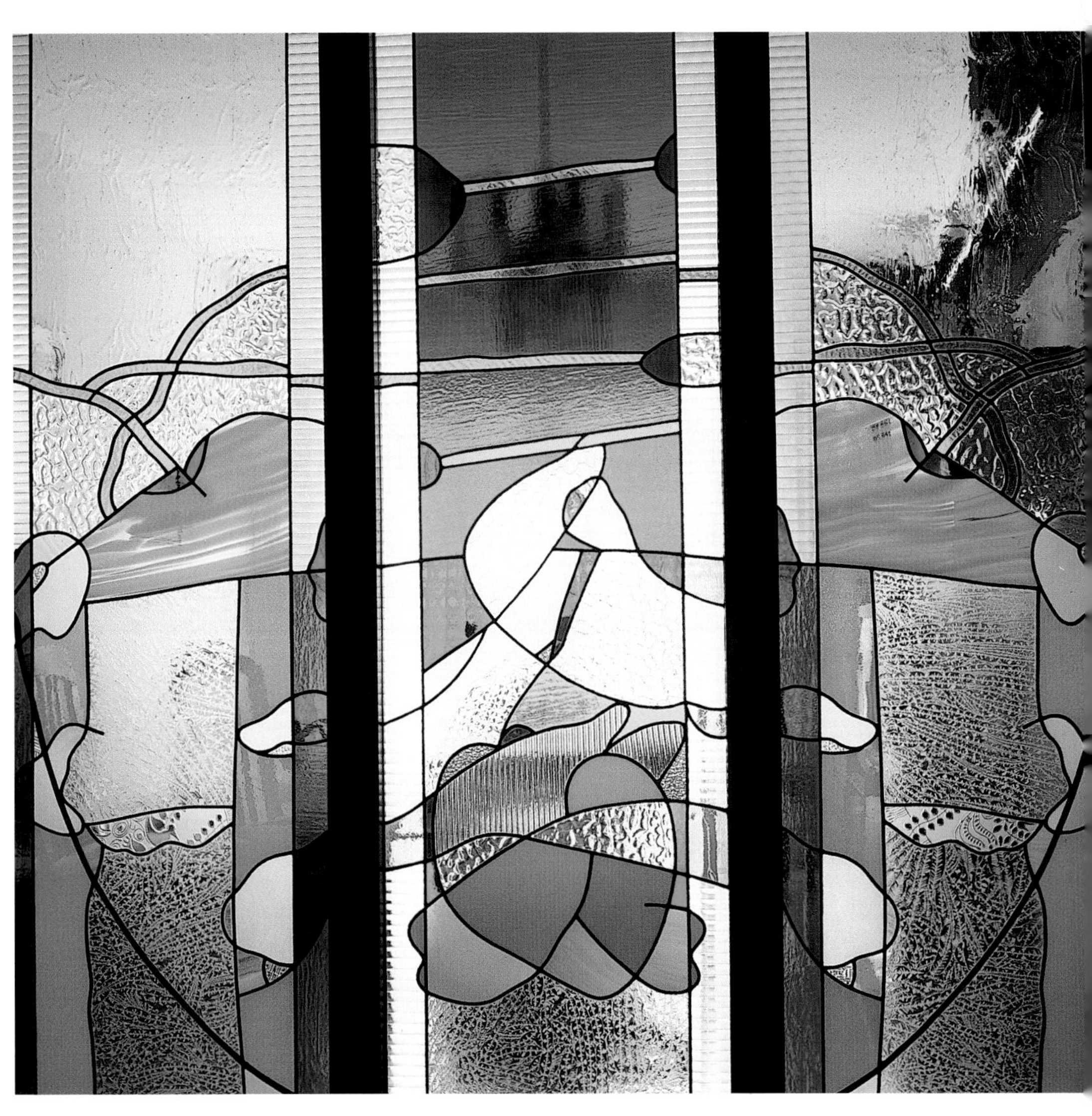

Vitral con vidrios industriales texturados

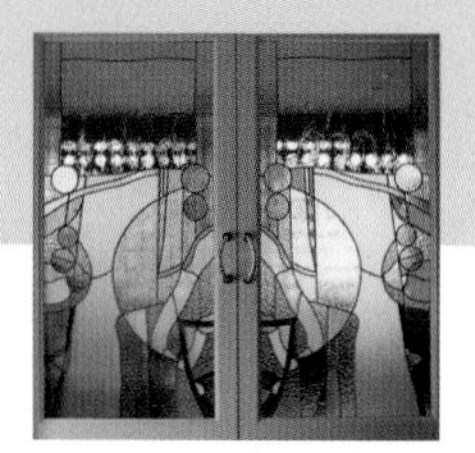

Este ejercicio consiste en realizar un vitral con vidrios de apariencia sencilla pero con un gran juego de grises, matices y brillos que los artistas del Modernismo y el Art Deco supieron utilizar con gran maestría.
Es muy importante seleccionar adecuadamente los vidrios que se van a utilizar, puesto que de ello depende el resultado. Por ello, se emplearán vidrios catedrales, grabados al ácido, plaqué y texturados. Al final del proceso se comprobará que estos materiales son óptimos incluso cuando la luz incide por las dos caras.

▲ **1.** El vitral que se va a realizar está compuesto de cuatro hojas, con diseños simétricos. Una vez efectuado el boceto de los dos dibujos, a escala 1:10, se anotan los diferentes vidrios que se utilizarán.

▲ **2.** A continuación, se traspasa el boceto a escala real, teniendo en cuenta que el tamaño final de cada hoja del vitral debe ser de 88 × 186,5 cm.

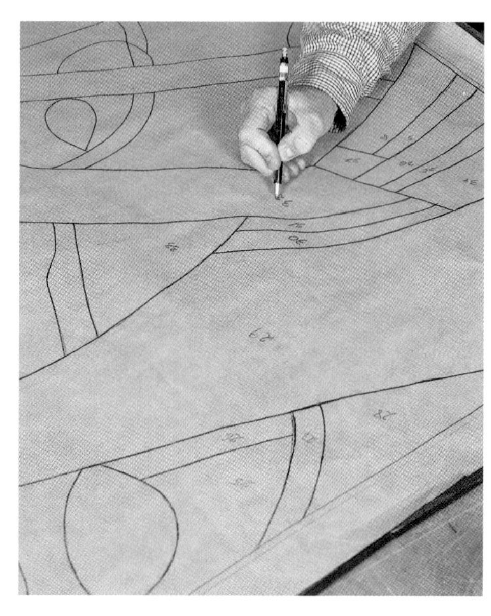

▲ **3.** Para realizar las plantillas, se calca el dibujo en una cartulina con papel carbón y se traspasan las referencias de los vidrios.

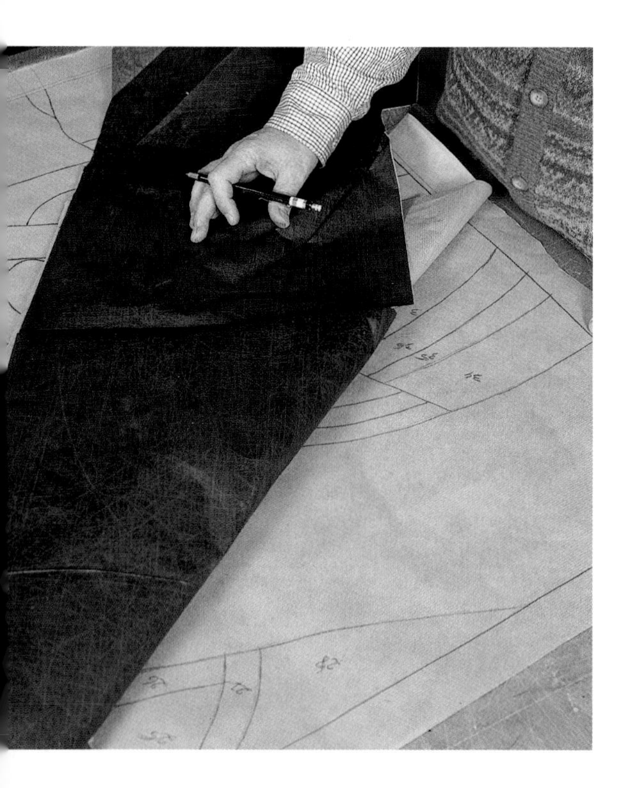

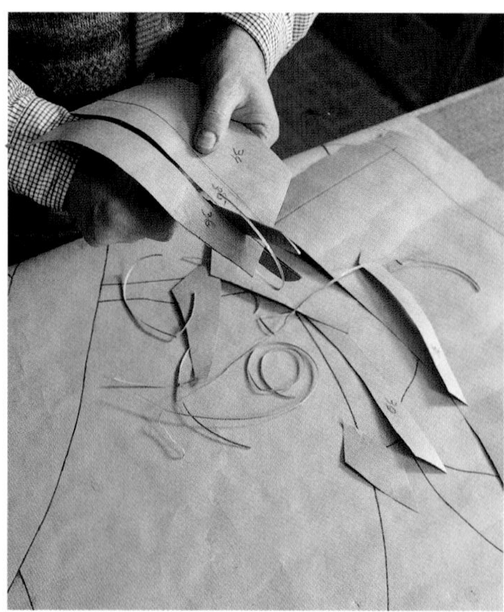

◀ **4.** Se levantan el papel del dibujo y el papel carbón y se comprueba que no haya quedado ningún detalle sin calcar en la cartulina de las plantillas.

◀ **5.** Con las tijeras de vitralista se cortan las plantillas.

▼ **6.** Muestra de diversos vidrios industriales. Obsérvense los distintos brillos y grises y la translucidez del vidrio.

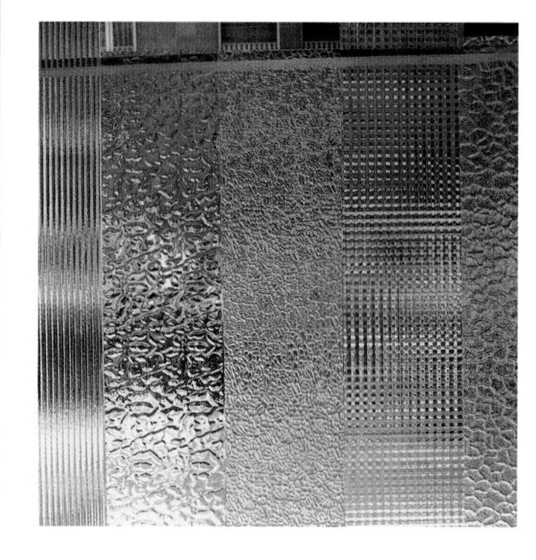

▲ **7.** Se seleccionan los vidrios para cortarlos. Se sitúa la plantilla sobre el vidrio y se corta con una ruleta. Esta operación debe efectuarse lentamente para incidir en todas las irregularidades.

▲ **8.** En ocasiones hay que dar algún golpe seco al vidrio para abrir el corte, que suele tener 4 mm de grosor.

▲ **9.** Para romper el vidrio, se debe presionar con los alicates para concretar la presión.

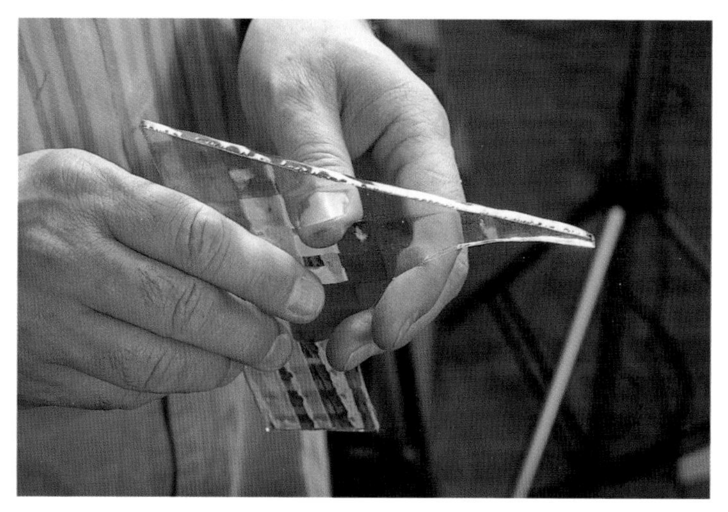

▲ **11.** Observando el canto del vidrio se pueden detectar las irregularidades de la superficie.

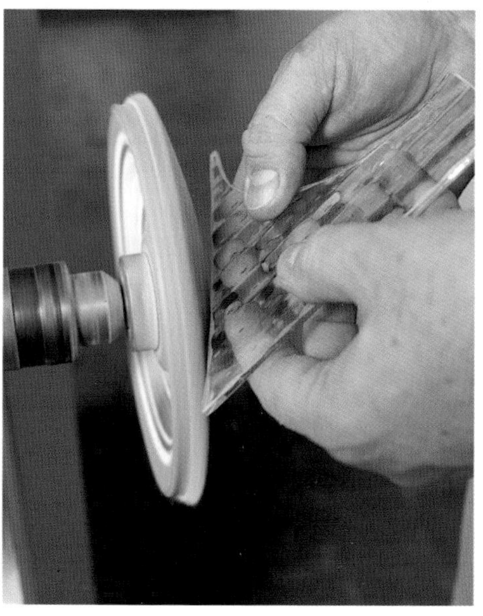

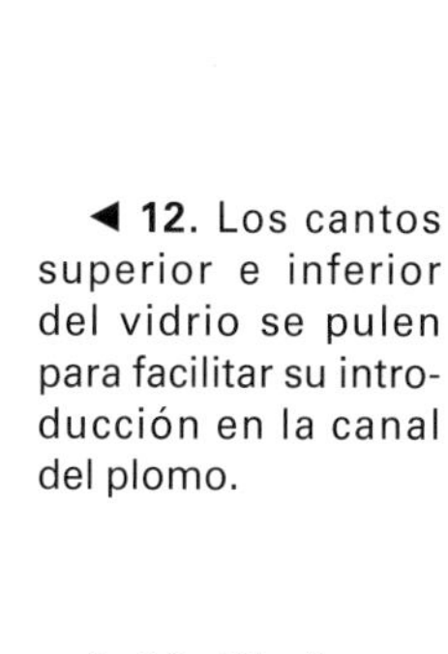

▲ **10.** Cuando el espacio lo permite, otra forma de separar el vidrio consiste en presionar con los dedos.

◄ **12.** Los cantos superior e inferior del vidrio se pulen para facilitar su introducción en la canal del plomo.

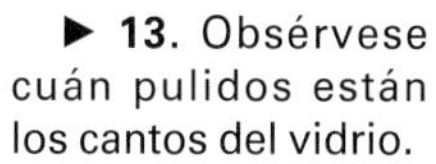

► **13.** Obsérvese cuán pulidos están los cantos del vidrio.

▲ **14.** Se inicia el proceso de emplomado, comenzando desde una esquina del dibujo. Para ello se utiliza plomo de media caña de 5 mm.

▲ **15.** Para recortar los sobrantes de plomo, se protege el dibujo con una espátula y se corta el plomo con el tajador, efectuando los cortes sesgados.

▲ **16.** Acto seguido, se prepara la canal del plomo para introducir el vidrio. Tras encajarlo, se presiona el plomo para su ajustamiento.

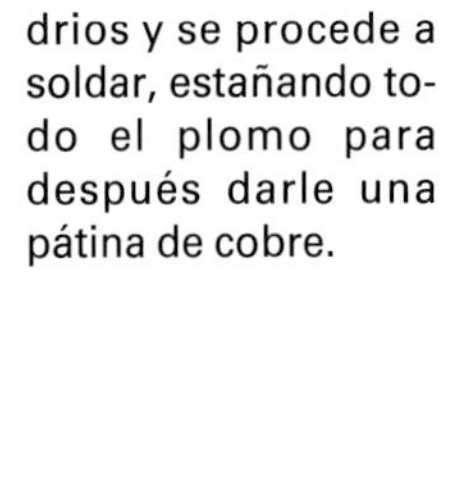

◄ **17.** Se emploman todos los vidrios y se procede a soldar, estañando todo el plomo para después darle una pátina de cobre.

► **18.** Se gira el vitral para soldar la otra cara. Para ello se desliza el vitral por la superficie de la mesa hasta el canto de ésta y se deja caer a plomada.

▼ **19.** Con mucho cuidado se da la vuelta al vitral y se coloca de nuevo en la mesa.

▼ **20.** Se procede a soldar la otra cara.

▲ **21.** Tras el emplomado y la soldadura de las dos caras, se aplica la masilla, que ha de ser un poco más espesa que la de un emplomado plano, ya que en éste entrará con mayor facilidad.

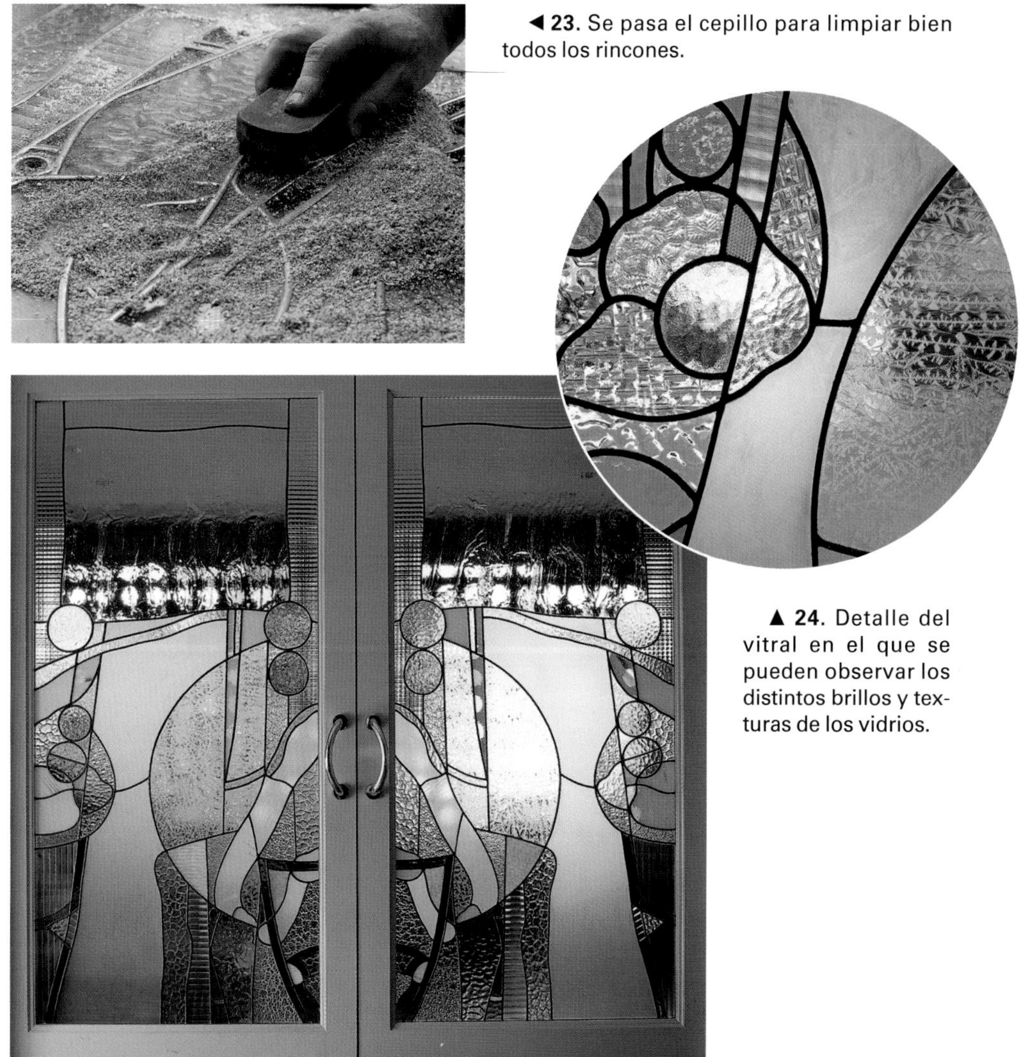

◀ **23.** Se pasa el cepillo para limpiar bien todos los rincones.

▲ **22.** Se limpia la masilla con serrín.

▲ **24.** Detalle del vitral en el que se pueden observar los distintos brillos y texturas de los vidrios.

▶ **25.** Aspecto parcial del vitral colocado en unas puertas correderas.

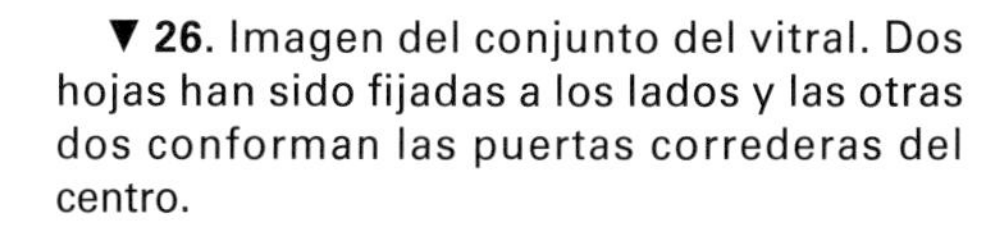

▼ **26.** Imagen del conjunto del vitral. Dos hojas han sido fijadas a los lados y las otras dos conforman las puertas correderas del centro.

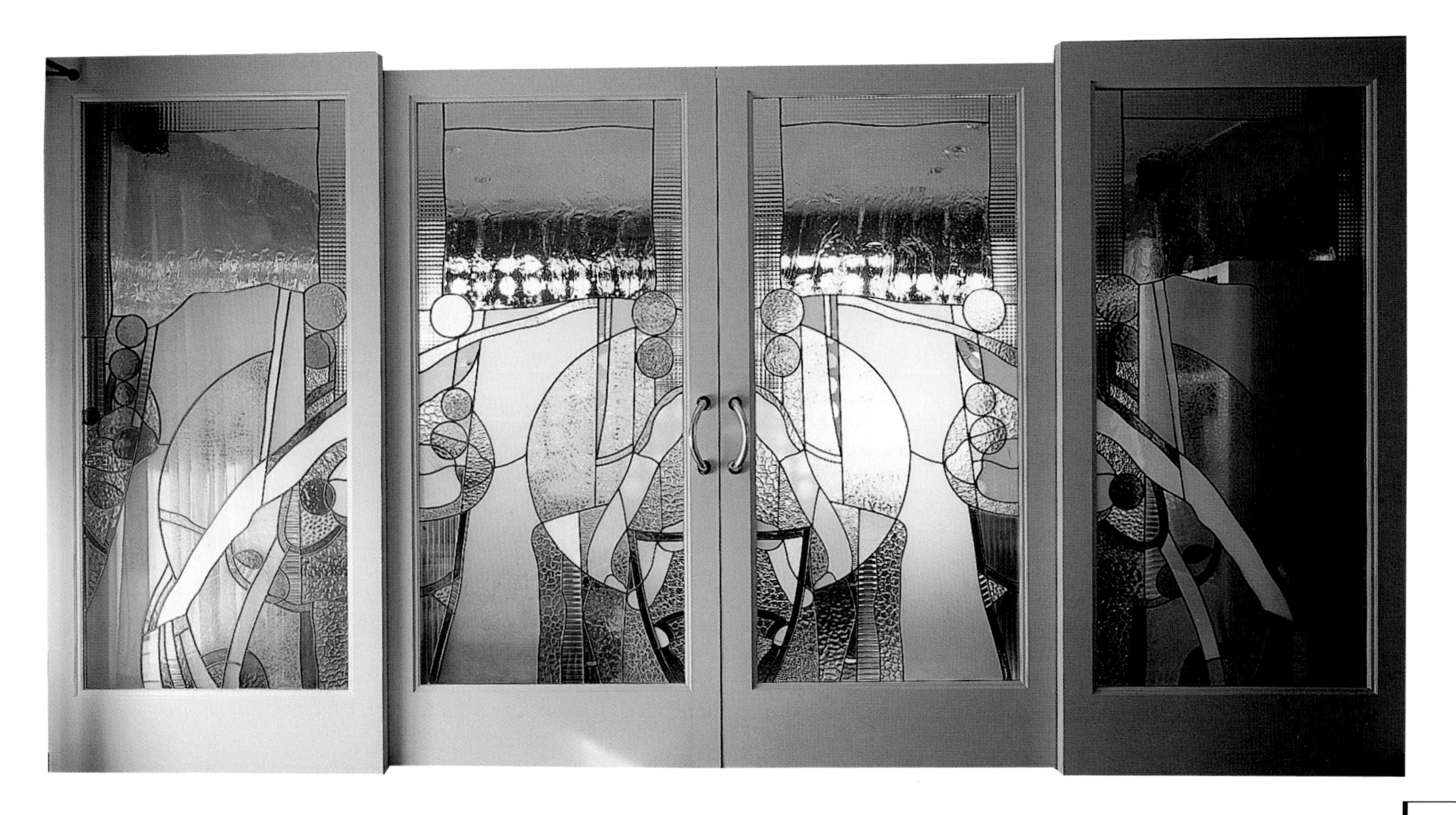

Vitral con vidrios antiguos

El vidrio soplado es denominado vidrio antiguo porque su proceso de fabricación es el mismo que seguían los antiguos vidrieros. Gracias a su manipulación artesanal se consiguen unas cualidades que los otros vidrios no tienen, como por ejemplo la transparencia con rugosidades, cuerdas, burbujas, etc., o una gama de colores muy extensa que permite mayores posibilidades de diseño.
A pesar de que habitualmente se usa en grandes espacios como las catedrales, dado que sus colores suelen ser intensos, el ejemplo desarrollado en este paso a paso ha sido concebido para el recibidor de una vivienda unifamiliar, con el fin de que los objetos y los colores que decoran la dependencia, así como las personas que habitan la casa, se integren en el vitral. También cabe destacar el trabajo realizado con la línea de plomo en el tronco de los árboles; con ello se ha logrado plasmar un movimiento helicoidal que realza el diseño.

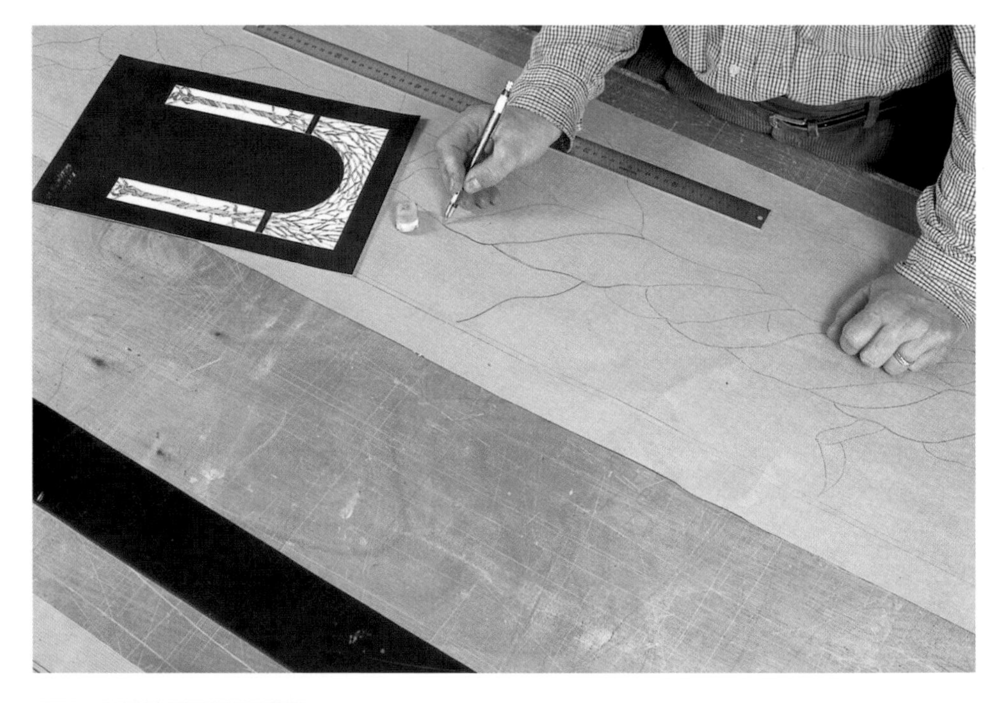

▲ **1.**Proyecto realizado en acuarela y tinta negra a escala 1:10. Las medidas a escala real son 177,5 cm de ancho × 238 cm de largo.

▲ **2.** Elaboración del dibujo a tamaño natural a partir del proyecto realizado a escala 1:10.

◀ **3.** Como ya es sabido, para realizar los patrones o plantillas se debe colocar en primer lugar una cartulina, seguidamente una hoja de papel carbón y, por último, el dibujo en cuestión.

▲ **4.** Acto seguido, se procede a calcar el dibujo con un lápiz o un bolígrafo de distinto color al utilizado anteriormente, ya que de esta forma se pueden detectar fácilmente las líneas que faltan por calcar.

▲ **5.** A continuación, se deben numerar las piezas, ya sea correlativamente o tomando las referencias de los colores.

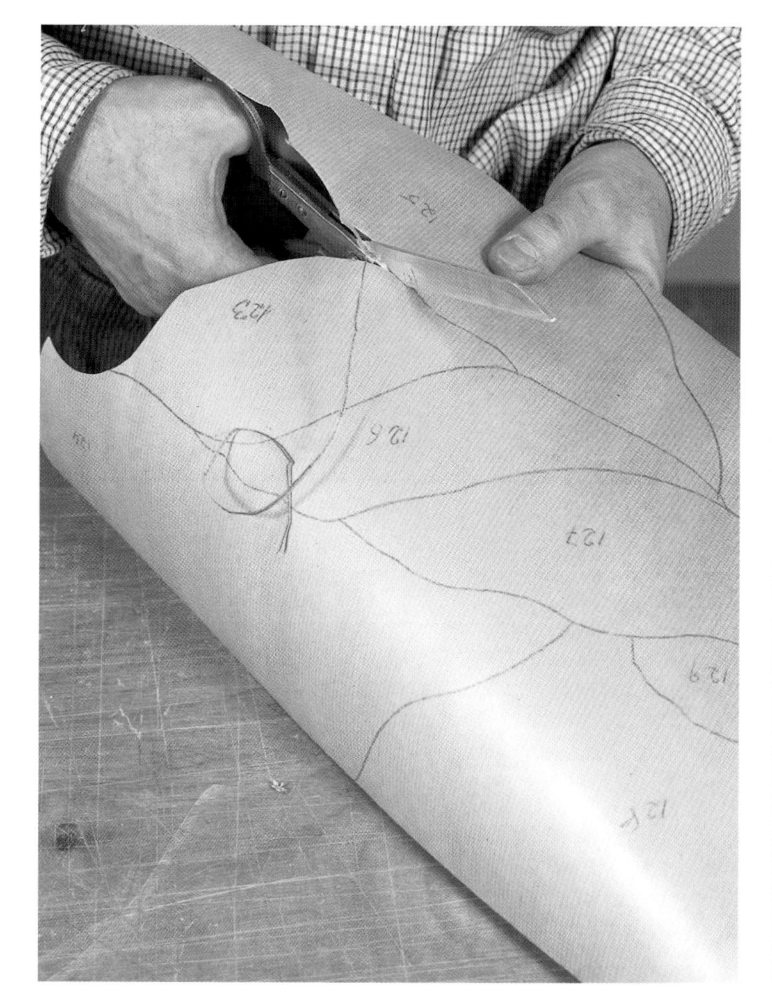

◀ **6.** Para cortar las plantillas se deben emplear las tijeras de vitralista, que restan el grosor de alma de plomo.

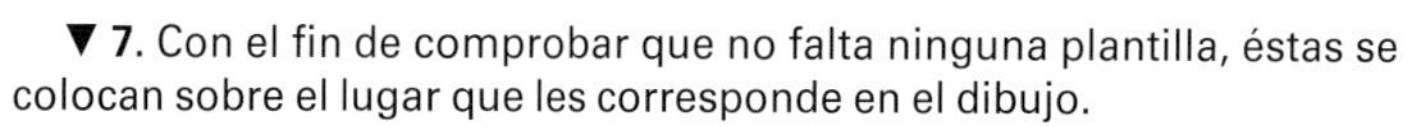

▼ **7.** Con el fin de comprobar que no falta ninguna plantilla, éstas se colocan sobre el lugar que les corresponde en el dibujo.

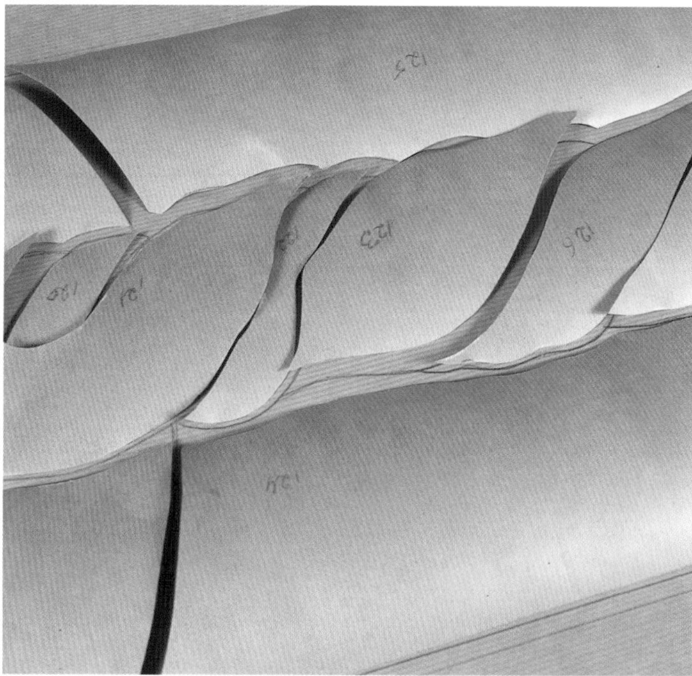

▲ **8.** La selección de vidrios en este ejercicio es sumamente importante. Téngase en cuenta que los degradados del color cumplen una función relevante en el diseño de la pieza.

▲ **9.** Para cortar los vidrios se deben emplear las plantillas correspondientes, colocándolas de forma que se pueda aprovechar el máximo material.

◀ **10.** A medida que se cortan las piezas de vidrio, éstas deben colocarse en su lugar correspondiente en el dibujo.

▲ **11.** Colocación del último cristal encima del dibujo. Éste es el momento óptimo para comprobar si el resultado coincide con el diseño. En caso contrario, todavía se está a tiempo de modificar algún color.

▼ **12.** El siguiente paso que se debe realizar es el emplomado de los vidrios cortados. Para las piezas del tronco es conveniente utilizar un plomo de 7 mm de grosor; para las partes más delgadas de las ramas se puede emplear plomo de 5 mm de grosor.

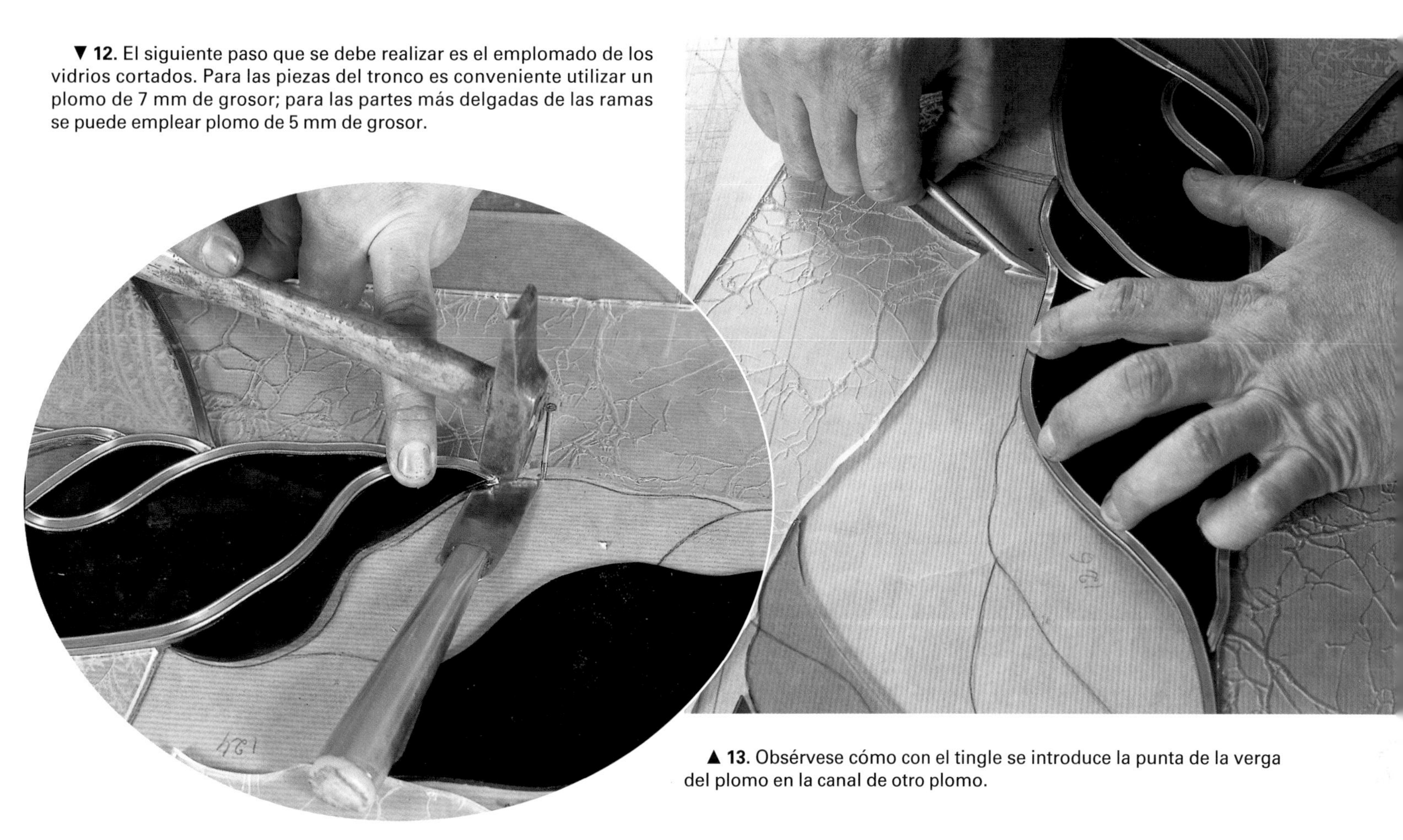

▲ **13.** Obsérvese cómo con el tingle se introduce la punta de la verga del plomo en la canal de otro plomo.

◀ **14.** Para que el plomo sujete con mayor firmeza las piezas del vidrio deben redondearse las alas. Adviértase en este detalle el movimiento que adquiere el vitral con las formas helicoidales logradas con la línea de plomo.

▼ **15.** Seguidamente, se prepara el plomo para su soldadura. Con un pincel se untan las uniones de las líneas de plomo con pasta de esterina.

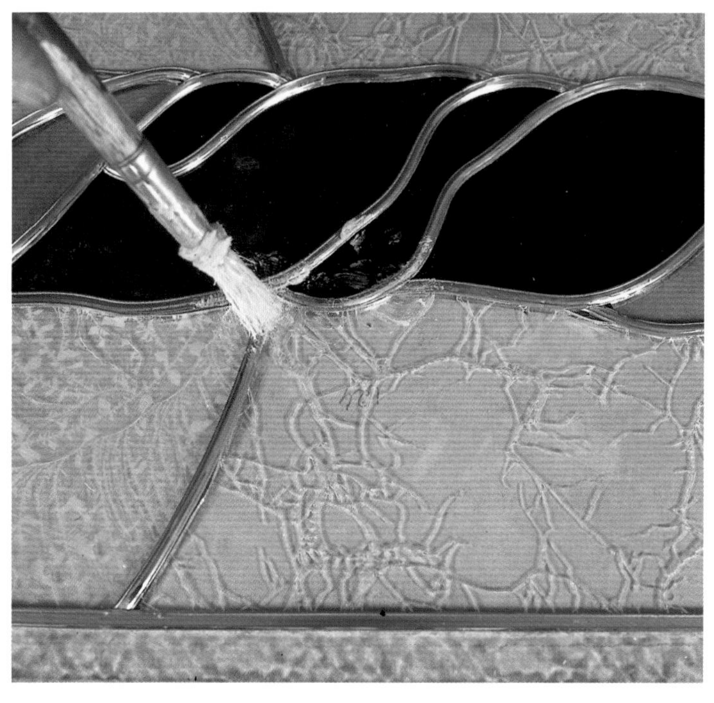

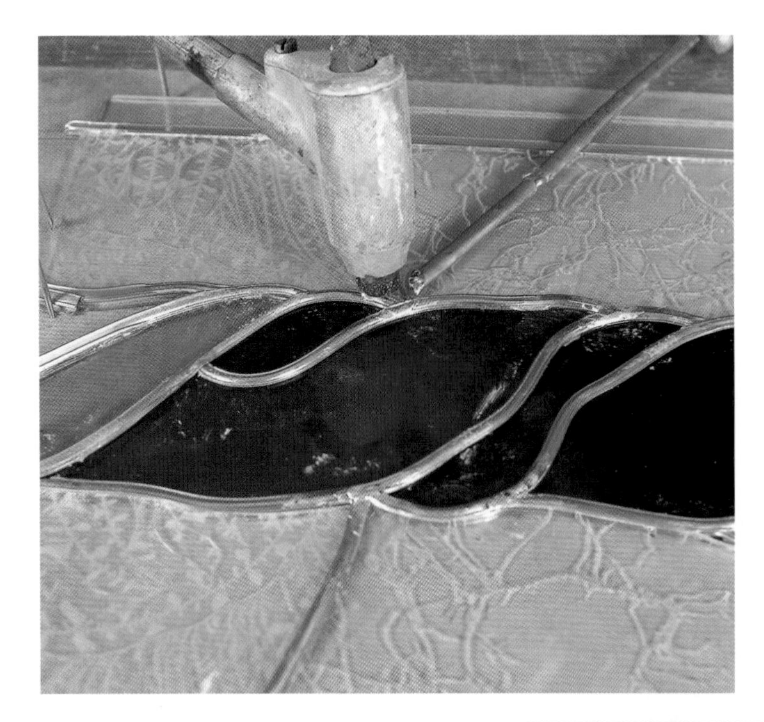

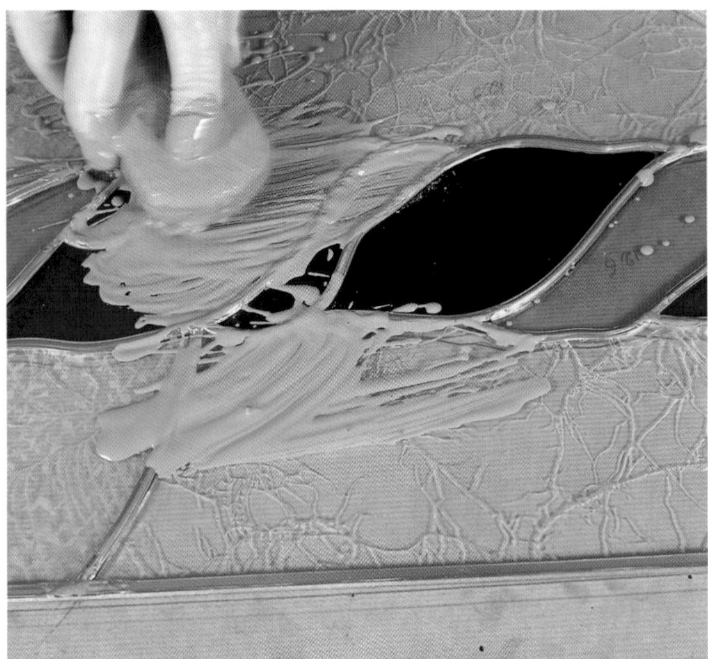

▲ **16.** Con el soldador eléctrico y el estaño se procede a soldar las uniones de los distintos trozos de plomo de la cara superior del vitral. Se repite la misma operación en la cara inferior.

▲ **17.** La operación de enmasillado proporciona dureza y estanqueidad al vitral. Con el cepillo de raíces se introduce la masilla en las alas del plomo hasta que rebose por la cara inferior.

▲ **18.** Con ayuda de serrín y un cepillo de esparto se limpia la masilla, incidiendo en los rincones del plomo. Para lograr una pátina uniforme, se deben frotar exhaustivamente los plomos con el cepillo por las dos caras.

► **19.** Detalle del vitral ya acabado y ubicado en su lugar definitivo.

► **20.** En la imagen de la página siguiente se puede observar la delicada transparencia del vidrio, que realza la zona de paso para la que fue concebido el vitral. Medidas totales: ancho 177,5 cm, altura 238 cm.

Vitral pintado con grisallas

El siguiente proyecto ha sido diseñado para la iglesia de Aldover, una localidad de la provincia de Tarragona, en España. Esta iglesia se halla ubicada en un lugar con luz suficiente para que el uso de grisallas sea justificable.
En un vitral pintado con grisallas los vidrios adquieren valor por sus texturas. En esta ocasión, la grisalla se compondrá de óxido de hierro u óxido de cobre mezclado con bórax, que actúa como fundente. El pintado se efectuará encima de una mesa de luz, aunque para valorar el vitral en su conjunto este proceso debe hacerse con luz natural y pegando con cera todos los vidrios en una plancha de vidrio incolora.

▲ **1.** Diseño del vitral realizado con acuarela a escala 1:10. El tamaño real del vitral es de 55 cm de anchura por 135 cm de altura.

▲ **2.** Se dibuja el diseño a escala real, se anotan las referencias de los vidrios y se marca con lápiz de color rojo los elementos que después serán perfilados.

▲ **3.** Se procede a calcar el dibujo y a numerar las plantillas.

◄ **4.** Se retiran el dibujo original y el papel carbón y se comprueba que no falte ningún detalle en la cartulina destinada a las plantillas.

► **5.** Se cortan las plantillas con las tijeras de vitralista.

▲ **6**. Con una ruleta se cortan los distintos vidrios de acuerdo con las plantillas realizadas.

▲ **7**. A medida que se cortan los vidrios, se van colocando en su lugar correspondiente encima del dibujo.

◄ **8**. Los vidrios que deben perfilarse también se colocan encima del dibujo para su copia posterior.

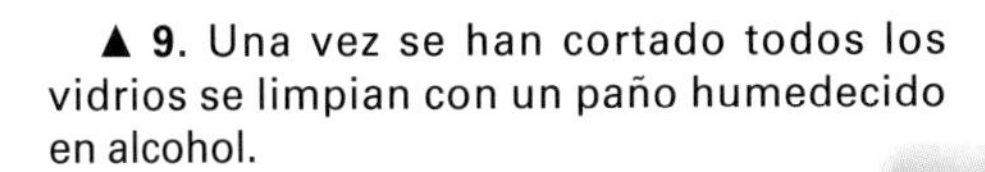

▲ **9**. Una vez se han cortado todos los vidrios se limpian con un paño humedecido en alcohol.

► **11**. Se procede a preparar la grisalla negra (de óxido de hierro) que se utilizará para perfilar el dibujo, mezclándola con vinagre puro de vino.

◄ **10**. Para la elección de las grisallas más adecuadas se puede consultar el muestrario, que cada vitralista se confeccionará para su uso particular.

▲ **12.** Cuando la grisalla está bien ligada, se añaden unas gotas de goma arábiga para darle mayor consistencia y facilitar su correcta adherencia al vidrio antes de la cocción.

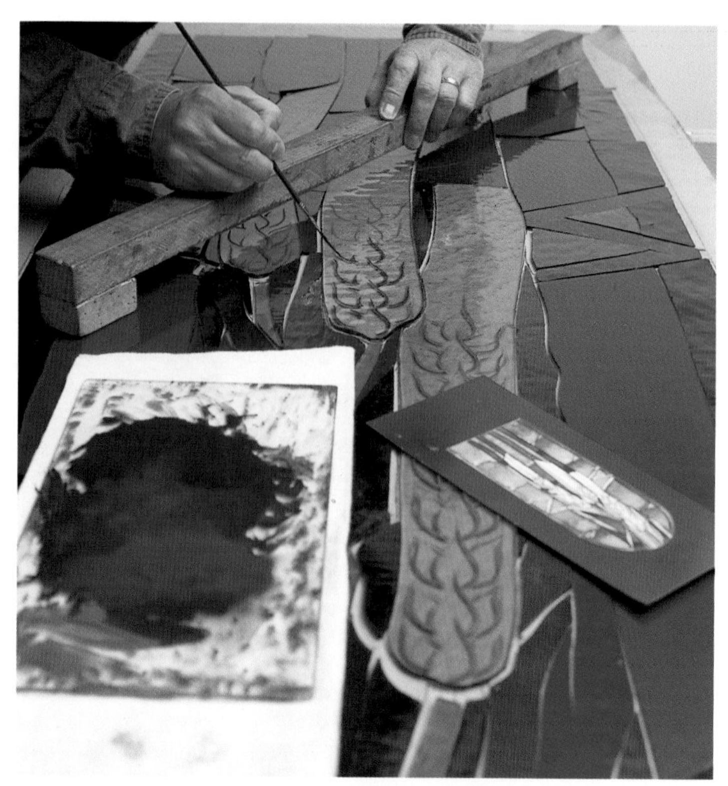

◀ **13.** Con un pincel se aplica la grisalla negra, utilizando el soporte del tiento para no apoyarse en los vidrios y tener las manos más libres para repasar las líneas. Se deja secar el perfilado veinticuatro horas. Esta operación se denomina *trait.*

◀ **14.** Se procede a preparar la grisalla de modelar, que será de color marrón (de óxido de cobre). Ha de ser muy fina y debe mezclarse con agua, puesto que es incompatible con el vinagre, pudiéndose pintar, una encima de otra sin necesidad de realizar dos hornadas.

◀ **15.** Se liga bien para obtener una pasta con la consistencia adecuada, ni demasiado líquida ni demasiado espesa.

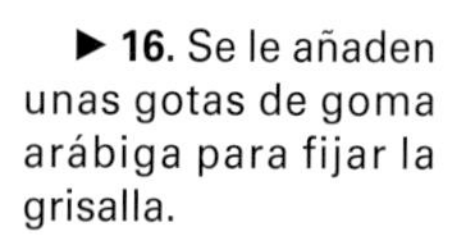

► **16.** Se le añaden unas gotas de goma arábiga para fijar la grisalla.

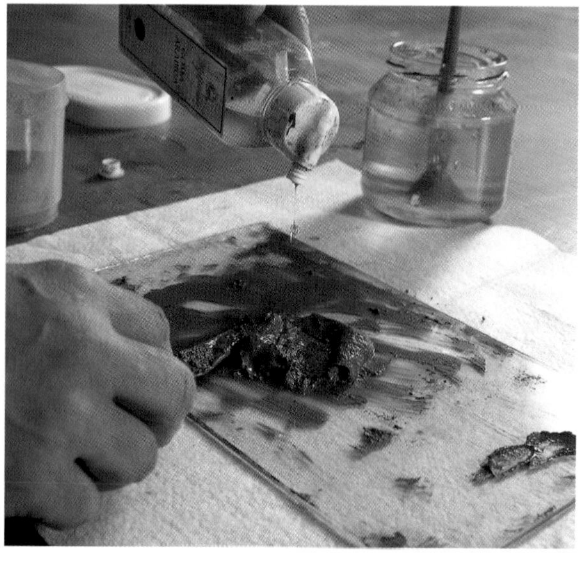

► **17.** Con ayuda de un pincel se pinta el vidrio con la grisalla marrón sobre una mesa de luz.

▲ **18.** Con el unidor se moldea la grisalla.

▲ **19.** Cuando la grisalla ya está completamente seca, se aplica la técnica del picado con el mismo unidor. De esta forma se consigue el puntillismo por donde pasa la luz.

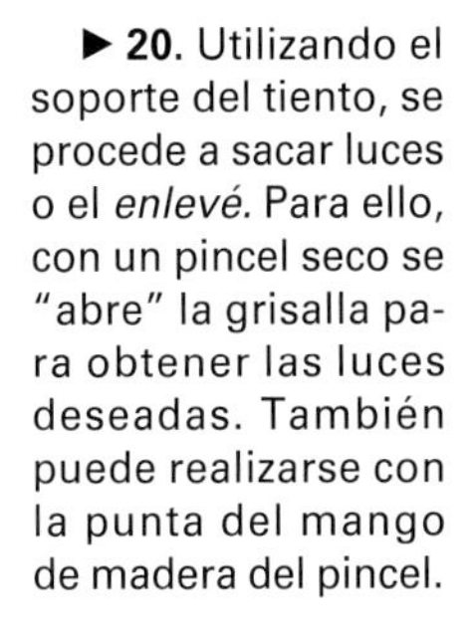

► **20.** Utilizando el soporte del tiento, se procede a sacar luces o el *enlevé*. Para ello, con un pincel seco se "abre" la grisalla para obtener las luces deseadas. También puede realizarse con la punta del mango de madera del pincel.

◄ **21.** Con un pincel con los pelos cortados planos se siguen moldeando las formas con la técnica del picado.

▼ **22.** Se continúa aplicando el *enlevé* en diferentes partes del vidrio, ahora utilizando un pincel muy fino, con poco pelo y duro para realizar las líneas deseadas.

▲ **23.** Con la misma grisalla marrón se realizan unas texturas en la superficie del vidrio amarillo. Para ello se utiliza una hoja de periódico arrugada.

▲ **24.** Con un pincel se pinta la superficie del vidrio hasta donde interese.

▲ **25.** Se utiliza el unidor para modelar la superficie, difuminando la pintura.

▼ **26.** Con el papel de periódico se "pica" la grisalla y se moldea, de manera que el papel absorba la humedad.

◀ **27.** Una vez efectuadas todas las decoraciones, se colocan las piezas de forma ordenada encima de la manta de fibra de cerámica del horno de arcón frío. Se inicia la cocción hasta llegar a los 600 °C. Después, se apaga el horno y se deja enfriar.

◀ **28.** Se sacan las piezas del horno y se colocan encima del dibujo para comprobar si los resultados han sido satisfactorios.

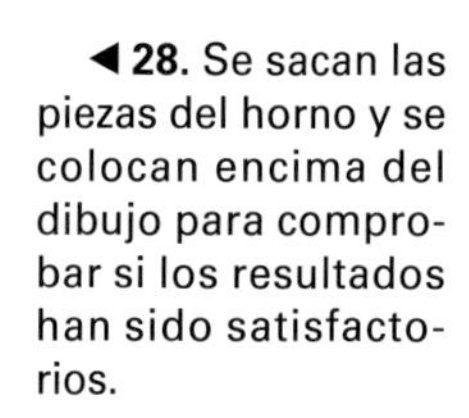

▶ **29.** Se procede al emplomado del vitral, esta vez sin dibujo debajo. Con el mango de madera del martillo se ajusta el vidrio al plomo.

▲ **30**. Una vez se ha terminado de emplomar todo el vitral, con la espátula se redondea el plomo para que los vidrios queden ajustados.

▲ **31**. El plomo de los lados rectos del perímetro exterior se sujeta con una regla de vidrio; la zona curva se inmoviliza con pequeños vidrios también de forma curvada.

► **32**. Se aplica la esterina en las uniones del plomo.

▲ **33**. A continuación, las uniones del plomo se sueldan con estaño.

► **34**. Tras soldar una cara, se levanta el vitral y se gira para poder soldar la otra cara, redondeando previamente las alas del plomo.

▲ **35** Una vez finalizado el proceso de soldadura por las dos caras del vitral, se aplica la masilla.

► **36**. Se friega con el cepillo hasta que la masilla sale por la otra cara del vitral.

▲ **37**. La limpieza de la masilla y el vitral se realiza con serrín.

▲ **38**. Se extiende bien el serrín, insistiendo en el plomo y sus soldaduras.

▲ **39**. Con el cepillo se terminan de limpiar las partes de acceso más difícil, al mismo tiempo que se patina el plomo, que adquiere un tono oscuro.

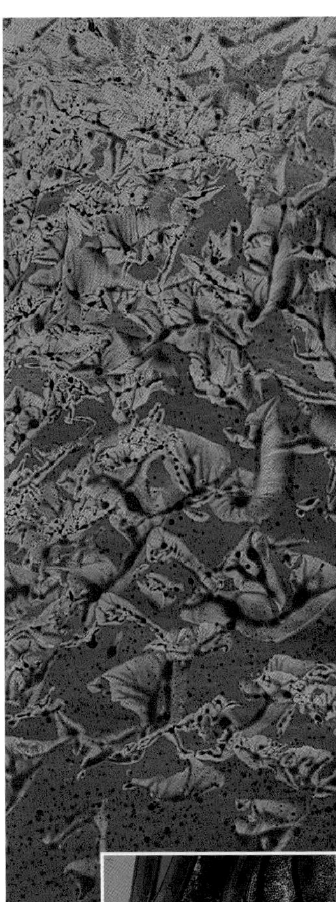

◀ **40**. Detalle del vidrio texturado con el papel de periódico.

▲ **41.** Detalle de los vidrios y el modelado con la técnica del picado.

▶ **42.** Aspecto definitivo del vitral.

Vitral pintado con esmaltes

En este ejercicio se utiliza el esmalte para reforzar la gama cromática del vidrio, que en este caso será el denominado vidrio catedral. Para diseñar un vitral que posteriormente se pintará con esmalte, cabe tener presente que este tipo de pigmentación es poco resistente a la luz; por tanto, se debe elegir un lugar adecuado para su ubicación final.

El esmalte es una pasta compuesta por óxidos y minerales con una transparencia muy fina. Su punto de fundición en el horno oscila entre los 550 y los 580 °C, dependiendo del tipo de esmalte que se utilice. Sólo el color negro es resistente al paso de la luz. Por orden cromático, el azul y el granate ofrecen una mayor resistencia a la luz que los amarillos y los verdes.

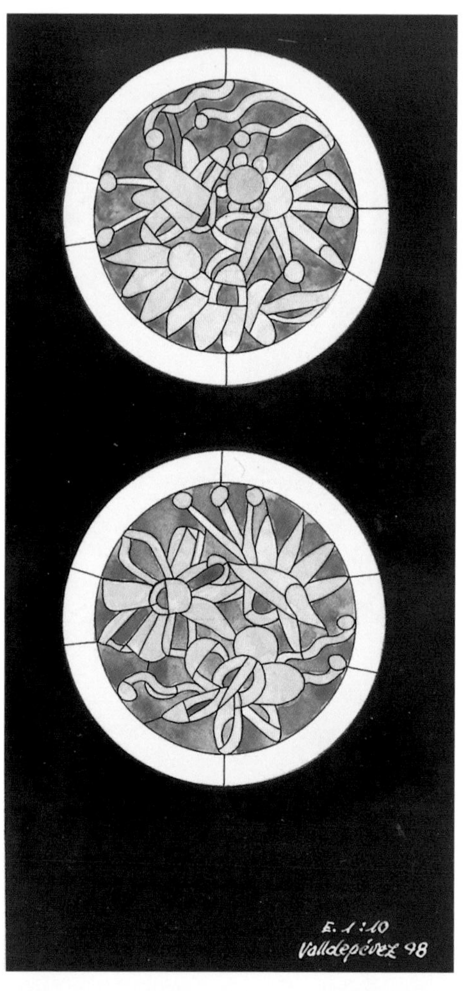

◄ **1.** El objetivo es realizar dos vitrales para iluminar la escalera de una casa particular. De los dos diseños, realizados con acuarela a escala 1:10, elegimos el primero para desarrollar el paso a paso. El tamaño real de cada óculo es de 102 cm de diámetro.

► **2.** Se dibuja el diseño a escala real sobre un papel.

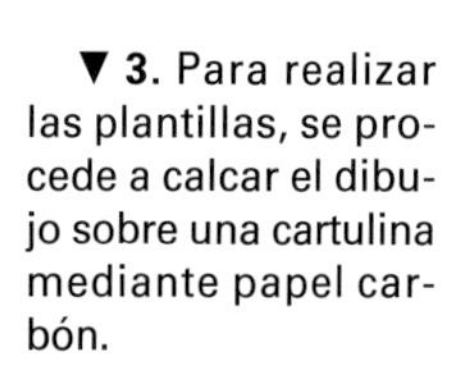

▼ **3.** Para realizar las plantillas, se procede a calcar el dibujo sobre una cartulina mediante papel carbón.

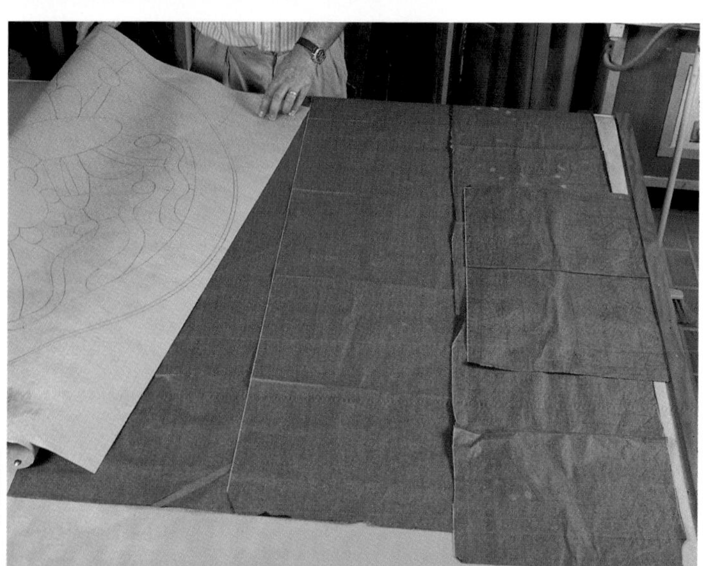

▲ **4.** Con un lápiz se repasan todas las líneas a fin de que el dibujo quede bien calcado en la cartulina.

◀ **5.** Se numeran los vidrios. Otra opción es anotar las referencias del muestrario de los vidrios de colores.

▶ **6.** Se retira el dibujo del calco y se revisa por si falta algún detalle.

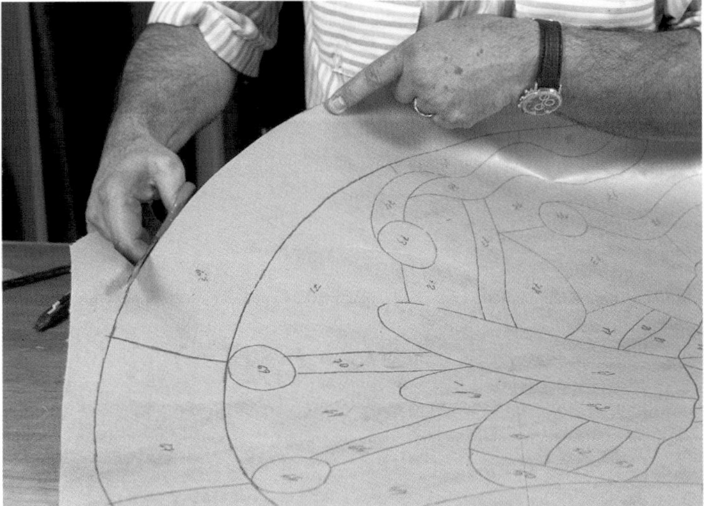

◀ **7.** Con unas tijeras de uso común se corta siguiendo el perímetro exterior del dibujo.

▶ **9.** Las plantillas se tienen que cortar con cuidado y firmeza, sin desviarse, para que después se puedan repasar bien las formas con la ruleta.

▼ **8.** Con unas tijeras de vitralista se corta el dibujo por las líneas que mejor faciliten el acceso al centro. Hay que tener en cuenta que las virutas desprendidas de la tijera restan 1 mm de perímetro a cada vidrio.

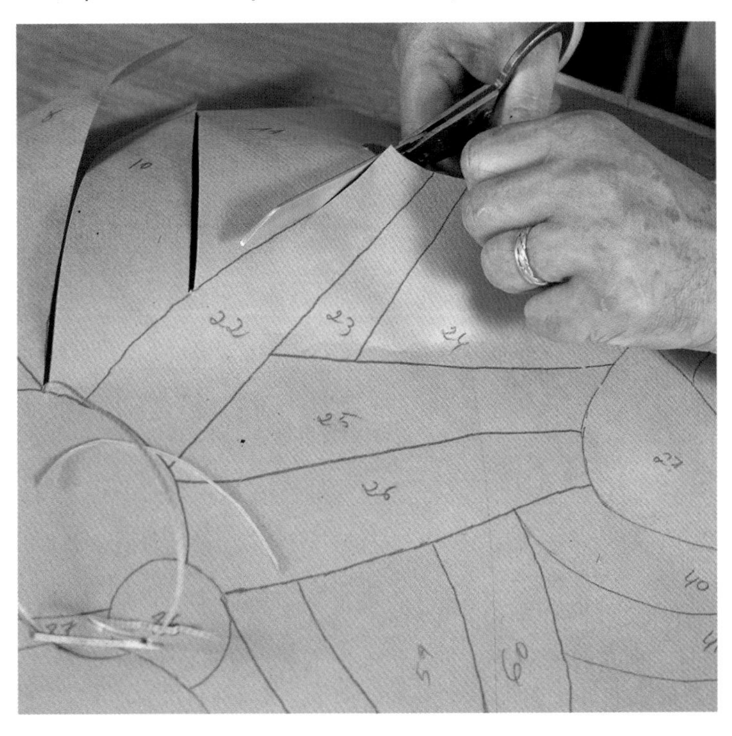

▲ **10.** Una vez terminadas las plantillas, se procede a cortar los vidrios con una ruleta.

▲ **11.** Obsérvense la plantilla y el vidrio cortados.

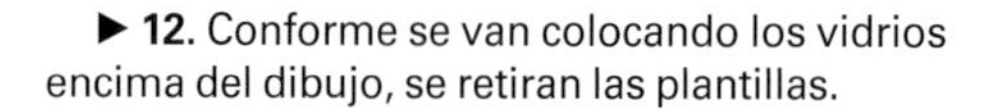

► **12.** Conforme se van colocando los vidrios encima del dibujo, se retiran las plantillas.

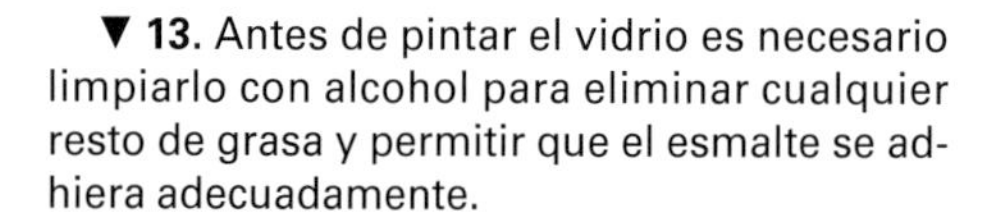

▼ **13.** Antes de pintar el vidrio es necesario limpiarlo con alcohol para eliminar cualquier resto de grasa y permitir que el esmalte se adhiera adecuadamente.

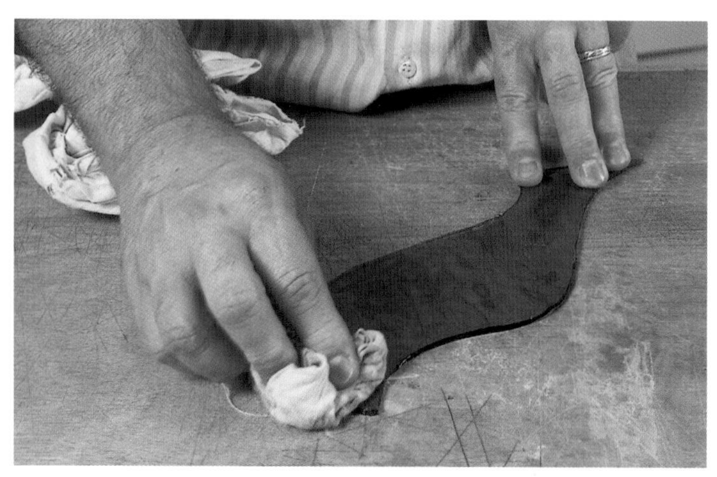

▲ **14.** Muestras de esmaltes de colores que se utilizan para el pintado. Se confecciona por el propio vitralista.

► **15.** A continuación, se procede a preparar el esmalte granate que se utilizará para pintar el fondo del vitral. La pasta puede mezclarse con trementina, vinagre o agua. En este caso se usa agua.

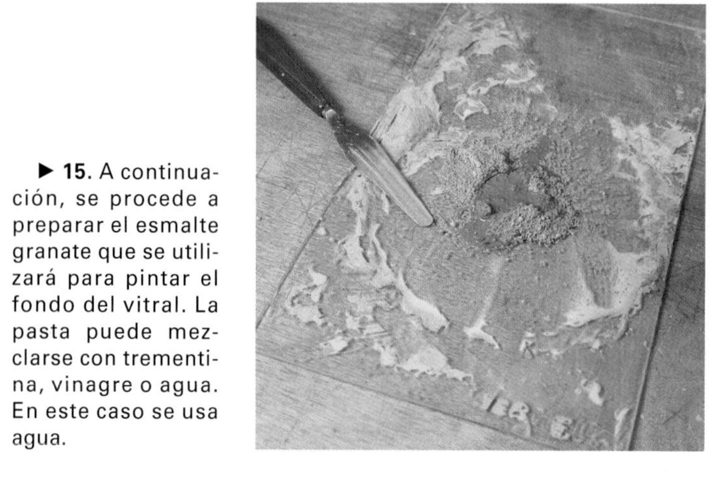

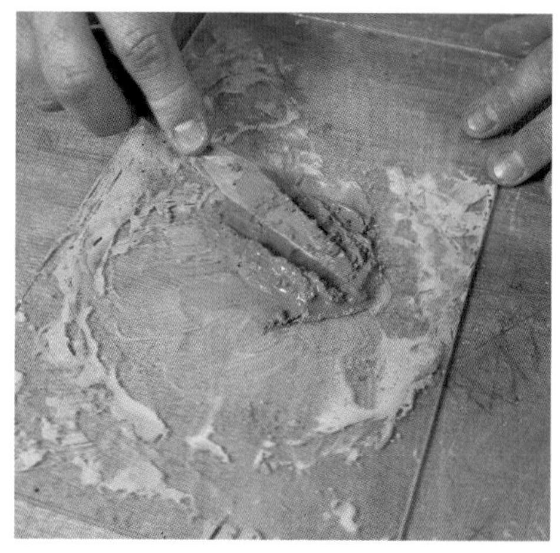

◄ **16.** Con una espátula, se liga con sumo cuidado la pasta y se deshacen los pequeños grumos que puedan formarse; la mezcla no ha de ser ni demasiado líquida ni demasiado espesa.

◀ **17.** Cuando la mezcla está casi terminada, se le añaden unas gotas de goma arábiga para proporcionar adherencia al esmalte.

▶ **18.** Con un pincel se pinta el vidrio al trasluz para medir la cantidad de color.

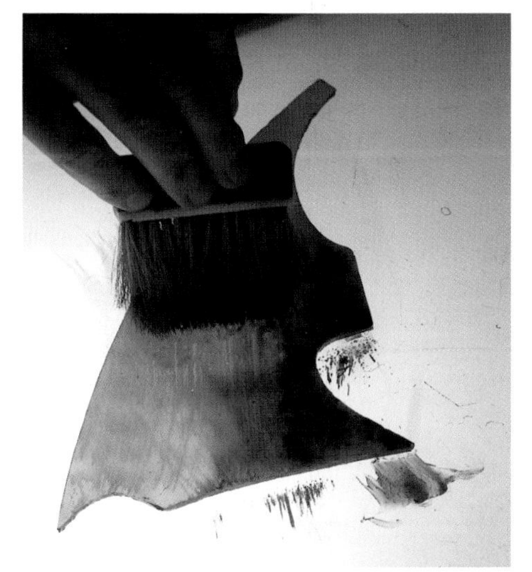

◀ **19.** Para eliminar los trazos del pincel se utiliza un unidor.

▶ **20.** Si no se dispone de una mesa de luz, puede aprovecharse la claridad natural.

▲ **21.** Para moldear con mayor precisión el esmalte se puede emplear el unidor.

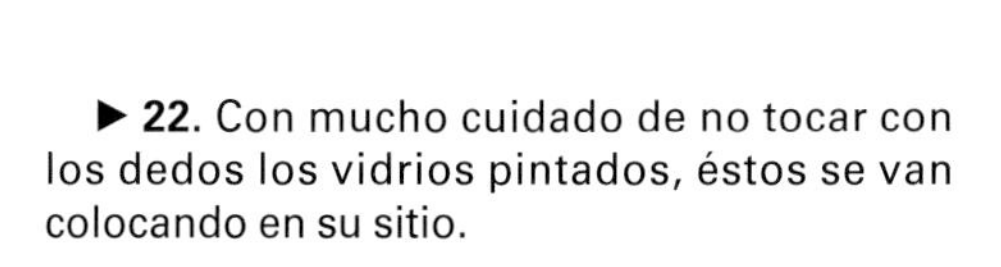

▶ **22.** Con mucho cuidado de no tocar con los dedos los vidrios pintados, éstos se van colocando en su sitio.

◀ **23.** Se preparan las planchas de acero para proceder a la cocción del vidrio. En primer lugar, se debe extender yeso en polvo y deshidratado por la superficie

▶ **24.** Para alisar y comprimir firmemente la capa de yeso, se presiona con una plancha de vidrio.

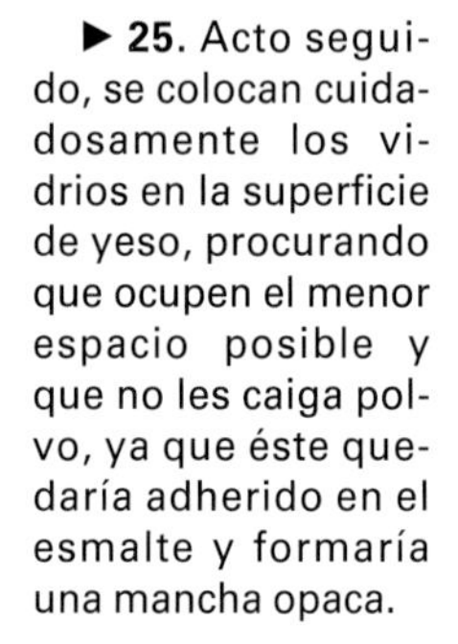

▶ **25.** Acto seguido, se colocan cuidadosamente los vidrios en la superficie de yeso, procurando que ocupen el menor espacio posible y que no les caiga polvo, ya que éste quedaría adherido en el esmalte y formaría una mancha opaca.

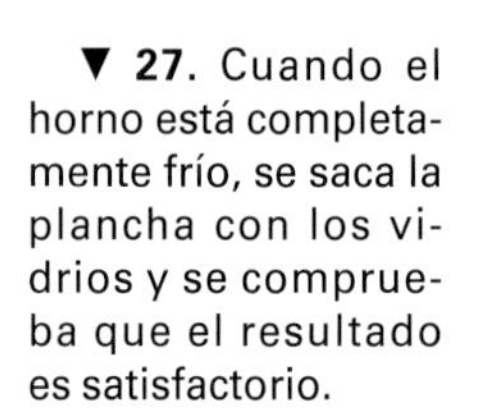

▼ **27.** Cuando el horno está completamente frío, se saca la plancha con los vidrios y se comprueba que el resultado es satisfactorio.

▲ **26.** Se introduce la plancha con los vidrios en el horno frío y se inicia la cocción hasta llegar a los 580 °C. Se apaga el horno y se deja enfriar.

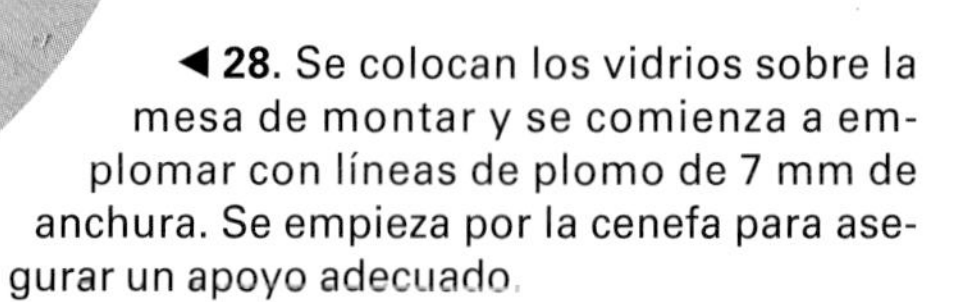

◀ **28.** Se colocan los vidrios sobre la mesa de montar y se comienza a emplomar con líneas de plomo de 7 mm de anchura. Se empieza por la cenefa para asegurar un apoyo adecuado.

▲ **29.** Con la espátula de corte se recorta el plomo sobrante.

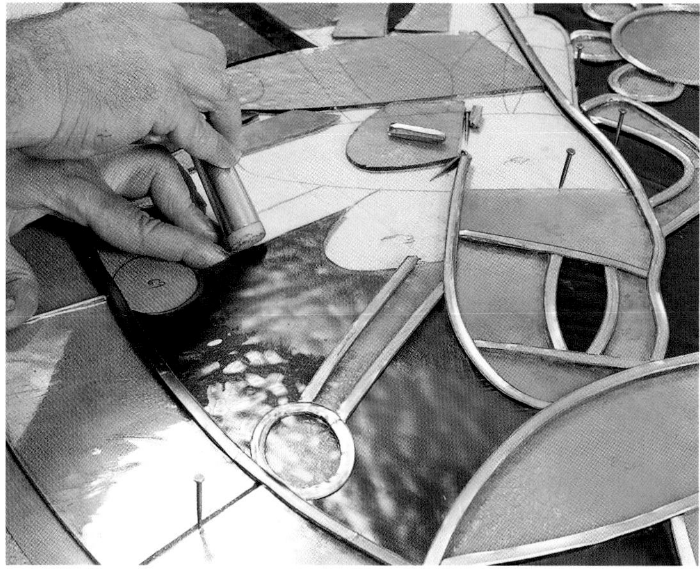

▲ **30.** Con la ayuda del mango de la espátula de corte se van ajustando los vidrios, mediante pequeños golpes, utilizando como guía el dibujo que está debajo.

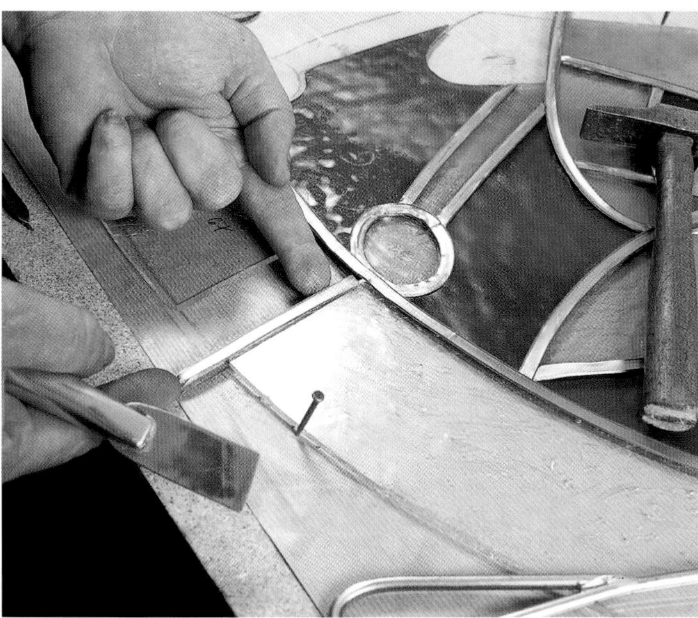

◀ **31.** La cenefa se va emplomando a la vez que el dibujo interior para garantizar un mejor ajuste.

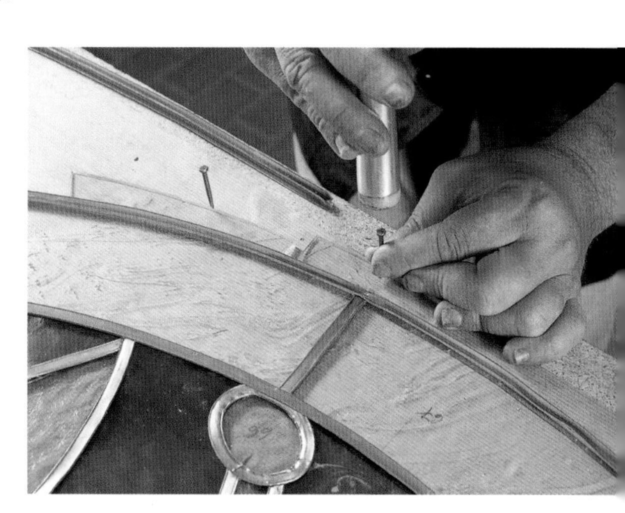

▶ **32.** El emplomado del perímetro exterior se hace con líneas de plomo de 10 mm, que se sujetan con pedazos de vidrio para evitar su desplazamiento.

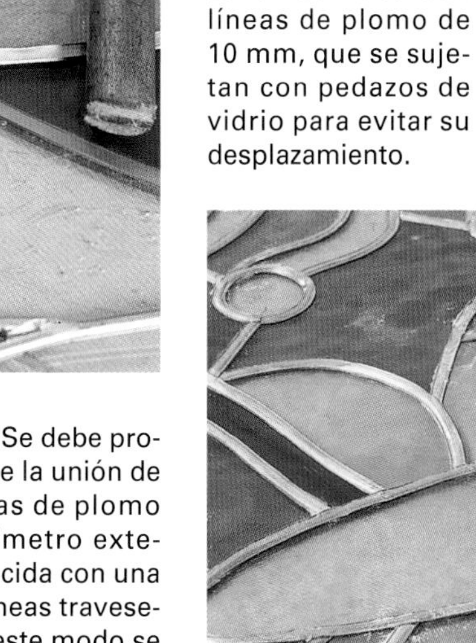

◀ **33.** Se debe procurar que la unión de las líneas de plomo del perímetro exterior coincida con una de las líneas traveseras. De este modo se pueden soldar juntas las tres puntas.

▶ **34.** Finalizado el emplomado, se redondea el plomo. Seguidamente, se aplica esterina en los puntos de unión.

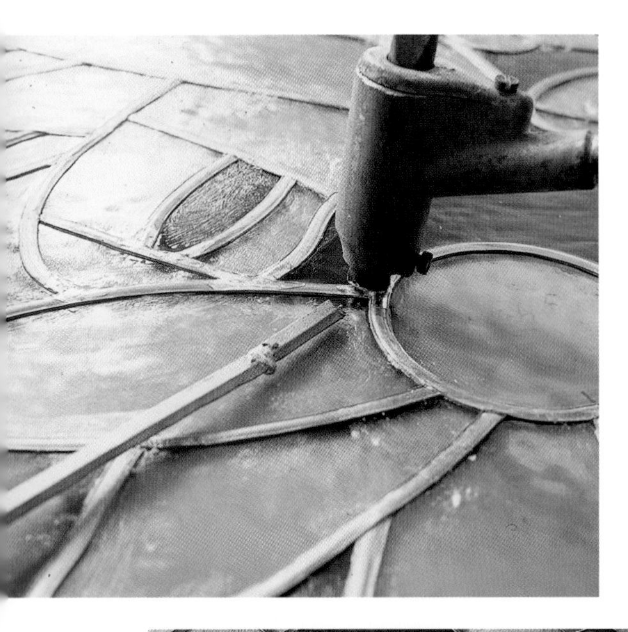

◀ **35.** Se procede a soldar el plomo con estaño.

▶ **36.** Después de soldar el vitral por las dos caras, se aplica la masilla.

▼ **37.** Se extiende la masilla con un cepillo; la dirección del cepillo siempre debe ser transversal a la dirección de la línea del plomo para que la masilla penetre adecuadamente.

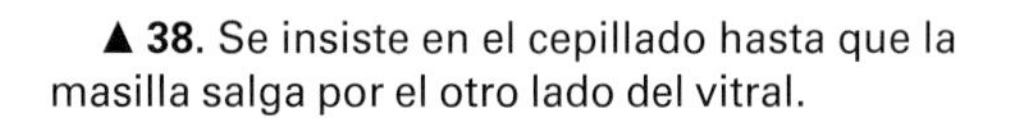

▲ **38.** Se insiste en el cepillado hasta que la masilla salga por el otro lado del vitral.

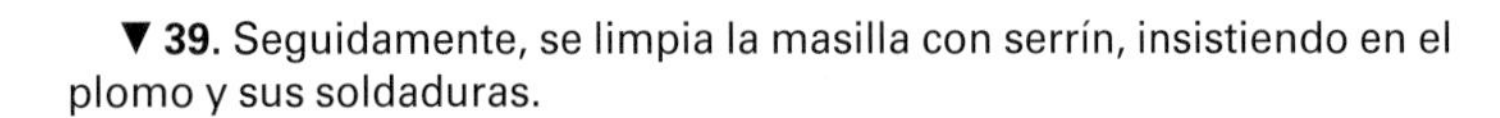

▼ **39.** Seguidamente, se limpia la masilla con serrín, insistiendo en el plomo y sus soldaduras.

▼ **40.** Con un cepillo de esparto o de plástico se terminan de limpiar los ángulos y las partes de difícil acceso del vitral.

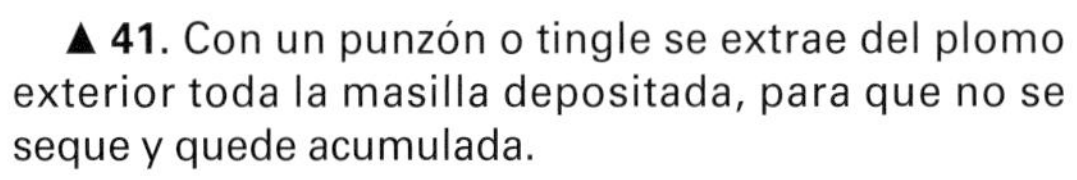

▲ **41**. Con un punzón o tingle se extrae del plomo exterior toda la masilla depositada, para que no se seque y quede acumulada.

► **42**. Para colocar el vitral es necesario que éste descanse sobre un soporte de carpintería de aluminio.

► **43**. Vista general de uno de los vitrales colocado en el lugar para el cual fue concebido. Su dibujo queda reflejado en los peldaños de la escalera interior de la vivienda.

Vitral con cinta de cobre

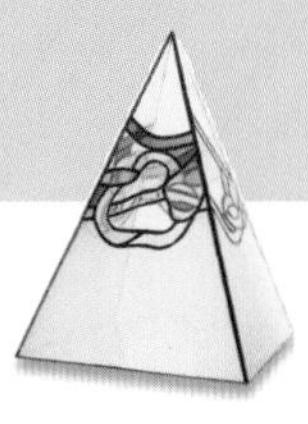

En el siguiente ejercicio se explica paso a paso cómo realizar un vitral en forma de pirámide siguiendo la técnica desarrollada por el estadounidense Louis Comfort Tiffany. Este gran artista y diseñador, que vivió a caballo entre los siglos XIX y XX, introdujo la cinta de cobre en sustitución de la de plomo para sujetar las distintas piezas de vidrio que conforman el vitral. En este paso a paso, la escultura piramidal se realizará con vidrios que, intercalados, ofrecerán un tercer color.

¿Qué se consigue con esta técnica? Se reduce espectacularmente el peso del vitral. Su rigidez es superior a la del plomo, ya que va cubierto de estaño; la línea conseguida por el plomo se puede reducir a 2 mm. Además, la infraestructura necesaria para su realización es mínima.

► **1.** Maqueta realizada en papel y acuarela a escala 1:5. La medida real de cada uno de los triángulos es de 30 cm de base × 45 cm de altura.

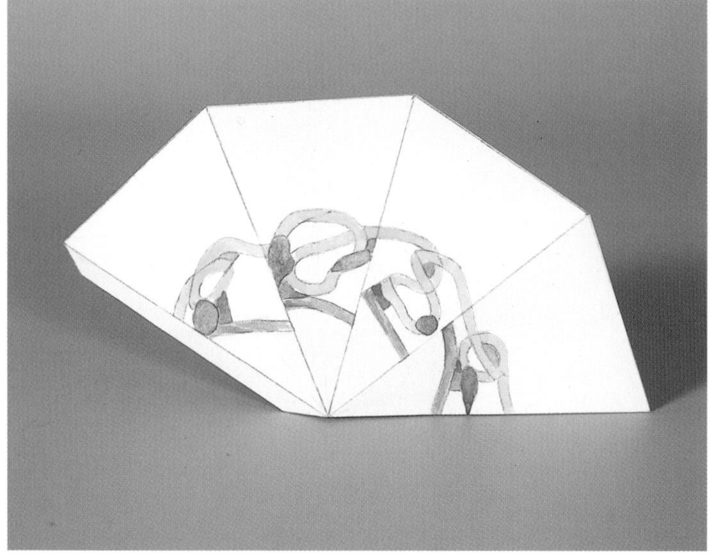

▲ **2.** La misma maqueta desplegada. Obsérvese cómo cada uno de los triángulos contiene un dibujo distinto con continuidad en el triángulo siguiente. La pestaña de la parte izquierda permite unir los dos extremos de la pirámide.

▲ **3.** Con el fin de dibujar cada triángulo a tamaño real es conveniente trabajar con la maqueta desplegada, de ese modo se pueden trasladar con mayor facilidad todas las acotaciones de la maqueta al papel.

► **4.** A continuación, se procede a calcar las plantillas o patrones de las cuatro caras. Para ello se necesita cartulina de 300 g, papel carbón, chinchetas para su fijación, un lápiz de mina dura y color distinto del empleado en el dibujo, una regla y una cuchilla de corte.

▲ **5.** En primer lugar se coloca la cartulina que servirá de plantilla encima de la mesa de trabajo; seguidamente, se cubre con el papel carbón, con la cara que contiene la tinta hacia abajo, que a su vez se cubre con el papel del dibujo que se desea calcar.

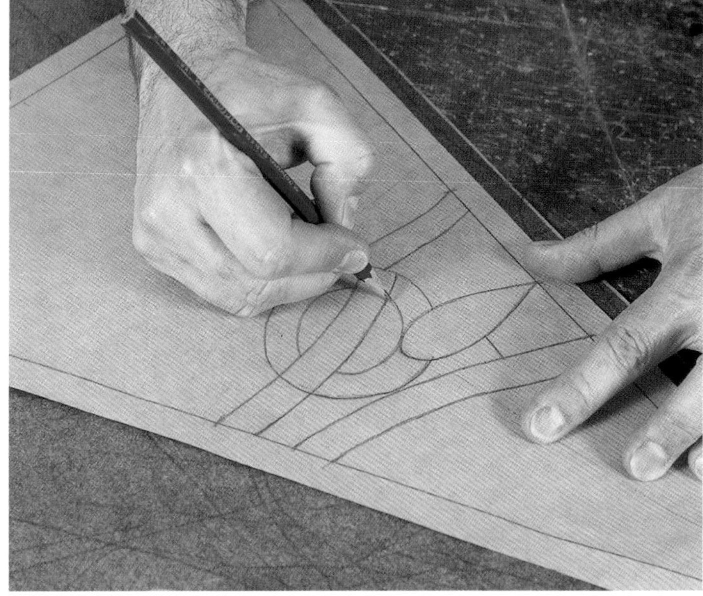

▲ **6.** Se calca el dibujo con firmeza para que la impresión en la cartulina sea óptima. También es necesario calcar el perímetro del dibujo.

◀ **7.** Seguidamente, se numeran las piezas con la referencia del color o correlativamente.

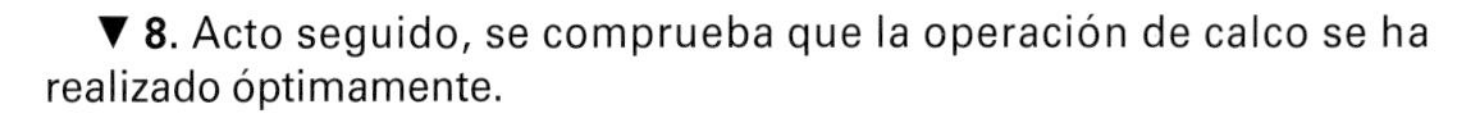

▼ **8.** Acto seguido, se comprueba que la operación de calco se ha realizado óptimamente.

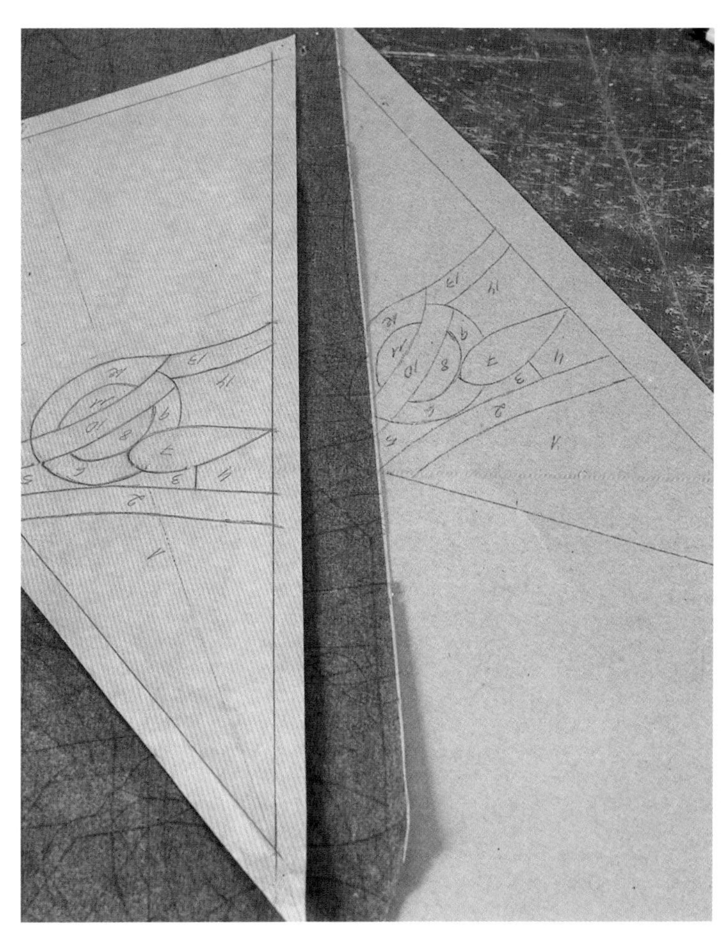

◀ **9.** Se corta el perímetro del dibujo con una cuchilla y la ayuda de una regla. Para cortar las distintas piezas que conforman la plantilla se emplean unas tijeras de vitralista.

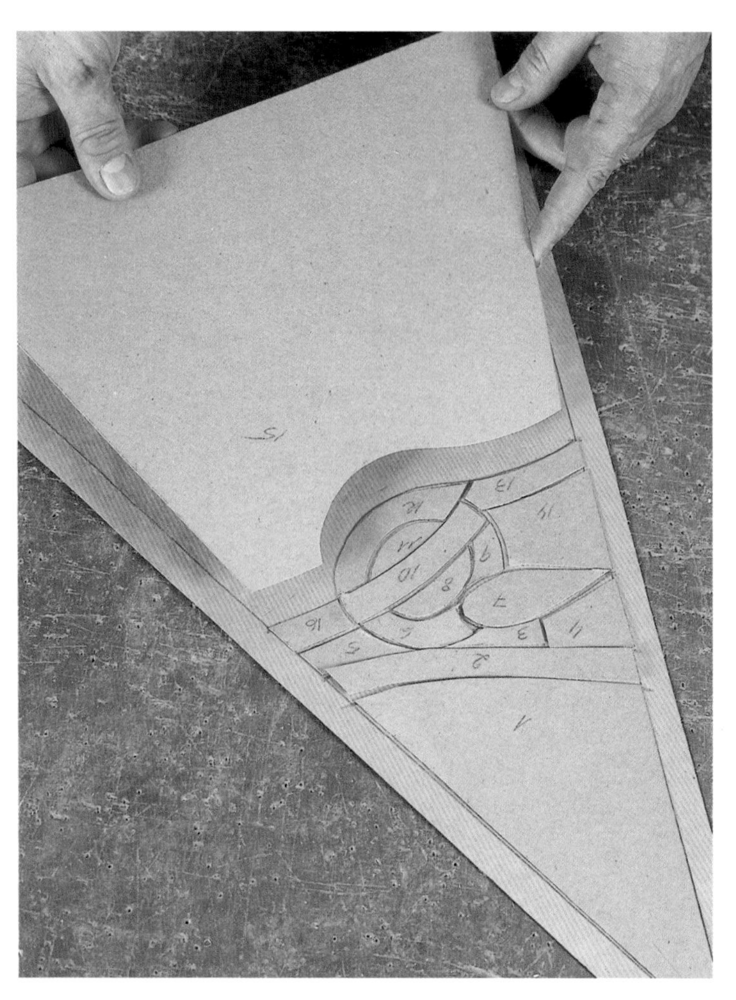

◄ **10.** A medida que se cortan las plantillas se depositan en su lugar correspondiente en el dibujo.

▼ **11.** A continuación, se lleva a cabo la elección de colores. Es conveniente comprobar con antelación el resultado de la sobreposición de dos vidrios de colores distintos para obtener un tercer color.

◄ **12.** Una vez han sido elegidos los vidrios se procede a cortarlos.

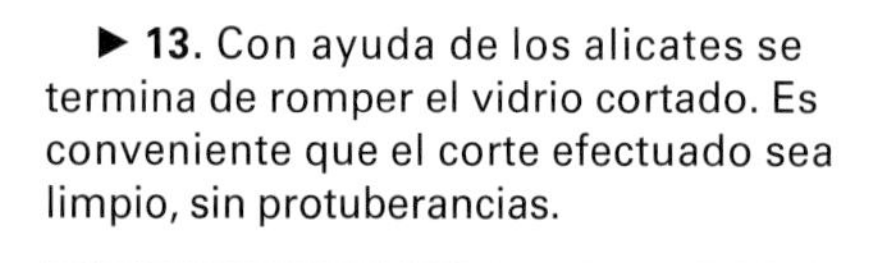

► **13.** Con ayuda de los alicates se termina de romper el vidrio cortado. Es conveniente que el corte efectuado sea limpio, sin protuberancias.

◄ **14.** Para que los dos fragmentos de vidrios cortados se abran perfectamente es aconsejable usar unas tenazas específicas para este tipo de tareas.

► **15.** Con la amoladora eléctrica se matea el perímetro de todos los vidrios. De este modo, el material adhesivo contenido en el reverso de la cinta de cobre se fijará con mayor facilidad.

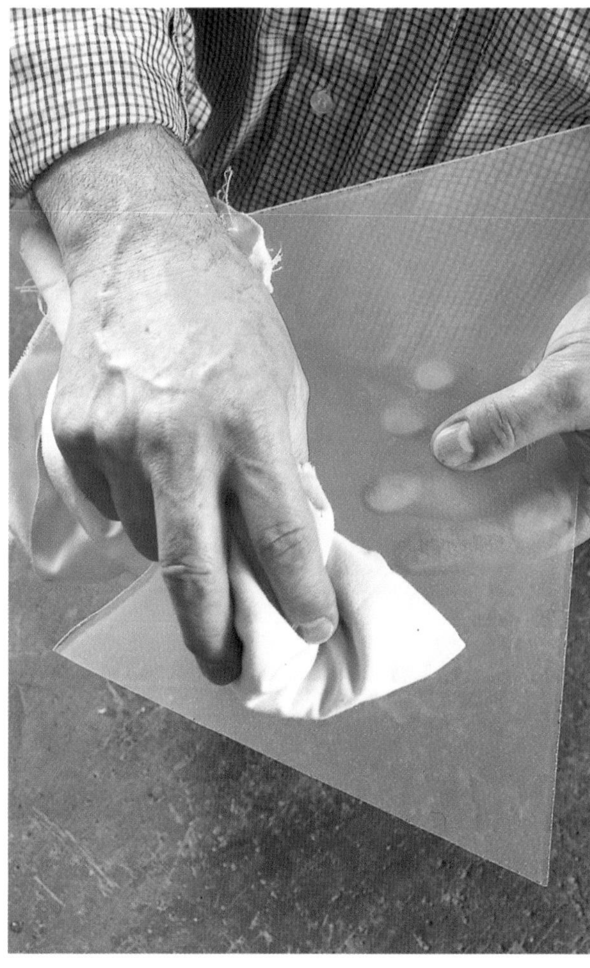

► **16.** Acto seguido, se limpian todas las piezas de vidrio.

◄ **17.** Obsérvense todos los vidrios perfectamente cortados y mateados situados en su lugar correspondiente en el dibujo.

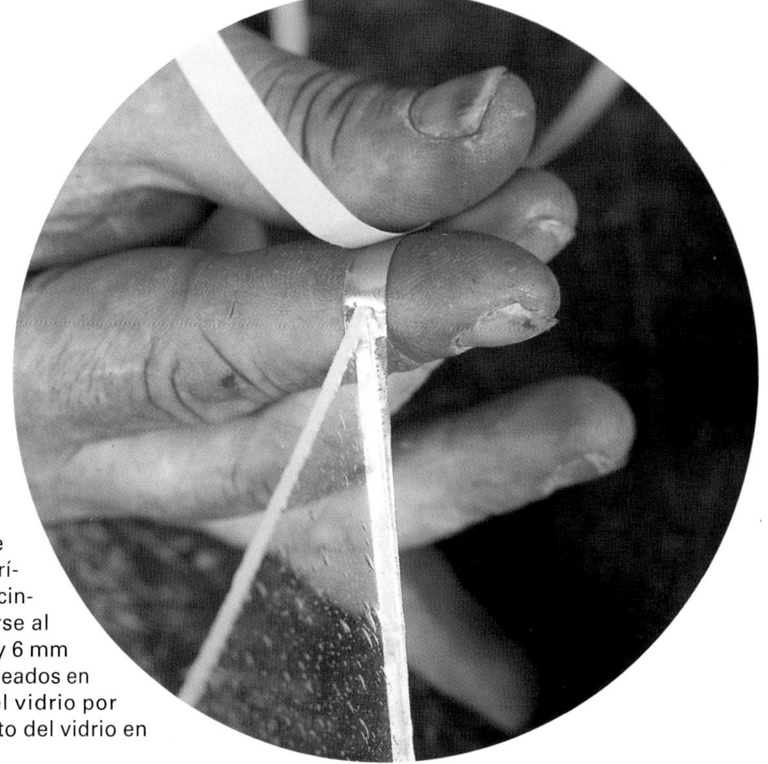

► **18.** Como ya se ha dicho, en este ejercicio los distintos vidrios se unen con cinta de cobre; para ello debe forrarse con este material el perímetro de cada uno de los distintos pedazos que conforman el vitral. Las cintas de cobre se comercializan con distintos anchos para poder acoplarse al grosor del vidrio; a modo de indicación, cabe señalar que las cintas de 5 y 6 mm son apropiadas para vidrios de 2,5 mm y 3 mm de grosor, como los empleados en este ejercicio. Es conveniente que la cinta pise 1 mm la superficie del vidrio por ambas caras. Como puede contemplarse en la imagen, se coloca el canto del vidrio en mitad de la cinta, presionando ésta para su fijación.

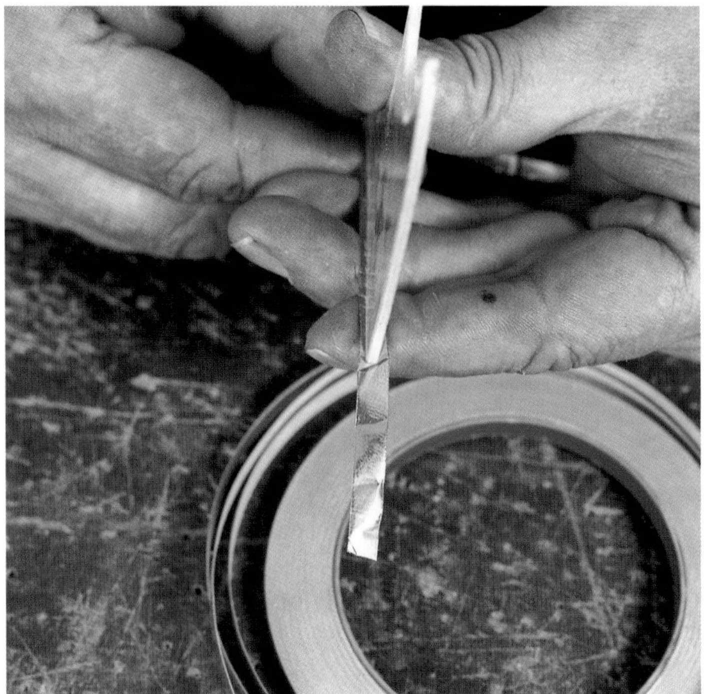

◄ **19.** En las esquinas del vidrio se debe pinzar la cinta con los dedos. Se comercializan cintas con la parte interior de color negro, muy adecuadas para realizar un acabado con pátina negra.

▲ **20.** La aplicación de cinta en las formas curvas se debe efectuar lentamente y con sumo cuidado para que ésta no se rompa. Hay que procurar doblar la cinta sobre sí misma para evitar cortarla.

▲ **21.** Para fijar la cinta de cobre al vidrio se debe ejercer presión sobre ella, a modo de planchado. Para ello se emplea una herramienta no metálica y sin excesiva dureza, como por ejemplo una varilla o una espátula de plástico, una tablilla de madera, etc.

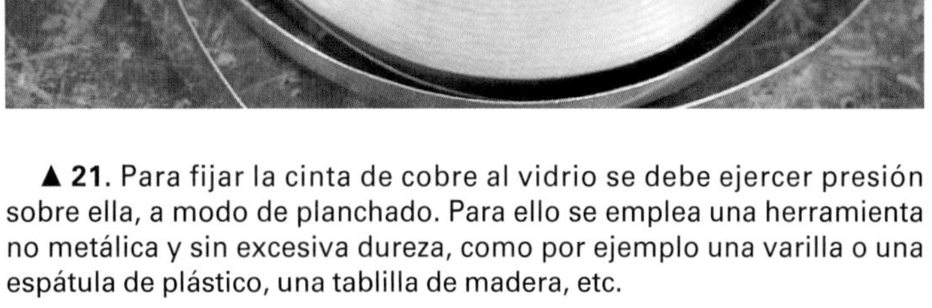

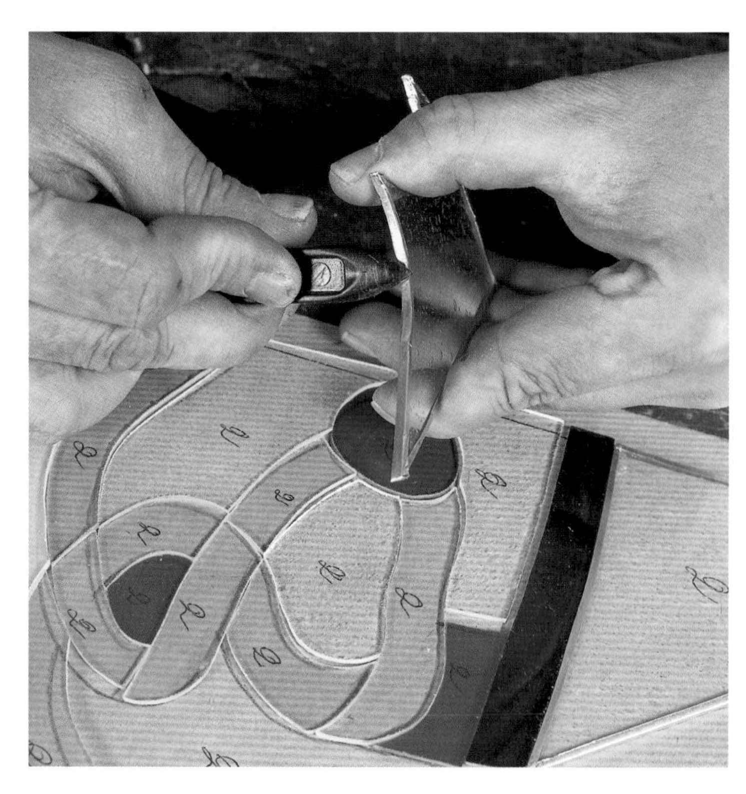

► **22.** El planchado se debe realizar con precisión para eliminar grosores que después dificultarían el encaje de una pieza con otra. Esta operación también se efectúa para consolidar la fijación de la cinta a la superficie.

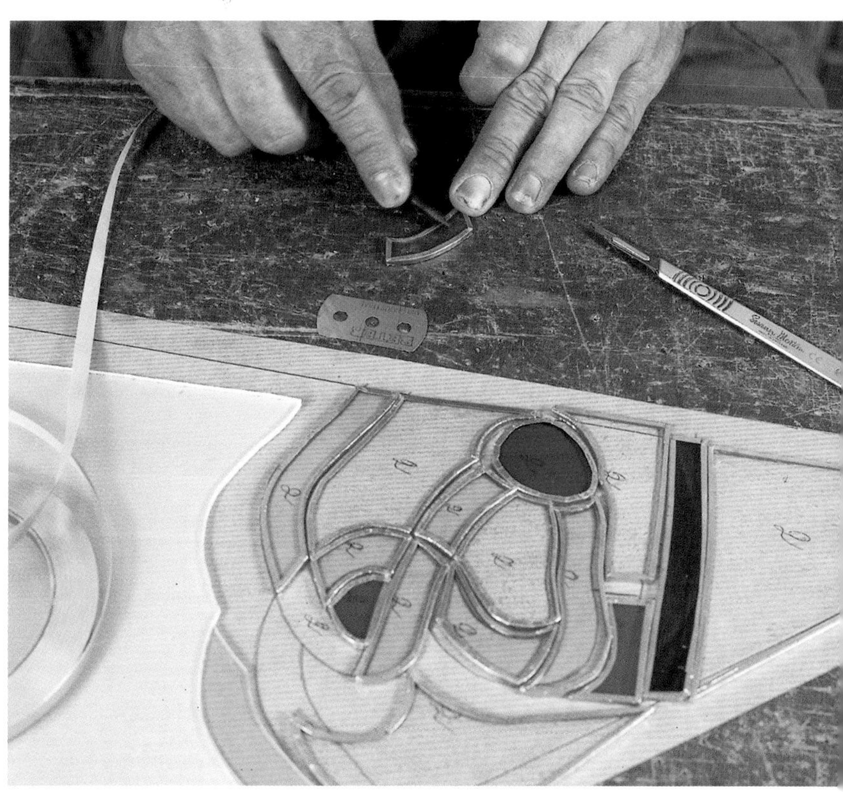

◀ **23.** Durante la operación de planchado se puede apoyar la pieza en la palma de la mano.

▲ **24.** También se puede depositar la pieza de vidrio encima de la mesa de trabajo. Con una cuchilla o un bisturí se pueden corregir los empalmes defectuosos o alguna sección de cinta torcida, lo cual proporcionará un acabado más perfecto.

▲ **25.** Piezas de vidrio ya forradas con cinta de cobre en su lugar correspondiente en el dibujo.

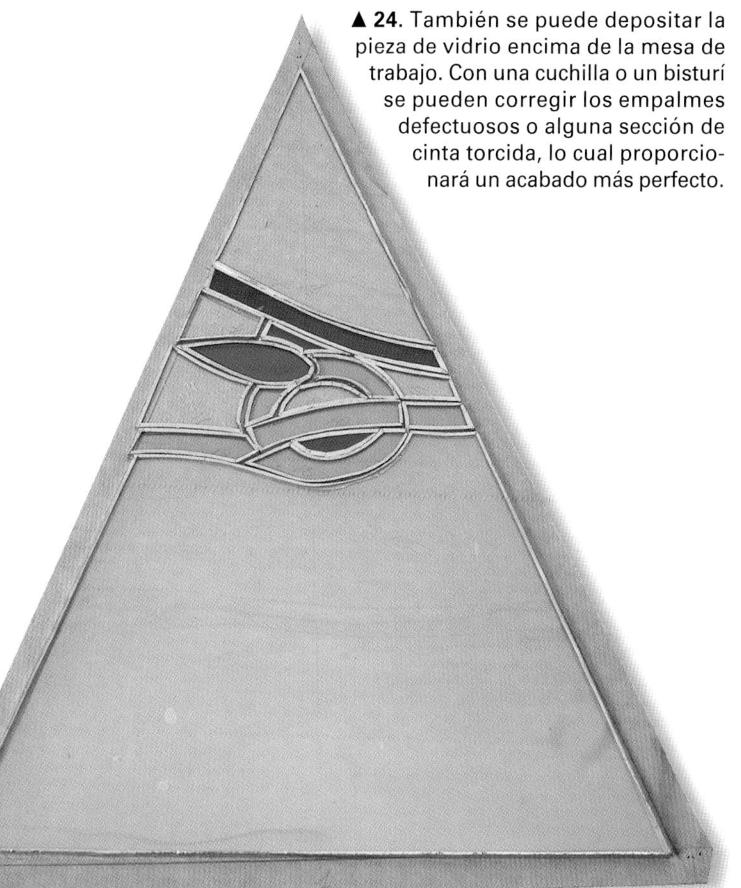

▶ **26.** Una vez terminada esta operación se procede a estañar.

▲ **27**. Para el proceso de estañado se debe confeccionar una plantilla con tres listones que formen un triángulo igual al de las piezas.

▲ **28**. Se colocan las piezas correspondientes a una cara dentro de la estructura, pudiéndose rectificar todavía las formas del vidrio y la cinta de cobre que lo requieran.

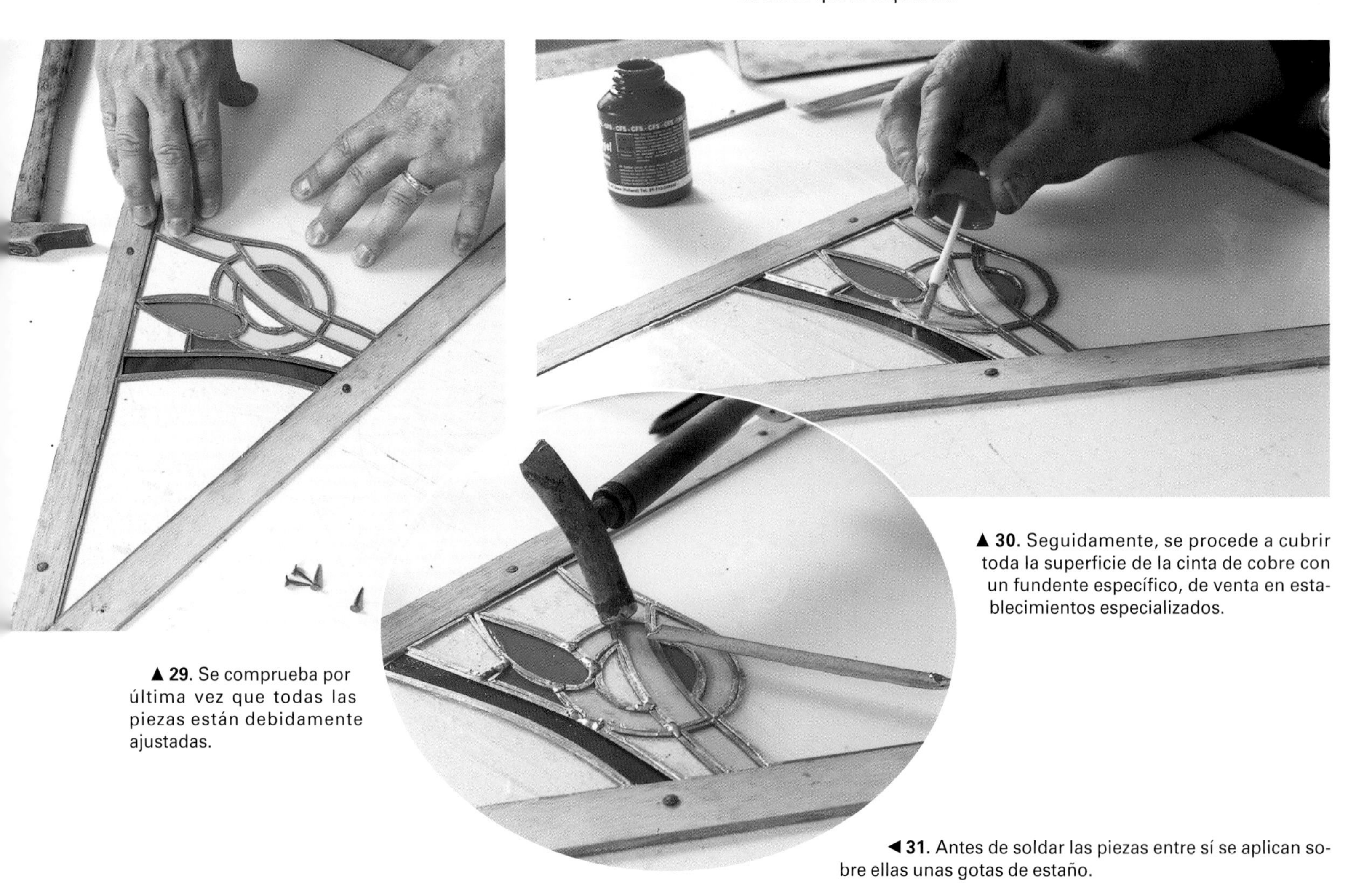

▲ **29**. Se comprueba por última vez que todas las piezas están debidamente ajustadas.

▲ **30**. Seguidamente, se procede a cubrir toda la superficie de la cinta de cobre con un fundente específico, de venta en establecimientos especializados.

◀ **31**. Antes de soldar las piezas entre sí se aplican sobre ellas unas gotas de estaño.

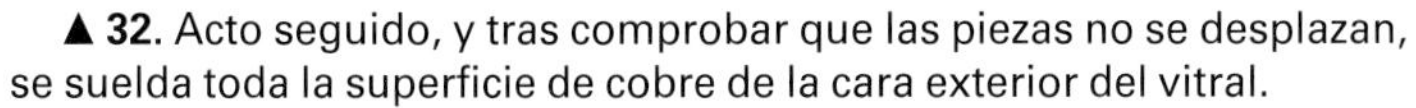

▲ **32.** Acto seguido, y tras comprobar que las piezas no se desplazan, se suelda toda la superficie de cobre de la cara exterior del vitral.

▲ **33.** Después se suelda la cara interior. Esta operación se efectúa en cada una de las cuatro caras de la escultura.

◀ **34.** Se debe procurar aplicar una pequeña capa de estaño en el canto de la figura triangular final. Esta capa facilita la unión de los distintos planos entre sí.

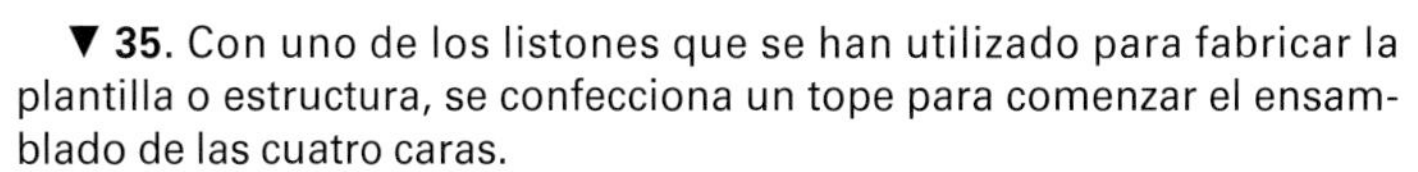

▼ **35.** Con uno de los listones que se han utilizado para fabricar la plantilla o estructura, se confecciona un tope para comenzar el ensamblado de las cuatro caras.

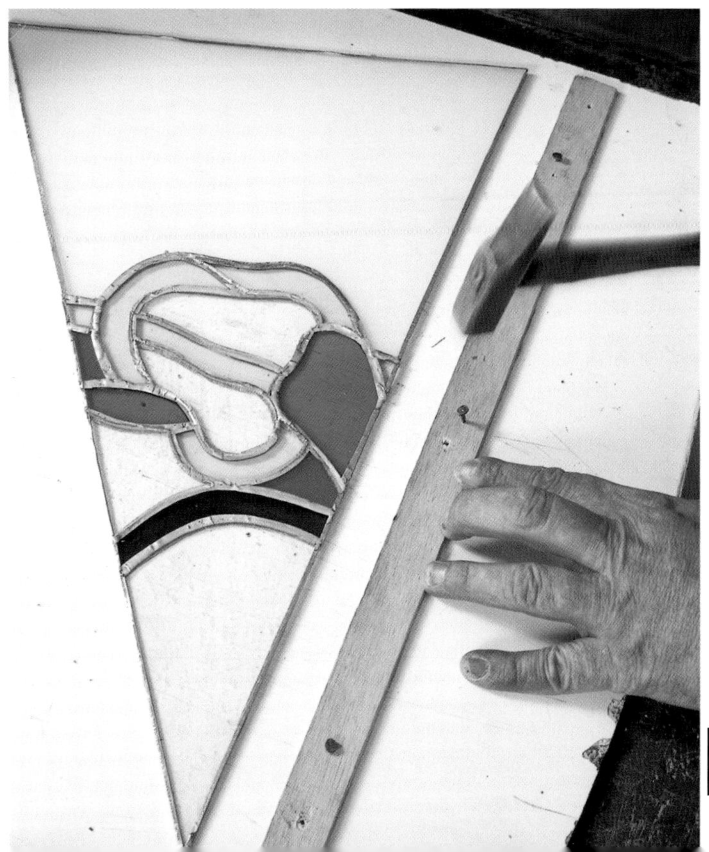

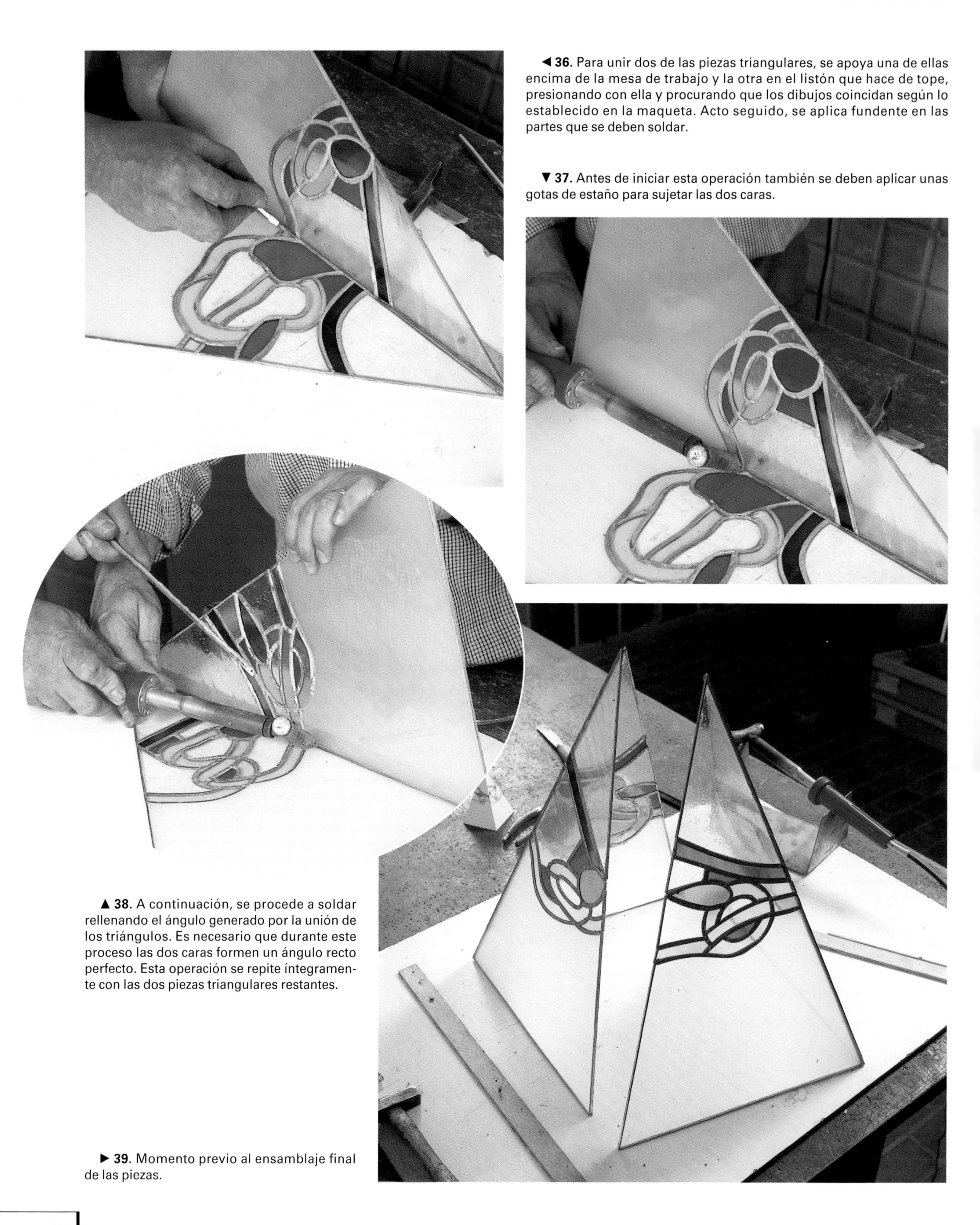

◄ **36.** Para unir dos de las piezas triangulares, se apoya una de ellas encima de la mesa de trabajo y la otra en el listón que hace de tope, presionando con ella y procurando que los dibujos coincidan según lo establecido en la maqueta. Acto seguido, se aplica fundente en las partes que se deben soldar.

▼ **37.** Antes de iniciar esta operación también se deben aplicar unas gotas de estaño para sujetar las dos caras.

▲ **38.** A continuación, se procede a soldar rellenando el ángulo generado por la unión de los triángulos. Es necesario que durante este proceso las dos caras formen un ángulo recto perfecto. Esta operación se repite íntegramente con las dos piezas triangulares restantes.

► **39.** Momento previo al ensamblaje final de las piezas.

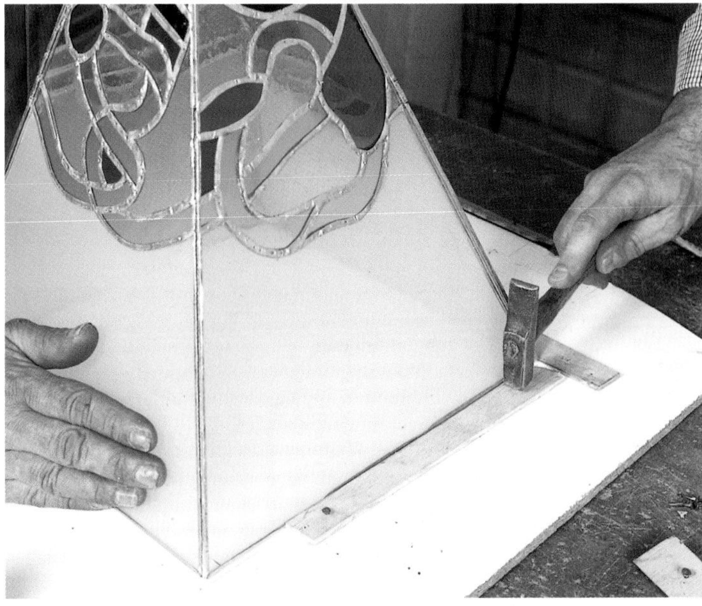

▲ **40.** Se confecciona un tope en forma de ángulo recto con dos listones y se procede al ensamblaje de las dos mitades, ajustándolas convenientemente.

▲ **41.** Se repite la misma operación que en los casos anteriores, punteando los empalmes de la cinta para lograr una rigidez mínima.

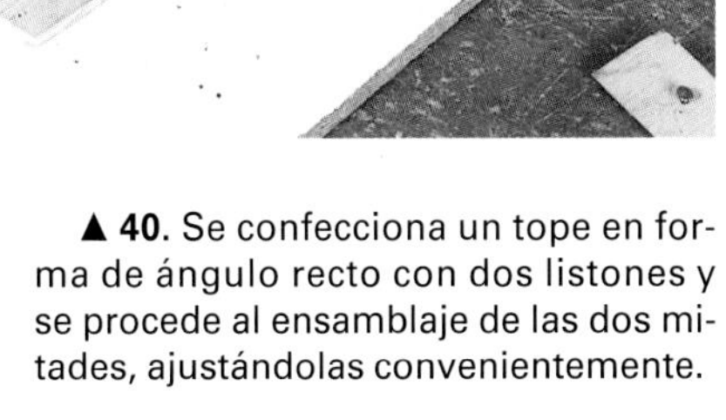

◀ **42.** Se puntea también la cúspide de la pirámide, donde se unen los vértices de los cuatro triángulos.

▲ **43.** Inclinando la pirámide, se aplica líquido fundente en las junturas de la parte interior del vitral.

◀ **44.** Se suelda con estaño toda la canal formada por la unión de dos caras, rellenando el pequeño ángulo generado. En este instante se debe comprobar que la base de la pirámide es perfectamente cuadrada.

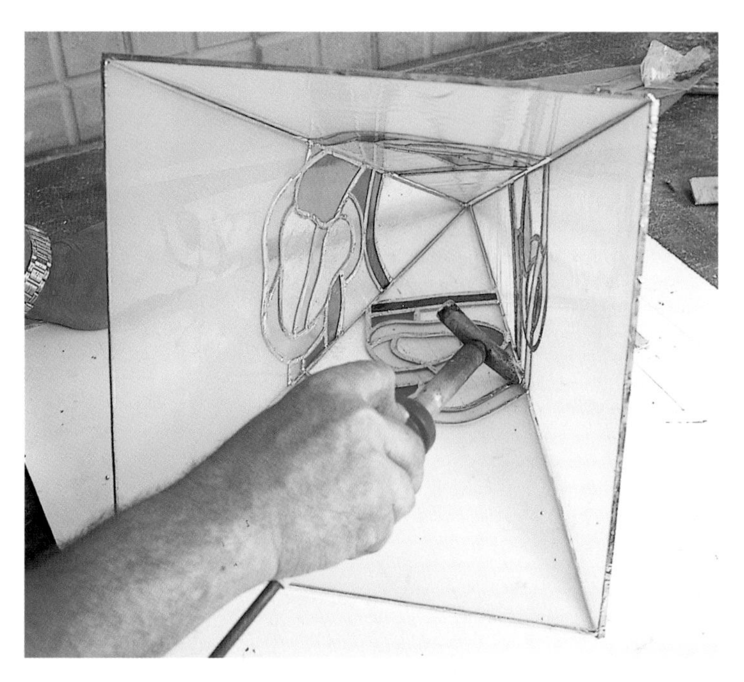

◀ **45**. Los ángulos interiores son los que proporcionan rigidez a la pieza.

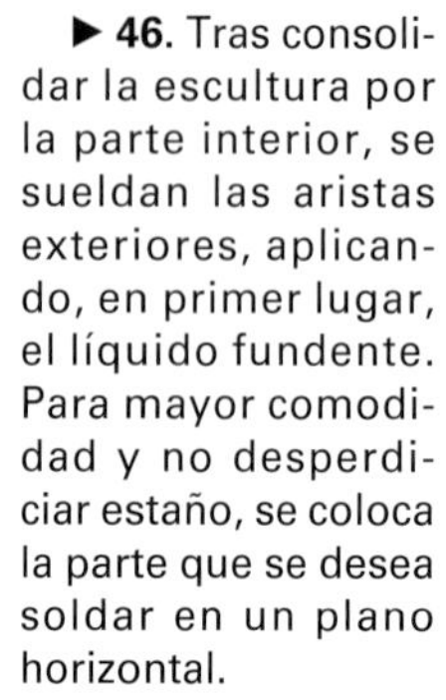

▶ **46**. Tras consolidar la escultura por la parte interior, se sueldan las aristas exteriores, aplicando, en primer lugar, el líquido fundente. Para mayor comodidad y no desperdiciar estaño, se coloca la parte que se desea soldar en un plano horizontal.

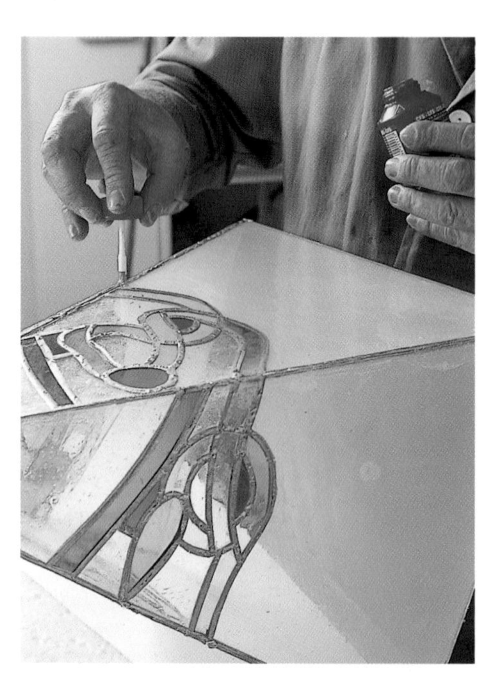

▲ **47**. Con una varilla protegida con un trozo de tela se confecciona una especie de barrera para que el estaño, al fundirse, no traspase al interior.

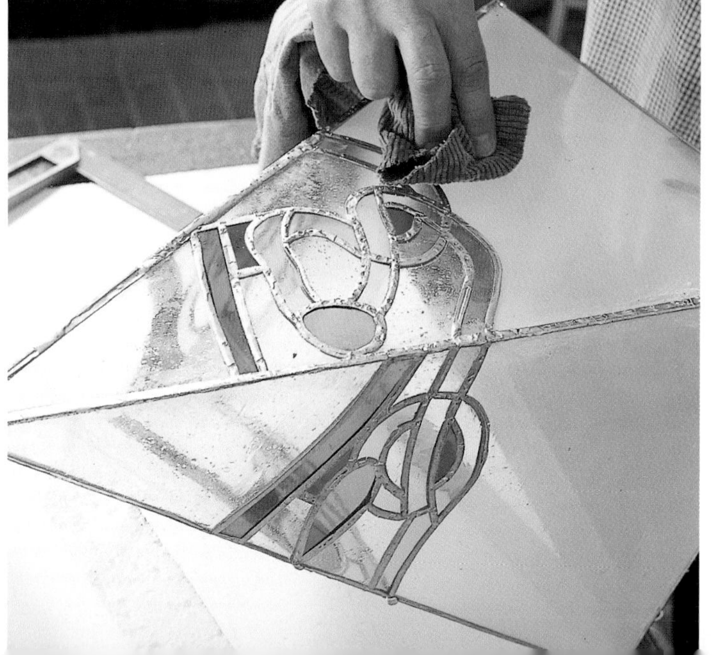

▲ **48**. Se coloca la "barrera" de tela en la parte interior del ángulo que se va a soldar. La operación de soldadura se repite del mismo modo en las cuatro aristas.

◀ **49**. Seguidamente, se procede a limpiar el vitral con un producto específico para este tipo de material, eliminando la grasa y la suciedad producidas durante el proceso de realización de la escultura.

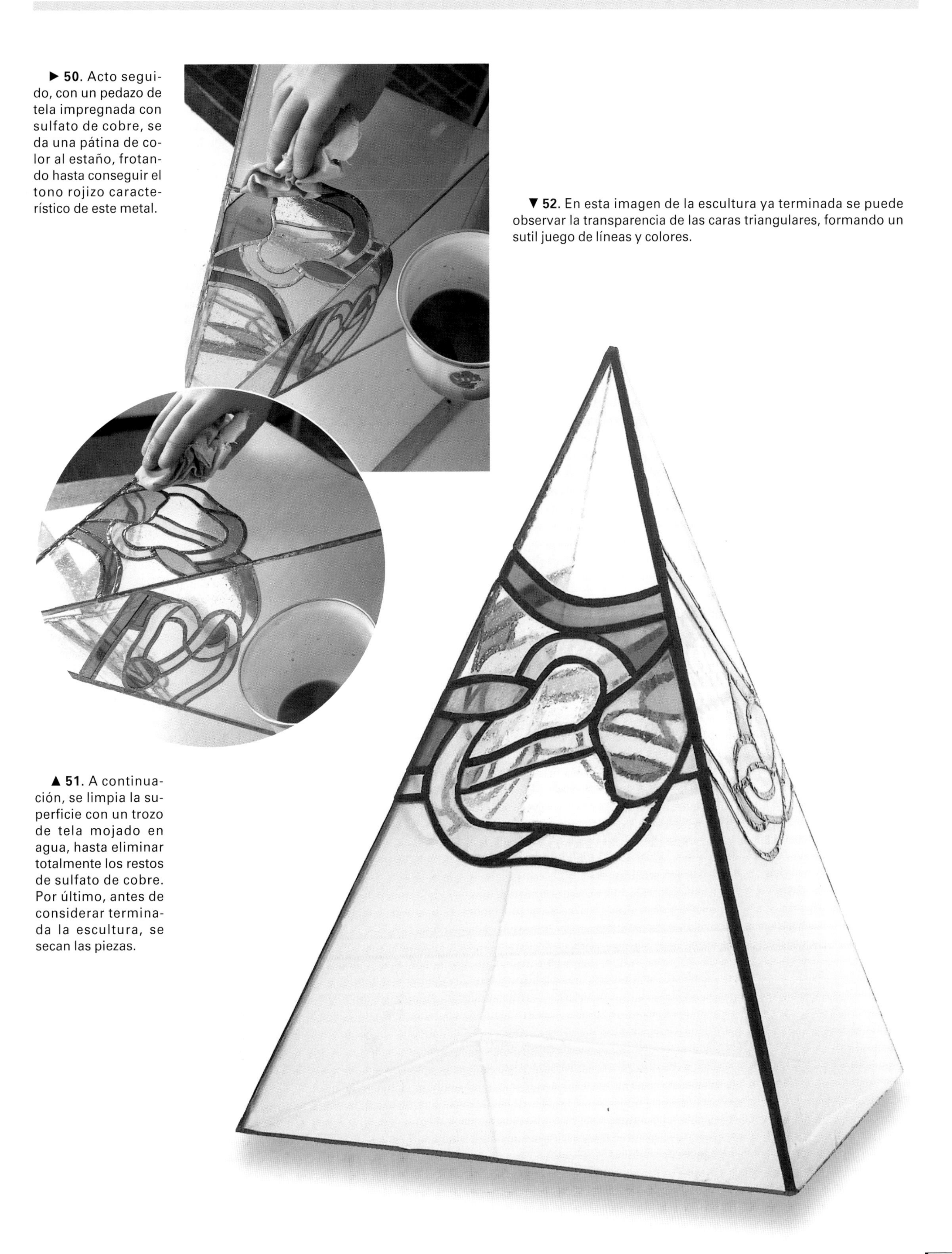

▶ **50.** Acto seguido, con un pedazo de tela impregnada con sulfato de cobre, se da una pátina de color al estaño, frotando hasta conseguir el tono rojizo característico de este metal.

▲ **51.** A continuación, se limpia la superficie con un trozo de tela mojado en agua, hasta eliminar totalmente los restos de sulfato de cobre. Por último, antes de considerar terminada la escultura, se secan las piezas.

▼ **52.** En esta imagen de la escultura ya terminada se puede observar la transparencia de las caras triangulares, formando un sutil juego de líneas y colores.

Vitral con cemento

En la realización de un vitral con cemento, este material sustituye al plomo, el soporte tradicional de los vitrales. Desde el punto de vista histórico, el uso de cemento en los vitrales, iniciado en la primera mitad del siglo XX, *todavía no ha sido estudiado en profundidad.*
En este ejercicio se explica paso a paso cómo realizar uno de los vitrales de cemento más tradicionales, el plano, en el que este material y los vidrios que se utilizan tienen el mismo grosor. En lugar de hojas de vidrio tradicionales se emplean dallas, que, a diferencia de las anteriores, que se elaboran mediante el soplado, se realizan con la técnica del vidrio colado, con moldes de hierro.

▲ **1.** Diseño del vitral realizado con acuarela a escala 1:10. Obsérvese que los grosores de color negro corresponderán al cemento que sujetará las dallas. Las medidas reales del vitral son 65 × 65 cm.

◀ **2.** Se realiza el dibujo a escala real, teniendo presente que, para facilitar la penetración del cemento entre las dallas, se debe reservar como mínimo 1 cm de espacio.

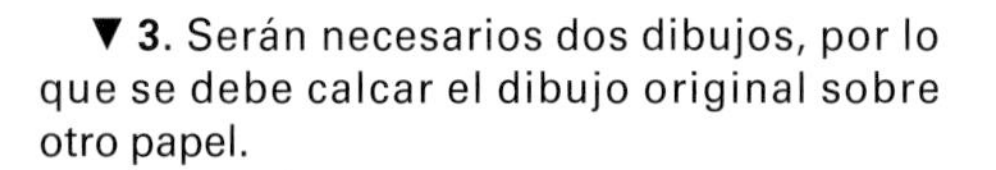

▼ **3.** Serán necesarios dos dibujos, por lo que se debe calcar el dibujo original sobre otro papel.

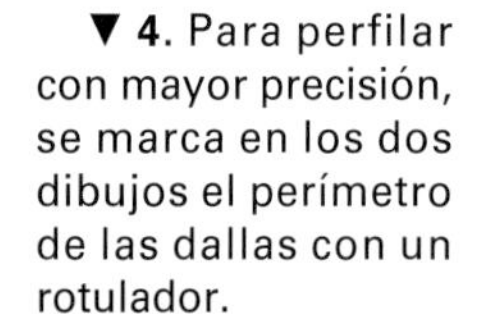

▼ **4.** Para perfilar con mayor precisión, se marca en los dos dibujos el perímetro de las dallas con un rotulador.

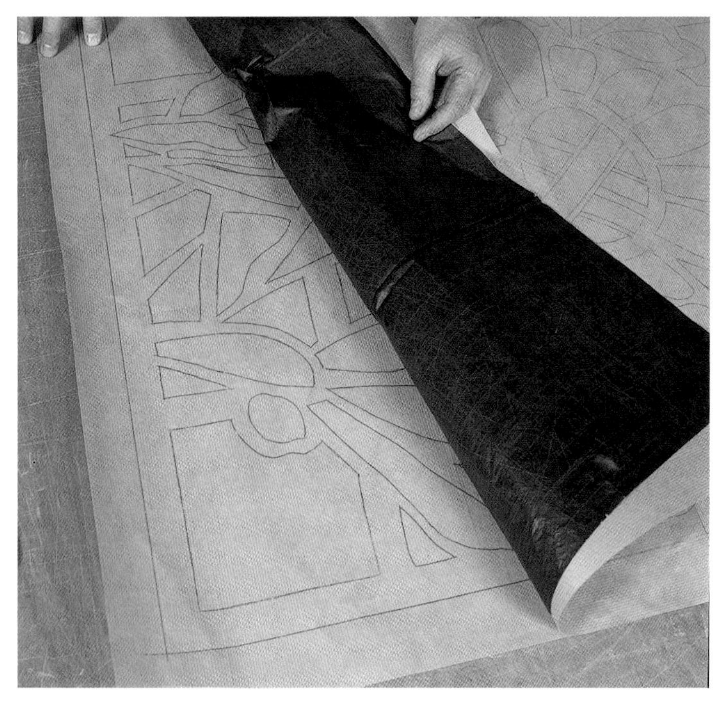

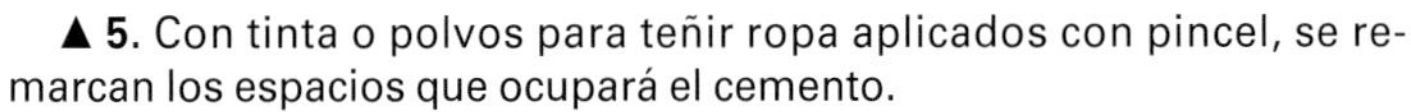

▲ **5.** Con tinta o polvos para teñir ropa aplicados con pincel, se remarcan los espacios que ocupará el cemento.

▲ **6.** Obsérvese en esta fotografía cómo las dallas se concentran en grupos.

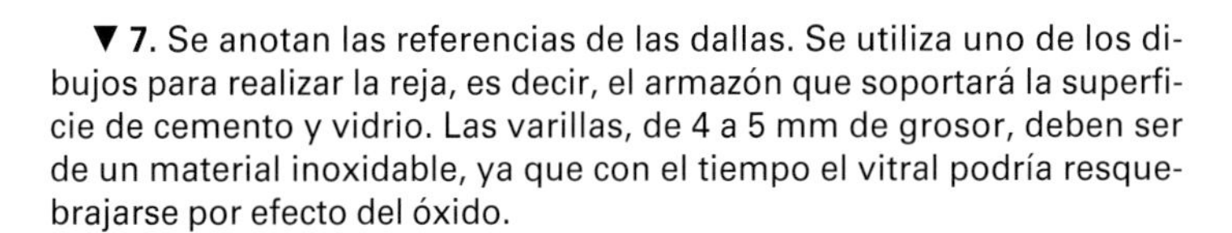

▼ **7.** Se anotan las referencias de las dallas. Se utiliza uno de los dibujos para realizar la reja, es decir, el armazón que soportará la superficie de cemento y vidrio. Las varillas, de 4 a 5 mm de grosor, deben ser de un material inoxidable, ya que con el tiempo el vitral podría resquebrajarse por efecto del óxido.

▼ **8.** Estas varillas han de rodear grupos de 3 o 4 vidrios y han de pasar por la parte central del dibujo en negro. Se soldarán con unos puntos de soldadura eléctrica. Para enmarcar el vitral, se coloca un pasamanos –una pieza de metal plano de 2 cm de altura y 2 mm de grosor– en todo el perímetro.

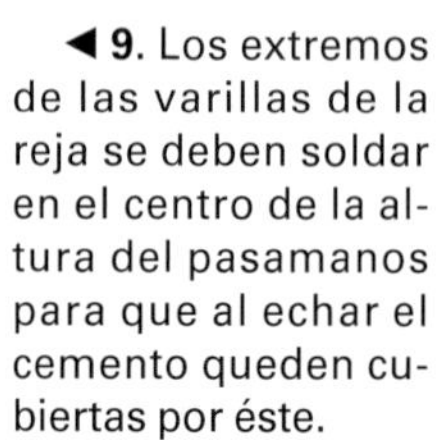

◄ **9.** Los extremos de las varillas de la reja se deben soldar en el centro de la altura del pasamanos para que al echar el cemento queden cubiertas por éste.

▲ **10.** Una vez se ha fijado la reja al pasamanos, se protege el conjunto con un plástico para poder depositar encima las dallas y el cemento.

▲ **11.** Se seleccionan las dallas más adecuadas para este trabajo. Éstas suelen ser de 30 cm de largo por 20 cm de ancho y 2 cm de grosor.

▲ **12.** Para realizar las plantillas, se calcan sobre papel vegetal los distintos vidrios.

◄ **13.** La plantilla se pega con agua encima del vidrio. Éste se corta con una máquina con disco de diamante.

▲ **14.** Las dallas también se pueden cortar con la ruleta. Primero se marca el perímetro de la forma que se quiere cortar.

▲ **15.** El vidrio se coloca sobre la tajadera y con un martillo se da un golpe seco para desprender los fragmentos.

◀ **16.** Estado del vidrio tras el proceso anterior.

▲ **17.** Una manera de proporcionar calidades al vidrio es efectuando un desconchado o facetado con golpes secos de martillo.

▶ **18.** Las dallas cortadas se colocan encima del plástico, en su sitio correspondiente.

▲ **19.** Para que las dallas no se muevan cuando se vierta el cemento, se pegan aplicando unos puntos de pegamento universal de secado rápido.

▲ **20.** Las dallas tienen que colocarse con cuidado para que no toquen las varillas de la reja. Habrán de transcurrir 30 minutos hasta que la cola haga su efecto.

▼ **21.** Todos los vidrios presentados dentro de la reja.

◀ **22.** Vista general de una serie de vitrales momentos antes de rellenarlos de cemento. Con esta técnica es posible hacer vitrales de grandes dimensiones.

▲ **23.** Herramientas y materiales que se utilizarán para realizar la mezcla de cemento. Ésta debe hacerse con las siguientes proporciones: 100 g de arena por 30 g de cemento portland gris. Si se desea un cemento de color blanco, se utilizarán 100 g de polvo de mármol por 40 g de cemento portland blanco.

▲ **24**. Se mezclan bien los componentes y se deshacen los grumos que se formen.

▲ **25**. Se añade el agua para hacer la pasta.

► **26**. El pastado se realiza ligando bien los materiales.

▼ **27**. Con unos guantes de goma para proteger las manos, se deshacen los grumos para evitar la formación de agujeros en el cemento.

► **28**. Con un recipiente pequeño, para controlar mejor la cantidad de cemento, se inicia el llenado del vitral.

◄ **30**. Asimismo, con la punta del paletín, se "pica" el cemento para eliminar el posible aire que genera la masa.

▲ **29**. Con un paletín se golpea la estructura para que vibre y permita que el cemento penetre por todas las rendijas.

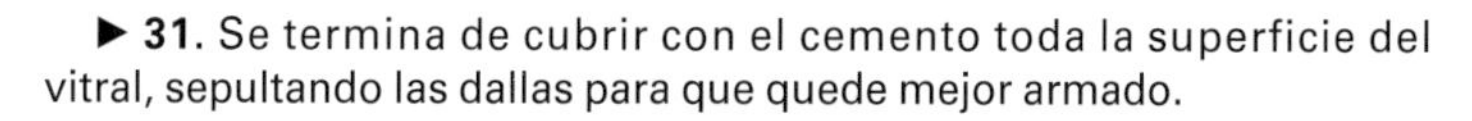

► **31**. Se termina de cubrir con el cemento toda la superficie del vitral, sepultando las dallas para que quede mejor armado.

▲ **32**. El cemento tarda en fraguar entre 9 y 18 horas, según la temperatura ambiental. El portland blanco es más rápido: 13 horas con frío y 7 horas con calor. Cuando empieza a fraguar, se quita la capa superior de cemento.

► **33**. Con virutas de paja se limpian los restos de cemento que queden en el vidrio.

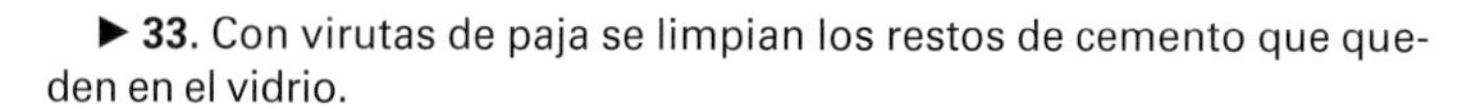

◀ **34.** Con un cepillo de púas de hierro se limpian las partes de acceso difícil. Si el cepillo no se atasca significa que la operación de limpieza ha sido óptima.

▶ **35.** Detalle del vitral. Se pueden apreciar las dos técnicas empleadas: las dallas cortadas con disco de diamante y las cortadas con martillo y desconchados (vidrios azules).

▶ **36.** Resultado final del vitral. Obsérvese que el perímetro del vitral tiene una franja de 3 cm de cemento que fortalece y fija todas las dallas.

Vitral con silicona

Para la realización de un vitral con silicona se sigue el mismo proceso que para cualquier otro vitral, sólo cambia el soporte, que en este caso es una plancha de vidrio, y desaparecen el plomo y el cemento. Por lo general, esta plancha suele ser de un vidrio transparente de 6 u 8 mm de grueso y este vidrio se puede caracterizar por ser templado, laminado, grabado al ácido y aislante.
En este ejercicio se ha utilizado un vidrio laminado y con cámara aislante. El vitral está dividido en 20 partes o piezas, cuenta con una estructura de aluminio y está sujeto con junquillos a presión. Los vidrios empleados en su realización pueden ser de numerosos tipos: catedrales, texturados, antiguos soplados y otros.
La silicona, al ser un elemento viscoso y por lo tanto maleable, puede adaptarse a las irregularidades de un vidrio determinado y, a diferencia del pegamento, mantiene la elasticidad, es estable a la radiación ultravioleta, insensible a los cambios de temperatura, reticula en 3 horas y seca a las 48 horas.
Se puede trabajar con medidas de un tamaño considerable sin necesidad de refuerzos.
Sólo habrá que tener en cuenta su peso.

▲ **1.** Bocetos previos y diseño definitivo realizados con acuarelas a escala 1:10.

▲ **2.** Se procede a trasladar el diseño de escala 1:10 al tamaño natural. El tamaño real del vitral será de 2,5 x 7 m.

◀ **3.** Una vez terminado el dibujo a escala real, se realiza el calco, numerando cada una de las piezas de vidrio.

▶ **4.** El calco se consigue con papel carbón. El papel para los patrones es de 350 g de peso, para que más adelante se pueda apoyar la ruleta.

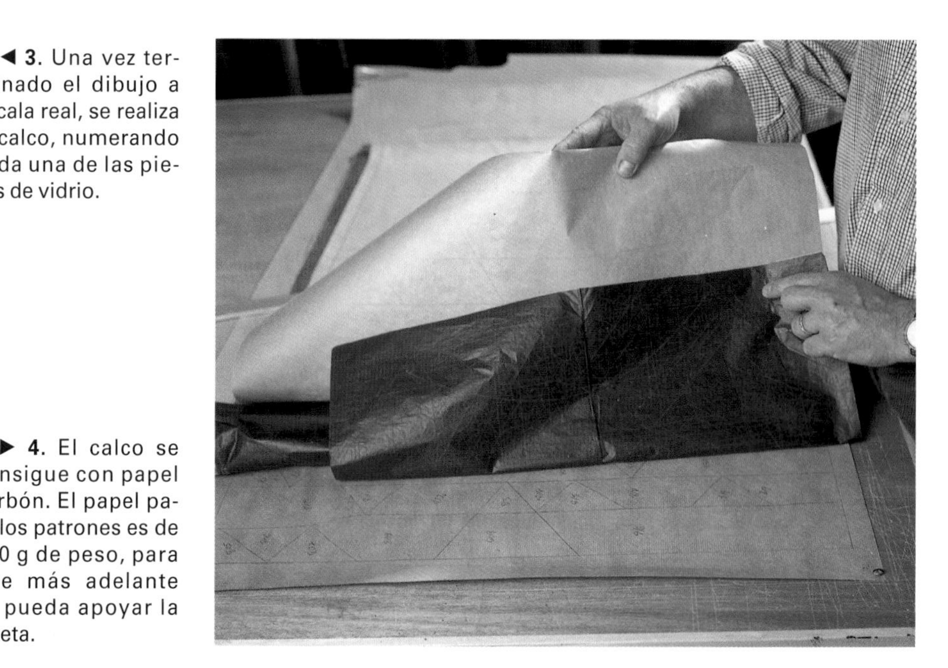

◄ **5.** El corte se realiza con tijeras de uso común, con *cutter* o con cuchilla.

◄ ▲ **6 y 7.** Una vez elegidos los colores del vidrio, se procede a su corte con las plantillas, que ya deben tenerse preparadas.

◄ **8.** Conseguido el corte, se pulen los cantos de todos los vidrios con la cinta pulidora para evitar herirse al manipularlos.

► **9.** Con un paño humedecido en alcohol se limpia el vidrio base de cualquier suciedad, polvo o grasa.

▲ **10.** Con unas maderas o listones se confeccionan unos topes para que sea más fácil sujetar los vidrios.

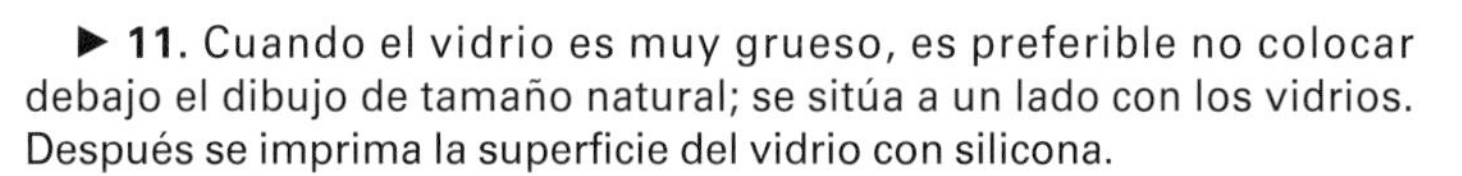

► **11.** Cuando el vidrio es muy grueso, es preferible no colocar debajo el dibujo de tamaño natural; se sitúa a un lado con los vidrios. Después se imprima la superficie del vidrio con silicona.

◄ **12.** Se esparce la silicona con una espátula para que quede bien nivelada.

▲ **13**. Se colocan los vidrios sobre la silicona, se presionan y se ajustan.

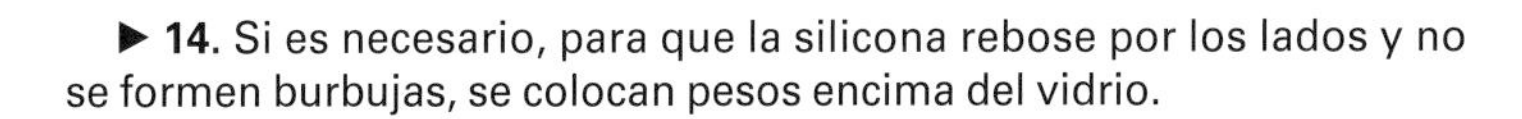

► **14.** Si es necesario, para que la silicona rebose por los lados y no se formen burbujas, se colocan pesos encima del vidrio.

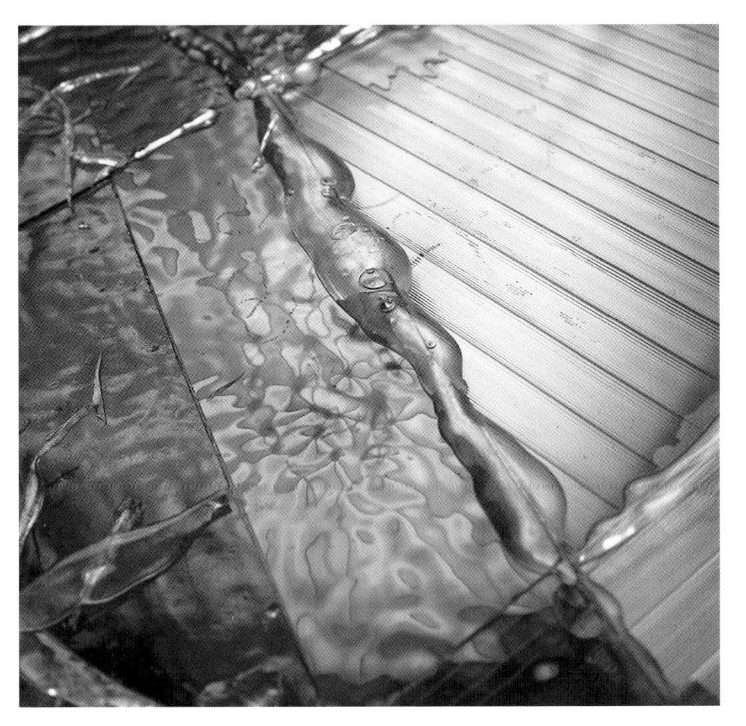

▲ **15**. La silicona rebosa por los lados del vidrio. Ello significa que los bordes quedarán sellados.

► **16**. Los vidrios laterales se colocan apoyando primero un lado y poco a poco se dejan caer, para eliminar las burbujas de aire.

▲ **17.** Es preferible esperar como mínimo 48 horas, según la temperatura ambiental, para su total secado. Una vez seca la silicona se procede a su limpieza.

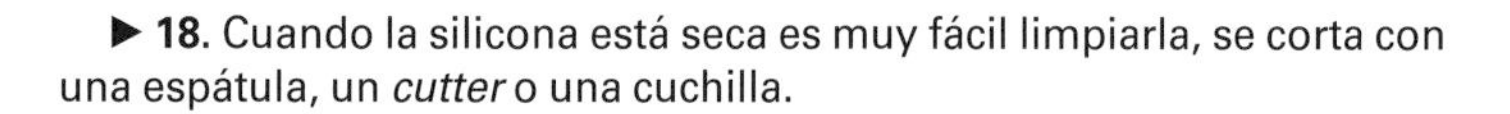

► **18.** Cuando la silicona está seca es muy fácil limpiarla, se corta con una espátula, un *cutter* o una cuchilla.

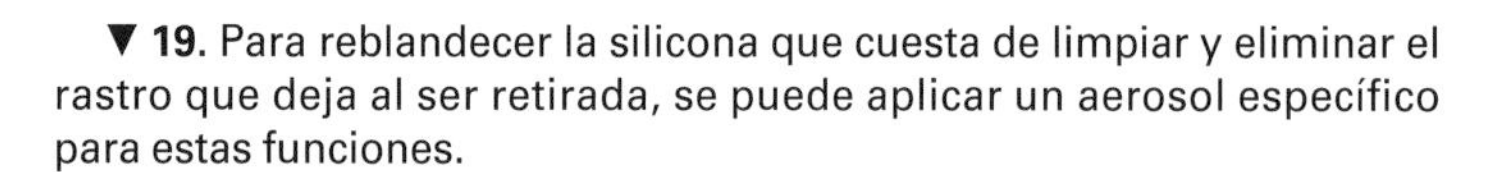

▼ **19.** Para reblandecer la silicona que cuesta de limpiar y eliminar el rastro que deja al ser retirada, se puede aplicar un aerosol específico para estas funciones.

▼ **20.** Si la limpieza resulta difícil por las irregularidades del vidrio, puede utilizarse un cepillo de púas metálicas blandas.

▲ ▼ **21 y 22.** Distintos aspectos de la pieza una vez finalizada la limpieza del vidrio.

► **23.** Vitral terminado, montado en su estructura de aluminio y colocado en el lugar para el que se había diseñado, la iglesia parroquial de Sant Joan de Vilatorrada, en la provincia de Barcelona (España).

Restauración *del vitral*

EL OFICIO DE RESTAURAR

El oficio de vitralista se complementa con las tareas de restauración. El restaurador de vitrales no sólo debe tener una amplia experiencia técnica sino, además, poseer profundos conocimientos artísticos de la historia del vitral, para, de este modo, interpretar y deducir el estilo de la época y el autor de la pieza que se desea restaurar.
Cabe tener en cuenta que en restauración han habido diversas tendencias o maneras de interpretar este oficio. Así, pues, existen fundamentalmente tres corrientes: la primera, preconizada en el siglo XIX por el arquitecto francés Viollet-le-Duc, sostiene la unidad estilística de la obra objeto de restauración, hasta tal punto que puede acabar desembocando en una falsificación o una manipulación absoluta de toda la pieza; la segunda, defendida también en el siglo XIX por los artistas e intelectuales románticos, encabezados por Ruskin, considera que la degradación y el deterioro proporcionan a la obra de arte un valor estético y artístico que debe mantenerse y respetarse; la tercera, apoyada por Luca Beltrami, disfruta de una mayor vigencia actualmente, y se basa en el estudio de los documentos, el análisis en profundidad de la obra que se desea restaurar y el respeto por la parte conservada y los criterios artísticos y estéticos de su autor.
En definitiva, la actuación del restaurador debe ajustarse a la consolidación de la parte conservada y la restitución de las zonas deterioradas partiendo del análisis total de la obra desde una perspectiva técnica, histórica y artística. Asimismo, conviene recordar que una restauración tiene que ser siempre reversible, es decir, que puede ser sometida a revisiones y, si es necesario, porque los últimos estudios y avances tecnológicos así lo exijan, a cambios.
En las páginas siguientes se explica cuáles son las operaciones imprescindibles para llevar a cabo una restauración. Dado que cada restauración requiere una actuación individualizada, se ofrecen unas pautas generales aplicables según las necesidades de la obra, aunque hay que insistir que la mejor restauración es una buena conservación. Asimismo, se presentan, en forma de ejercicios, dos ejemplos de restauración: una reposición de vidrios desaparecidos en un panel y la restauración de un vitral emplomado.
Sin embargo, antes de iniciar la descripción pormenorizada de los procesos más importantes en restauración, se presenta a continuación de forma esquemática cuáles son los pasos básicos que debe seguir el restaurador en sus intervenciones:

▲ Vitral desmontado de su estructura para su restauración. Obsérvese la rotura de los plomos que configuran la red del vitral, la suciedad y la fractura y desaparición de algunos vidrios.

▲ El vitral una vez finalizada la restauración. Unos plomos han sido consolidados mediante soldaduras de estaño y otros han sido remplazados por piezas nuevas. Asimismo, se han consolidado los vidrios, pegándolos a testa para no distorsionar el diseño, y se ha sustituido un fragmento triangular de color rojo situado junto al dibujo de la roca de la parte izquierda.

Para un vitral con figuración que ha sufrido una rotura y cuyos fragmentos, en una restauración anterior, han sido fijados con tiras de plomo:

1. Eliminar los plomos.
2. Pegar a testa los fragmentos de vidrio.
3. Proteger la parte deteriorada con un vidrio termoformado.
4. Retocar la grisalla de la figura con resina sintética del tipo Paraloid mezclada con nueva grisalla.

Para restituir parte de la grisalla:

1. Limpiar la zona afectada.
2. Protegerla con un vidrio termoformado.
3. Pintar con grisalla nueva la zona correspondiente encima del vidrio termoformado y hornear la pieza.

Para fijar la grisalla (método experimental):

1. Limpiar la zona afectada.
2. Aplicar resina sintética tipo Paraloid mezclada con acetona en una proporción del 3 %.

En una restauración o conservación de un vitral las tres operaciones más habituales son la consolidación, la restitución y la limpieza. Estas tres acciones serán ilustradas con algunos ejemplos prácticos de unas restauraciones de vitrales de los siglos XIII y XV.

► Detalle de un vitral en el que aparece dibujado el rostro de Cristo. Esta pieza fue sometida a una restauración anterior utilizando plomos para fijar los fragmentos. Obsérvese la suciedad general y cómo en algunas zonas la grisalla ha desaparecido.

◄ Aspecto del mismo vitral tras ser sometido a una nueva restauración. Los plomos con que se consolidaron los pedazos de vidrio del rostro de Jesús han sido eliminados y los fragmentos pegados a testa, para no distorsionar la figura. Asimismo, se ha efectuado una limpieza exhaustiva y la grisalla ha sido consolidada.

▲ El uso de la masilla en el proceso de consolidación de un vitral debe limitarse a los casos en que no exista riesgo para la pintura. Se puede realizar un enmasillado general con el objeto de consolidar los plomos o una actuación más puntual para tapar un agujero o consolidar un vidrio concreto que se mueve por falta de masilla.

La consolidación

Consolidación de la estructura

La consolidación de la estructura supone, en primer lugar, analizar la armadura o marco que soporta al vitral, saneándolo o remplazándolo si es preciso.

El empleo de cuñas para ajustar el vitral a su marco, o como pasador, contracuña o taco, facilita la tarea de consolidación. Estas cuñas puede fabricarlas el propio restaurador con el material que mejor se ajuste a sus necesidades (piedra, madera o metal).

Asimismo, se tienen que revisar los refuerzos o varillas para comprobar su estado y verificar que el vitral no esté curvado como consecuencia de los agentes atmosféricos o una colocación indebida.

◄ Diferentes tipos de cuñas y tacos para calzar y sujetar el vitral en su estructura. Topes de neopreno negro. Alicates con tenazas de corte, cuyos extremos terminados en punta son útiles para cortar los alambres de las varillas.

Consolidación de los plomos

En la consolidación de los plomos, éstos deben ser sometidos a una revisión y catalogación por siglos. Tras un examen previo, se procede a reforzar las soldaduras y a cambiar los trozos de plomo que han sufrido graves deterioros. Con frecuencia, podemos encontrar plomos que, por su movimiento y su forma cóncava adoptada debido a la presión del viento, presentan roturas transversales respecto a la verga del plomo. Este tipo de roturas se puede solucionar fácilmente aplicando una gota de estaño para reforzar la red de plomos. En los casos en que la grisalla lo permita, otra forma de consolidar el plomo es enmasillando de nuevo el vitral.

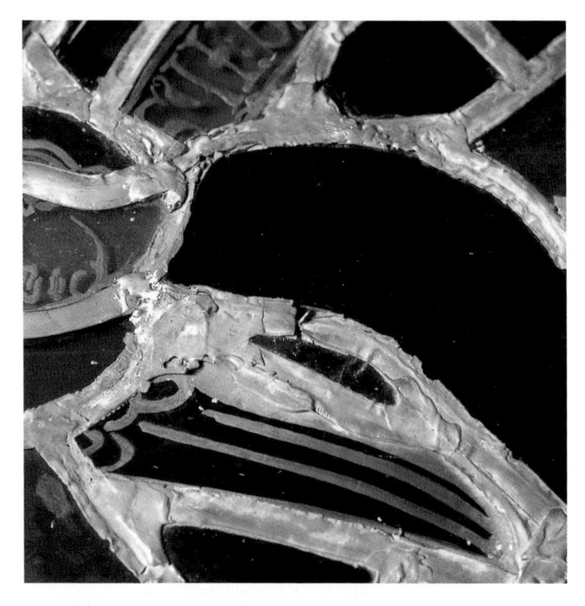

◀ **1.** En la parte central de la imagen se observa la rotura transversal de un plomo de un vitral del siglo XIII. La red de plomos, del siglo XVIII, aún se puede aprovechar si se refuerzan las soldaduras y se repara la rotura transversal con estaño.

▼ **3.** Antes de soldar el plomo con estaño, se rasca la superficie del plomo viejo con el objeto de extraer el óxido de su superficie y, a continuación, se aplica esterina en la unión.

▶ **2.** Se levantan las alas de plomo con su sumo cuidado, ya que el plomo utilizado en el siglo XVIII era muy fino, y se incorporan pequeños trozos de alas de plomo nuevo entre el plomo antiguo y el vidrio. Se repite la operación en la otra cara del vitral. Después se aplana el plomo para formar un mismo cuerpo.

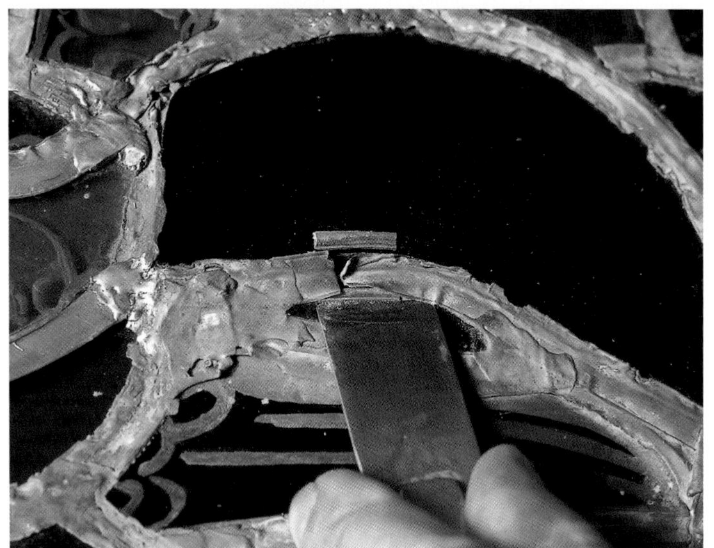

◀ **4.** Con el soldador eléctrico y una barra de estaño del 55 % se realiza la unión de la rotura. Las pequeñas láminas nuevas servirán para que el estaño no se escurra por entre la rotura del plomo.

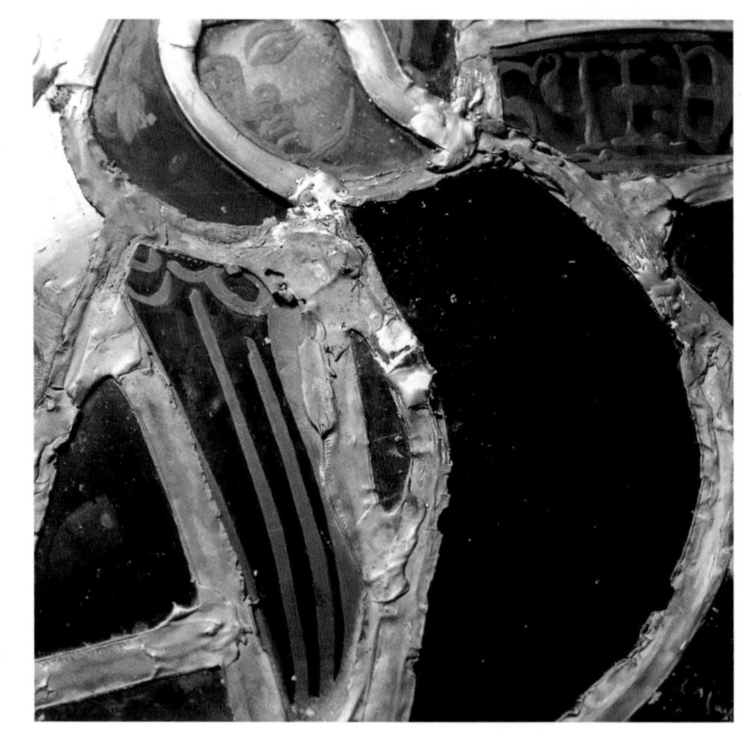

▶ **5.** Resultado final de la soldadura. Por regla general, la gota de estaño no se adhiere adecuadamente a un plomo viejo y su soldadura no termina de una forma perfecta, pero lo importante en este caso es reparar la rotura. Obsérvese también la incorporación de un plomo nuevo alrededor de una cara pintada con grisalla.

Consolidación de los vidrios

La consolidación de los vidrios implica en primer lugar retirar los plomos que sustentan los vidrios rotos e impiden su análisis y lectura; seguidamente, se deben adherir a testa, con resina o pegamento, los fragmentos de vidrio. Con el fin de elegir la resina o el pegamento más adecuados, se tiene que llevar a cabo una prueba previa con los vidrios que se desean fijar. Para conseguir una mayor dureza, se pueden reforzar con otro vidrio incoloro.

La cinta adhesiva (transparente u opaca, de plástico o papel) ayuda a sujetar las piezas hasta su consolidación; así, cuando los plomos del vitral están rotos, se tiene que urdir una red de cinta adhesiva para que los vidrios no se desmonten durante su extracción y traslado al taller. La operación de fijar un vidrio con otro es especialmente delicada cuando la grisalla se halla en estado de descomposición, ya sea por una mala cocción o por desprendimiento como consecuencia del grosor de la capa.

Los pegamentos y colas sintéticas que se empleen en la fijación deben ser reversibles, ya sea por efecto de la acetona o del calor. Se pueden encontrar en cualquier establecimiento especializado. Para colorearlos se puede utilizar un colorante específico que también se encuentra en comercios especializados.

▲ 1. Imagen del vitral antes de desmontarlo para iniciar el proceso de restauración.

Consolidación de la grisalla

La consolidación de la grisalla se puede llevar a cabo mediante la aplicación de resina sintética mezclada con un 2,5 o 3 % de tolueno o acetona. Asimismo, esta resina, mezclada con grisalla nueva, sirve para recuperar partes específicas o trazos de la grisalla original. Con el fin de proteger la grisalla debilitada, se puede sellar la pieza en cuestión con un vidrio incoloro.

▼ 2. Momento en que se aplica resina sintética mediante una jeringuilla para consolidar los rasgos que faltan del dibujo.

◄ Detalle de un vitral en el que aparece el rostro de una figura en muy mal estado de conservación. Se ha consolidado la grisalla y se ha protegido la imagen con un vidrio incoloro.

La restitución de elementos

Previamente a la operación de remplazo de un material, se deben analizar todos los elementos y comprobar su autenticidad. Cualquier sustitución o remplazo sólo se debe efectuar tras un minucioso estudio de la pieza.

Restitución de una estructura

En la restitución de una estructura se suele emplear acero inoxidable. Sin embargo, ésta es una tarea que corresponde al metalista, el cual fabricará la estructura a partir de las medidas e indicaciones que señale el restaurador.

Las varillas de refuerzo deben ser restituidas cuando han desaparecido o presentan un grado elevado de deterioro. Para ello se deben emplear unos alicates en forma de pico que permitan romper los alambres de sujeción.

◀ Esta imagen ejemplifica una restauración donde la intervención ha sido mínima. Los vidrios deteriorados o que faltaban en la parte central de la pieza han tenido que ser sustituidos por otros neutros, por lo que el dibujo se ha perdido.

Restitución de plomos

La sustitución de plomos se realizará sólo en caso de que éstos no ofrezcan un grado óptimo de solidez como consecuencia de roturas o una excesiva maleabilidad.

Los plomos se suelen remplazar con las mismas herramientas que se emplean habitualmente. La restitución puede ser total o parcial; en una sustitución parcial se pueden usar plomos de un ancho inferior a los originales, para distinguirlos de éstos. Se debe evitar, en la medida de lo posible, la suplantación total de plomo, puesto que durante el proceso de desmontaje se puede romper algún vidrio original.

A la vez que se restituyen los plomos, también se deben revisar las soldaduras y efectuar de nuevo las que convengan.

◀ **1.** Restitución de plomos. En la imagen se observa una restauración parcial de plomos. Su sustitución ha sido necesaria, ya que el plomo antiguo no se podía aprovechar. La restitución del plomo debe hacerse al mismo tiempo que la sustitución del vidrio. Primero se realiza un corte limpio en el lugar elegido y se empalma el plomo nuevo, que puede ser del mismo ancho o de una medida inferior para señalar su diferencia.

◀ **2.** Realizadas las sustituciones de los plomos, se procede a emplomar el vitral siguiendo el proceso tradicional. El plomo se debe redondear para que las alas sujeten bien el vidrio.

◀ **3.** Se aplica esterina en todas las uniones y se procede a soldar con estaño del 55 %, empleando un soldador eléctrico.

Restitución de vidrios

En el remplazo de vidrios irrecuperables, ya sea por rotura o por una restauración defectuosa, éstos deben ser sustituidos por vidrios de las mismas características y tonalidades o por vidrios totalmente neutros, es decir, de la misma intensidad cromática que los de su entorno.

Existen varias maneras de remplazar los vidrios. Antiguamente, se aprovechaban vidrios procedentes de otras restauraciones, del mismo color o pintados con grisallas, para restituir los vidrios irrecuperables. Este procedimiento en ocasiones no es el ideal, pues a veces, por ejemplo, un fragmento de un rostro sustituye a un trozo de una túnica, o unos motivos ornamentales a otros distintos, o un trozo de cinta amarilla a un cabello rubio. Sin embargo, es difícil distinguir estos detalles en vitrales colocados a mucha altura, como usualmente sucede en las iglesias y catedrales.

Hoy día, lo más habitual es la incorporación de un vidrio neutro para reponer la pérdida de masa vítrea. En las imágenes se muestra un ejemplo de este tipo de restitución de vidrios, en el que, además, se ha optado por unir los vidrios nuevos con cola sintética y no mediante plomos para que la lectura del dibujo sea limpia, sin distorsiones y sin falsos dibujos ocasionados por plomos nuevos.

◀ **1.** Restitución de vidrios. Para unir los vidrios neutros que sustituirán los trozos de vidrios desaparecidos se usará cola sintética de dos componentes.

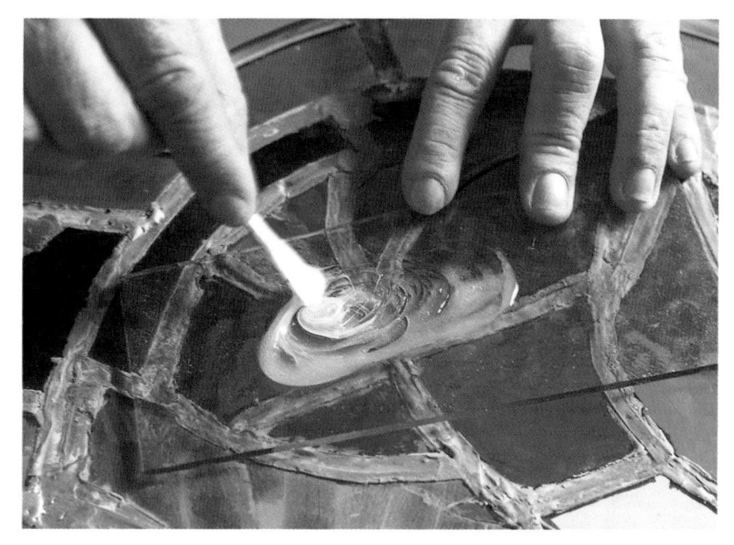

◀ **2.** Se prepara la cola sintética, mezclando bien los dos componentes hasta obtener una pasta homogénea.

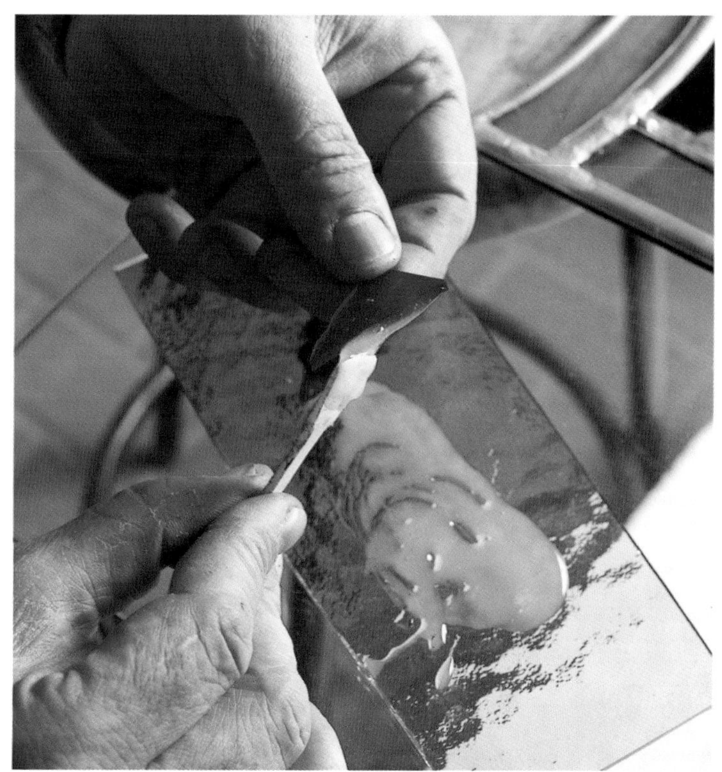

▲ **3.** Se escoge el vidrio neutro adecuado y se corta del tamaño y la forma precisos para su encaste. Se aplica una capa fina de cola en todo el perímetro del grosor del vidrio, en este caso, de color rojo.

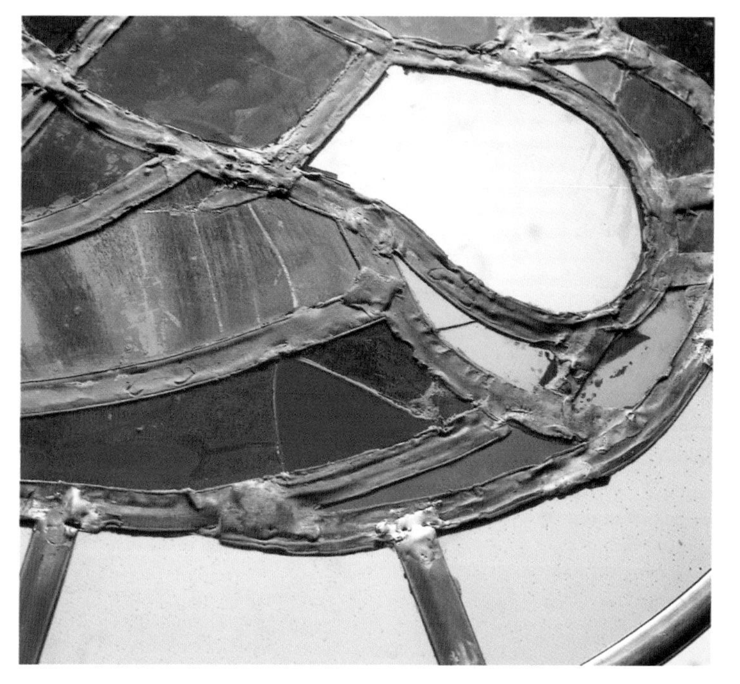

▲ **4.** Vista general del lóbulo restaurado en su totalidad. Obsérvese, en primer término, la inserción de vidrio de color rojo de forma triangular que queda integrado dentro del ala del ángel original del mismo color, pero pintada con grisalla. Véanse también el vidrio neutro colocado en el lugar de la cara desaparecida y el pequeño triángulo de vidrio neutro incorporado en el vidrio original azul modelado con grisalla para reponer la ausencia de masa vítrea.

La limpieza

La óptima limpieza de un vitral proporciona un 50 % del éxito de la restauración. La devolución de los colores a su estado original sorprende incluso al espectador más observador.

La capa de suciedad y las pinturas frías debidas a anteriores restauraciones siempre se encuentran en la cara que da al interior del edificio. La cara exterior suele estar más limpia por efecto de la lluvia, pero es objeto del ataque de hongos, los cuales restan luminosidad al vitral. Ello se soluciona con un raspado, atajando de este modo el proceso de deterioro.

El proceso de limpieza siempre se debe comenzar rascando con un bisturí en un extremo de la pieza para determinar el grado de dureza de la capa que la cubre. Antes, sin embargo, se tiene que comprobar la solidez de la grisalla. Acto seguido, se frota en sentido rotatorio con pinceles o cepillos; si el resultado es óptimo, se continúa con estas herramientas. En caso contrario, se debe proceder con un bastoncillo de algodón humedecido en agua para reblandecer la capa de suciedad o, si de este modo tampoco se logra eliminarla, con jabón neutro. Esta operación se realiza por las dos caras del vitral. Dado que la cara interior suele estar pintada con grisalla, deberá usarse una lupa para dilucidar entre ésta y la pátina de suciedad. Asimismo, la lupa facilita la limpieza de hongos en la cara exterior.

También se puede sumergir la pieza que se desea limpiar en una solución de ácido oxálico en un 10 % y agua destilada. Dado que se trata de un producto tóxico, se deben tomar medidas de precaución.

La limpieza de un vitral para su restauración precisa de unas herramientas concretas, en ocasiones distintas de las empleadas habitualmente por el vitralista. Así, por ejemplo, el uso de cuchillas de diferentes tamaños y formas facilita la tarea de desprender la suciedad y la pintura fría aplicada con posterioridad a la elaboración del vitral; el bisturí, como ya se ha visto, y una cuchilla común para las zonas menos delicadas permiten diseccionar la capa de suciedad, y los cepillos y pinceles rascan, cepillan y recogen la suciedad acumulada en la superficie.

La aplicación de productos líquidos para eliminar la suciedad debe realizarse con sumo cuidado y, previamente, conviene llevar a cabo una prueba en un extremo de un vidrio del perímetro del vitral. Téngase en cuenta que la limpieza efectuada con productos líquidos no está sujeta al mismo control que la realizada en seco, y por tanto entraña un riesgo más elevado. Lo más aconsejable es emplear simplemente agua destilada o agua potable, mezcladas con una pequeña proporción de jabón neutro. Se puede aplicar mediante bastoncillos de algodón, la punta de una gasa, una esponja o, un paño de algodón en las partes más delicadas. Es conveniente el uso de guantes durante esta operación.

▲ **1.** Imagen de un vitral atacado por hongos. El polvo calizo que se genera al cortar la capa de suciedad con un bisturí es el resultado de la degradación y debilitación del vidrio.

► **2.** Tras una limpieza exhaustiva del vitral anterior, se ha podido eliminar la película caliza que cubría la superficie de la pieza. Sin embargo, los cráteres y surcos producidos por los hongos no han podido ser reparados, con lo que el vidrio ha adquirido una cierta opacidad.

▲ Distintos tipos de pinceles y cepillos empleados durante el proceso de limpieza de un vitral.

▲ Lupa común (a), lápiz eléctrico con punta de diamante para marcar el vidrio (b) y lupa de 300 aumentos con punto de luz (c).

▲ Detalle de un vitral que ha sido sometido a una limpieza sistemática por su parte interior.

► Herramientas de remplazo y limpieza: estuche con diversos cabezales de distintos cortes y formas para limpiar el vidrio y llegar hasta sus rincones más difíciles (a), bisturí (b) y cuchilla común empleada para la limpieza de grandes superficies (c).

Reposición de vidrios desaparecidos

En la restauración de vitrales se puede aplicar más de un criterio. En este caso, he seguido los pasos que he considerado más convenientes, avalado por mi experiencia y oficio.
En las siguientes páginas se explicará cómo reponer unos rostros y parte de un ropaje desaparecidos de los que no se tiene información a partir del estilo seguido en el resto del vitral conservado. También se verá cómo se colocan unos refuerzos sujetos con alambre. Aunque considero que si los refuerzos se soldaran, en vez de sujetarlos con alambres, proporcionarían una mayor resistencia al panel, he optado por no alterar la pieza más de lo necesario.

▲ Estado del vitral antes de proceder a su restauración. Sus medidas son: 46 cm de anchura × 69 cm de altura, cada uno de los paneles.

▲ Imagen parcial del vitral tomada desde el interior de la iglesia de Arucas, Gran Canaria (España).

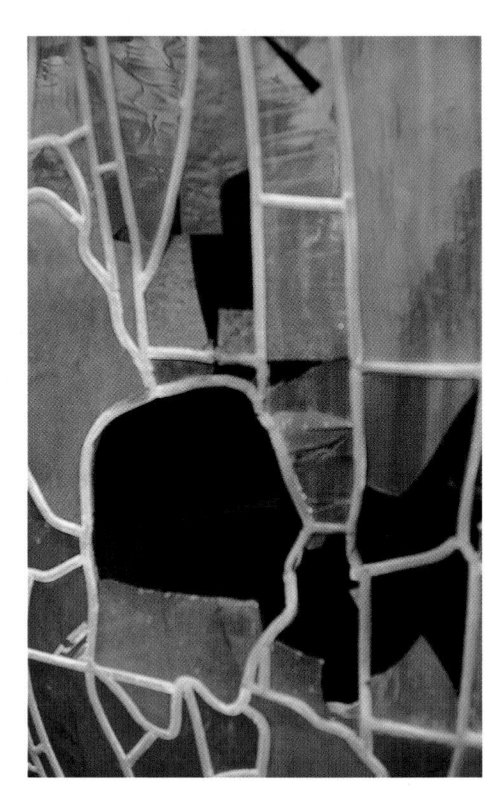

▲ Detalle de las roturas ocasionadas en el vitral, posiblemente, por una agresión contundente.

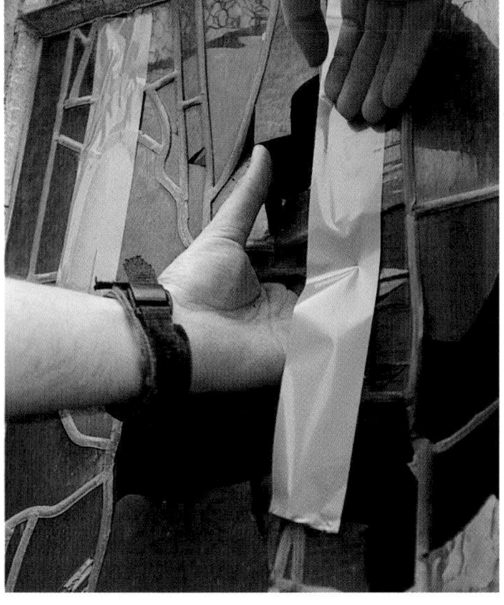

► **1.** Momento en el que se inicia la consolidación de los vidrios dañados, aplicándoles cinta adhesiva para protegerlos durante el transporte.

◄ **2.** Tras la consolidación del vitral, se extrae del marco de hierro, eliminando con cuidado la masilla que lo sujeta.

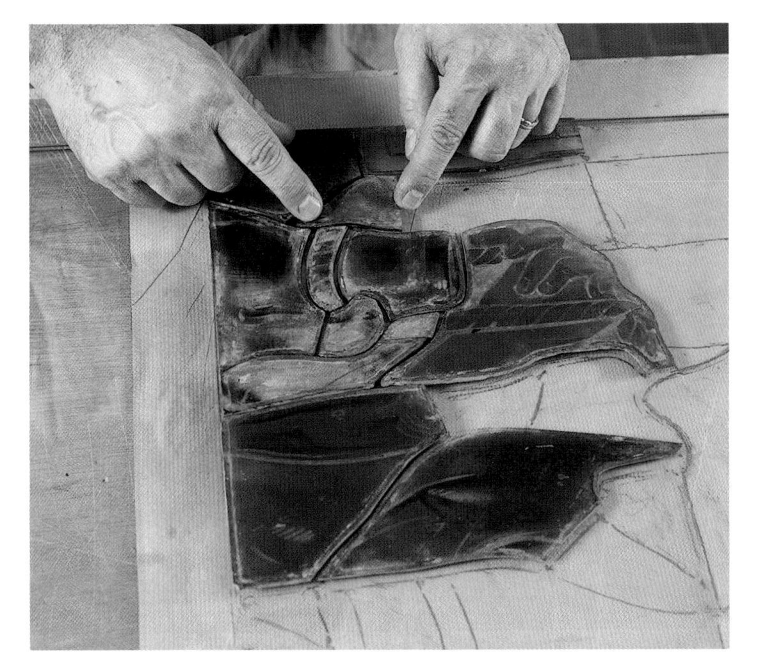

◄ **3.** En el taller, tras haber realizado un calco previo del vitral, se procede a desmontarlo.

► **4.** Terminado el desemplomado, se colocan los vidrios en una plancha de vidrio transparente con el dibujo debajo para saber el lugar que corresponde a cada pieza.

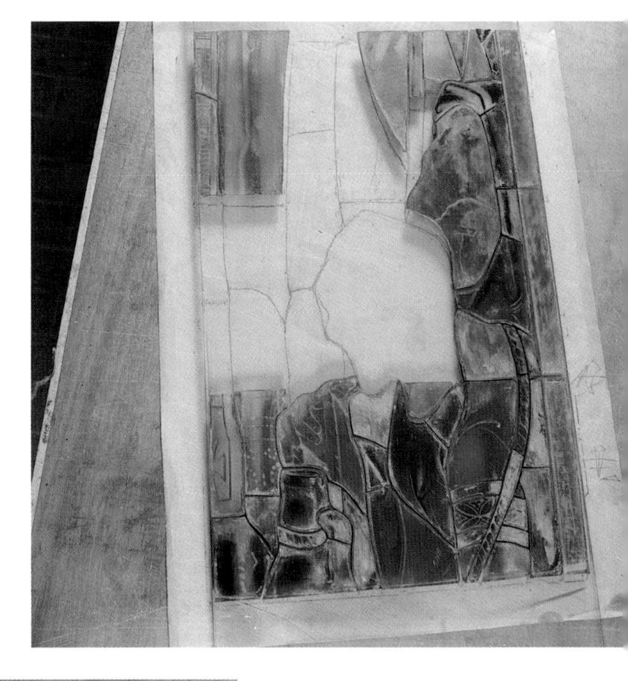

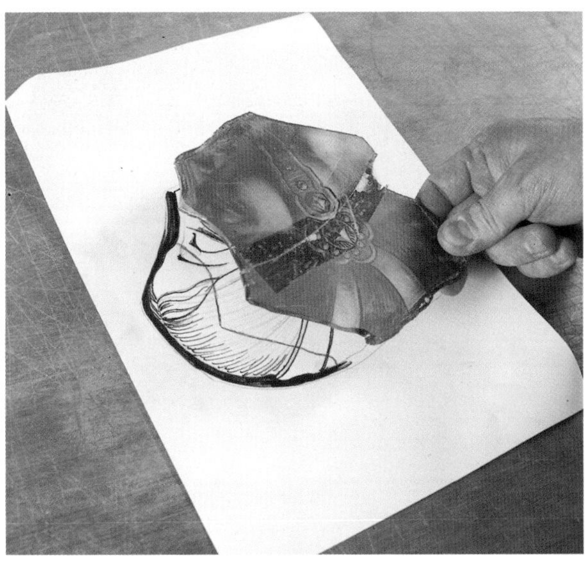

◄ **6.** Esta operación se repite con todas las partes que han sido dañadas. Se ha elegido este criterio para no distorsionar la lectura del vitral.

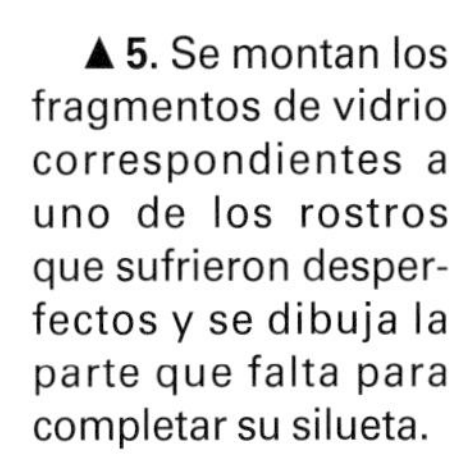

▲ **5.** Se montan los fragmentos de vidrio correspondientes a uno de los rostros que sufrieron desperfectos y se dibuja la parte que falta para completar su silueta.

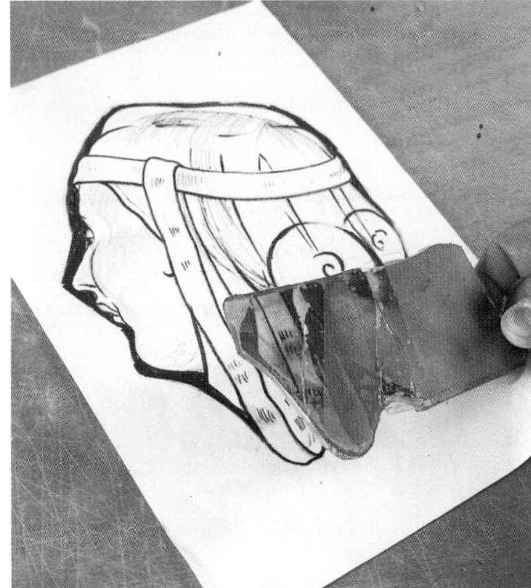

► **7.** De este rostro sólo la parte inferior es original. El resto se ha reconstruido a partir de las investigaciones realizadas.

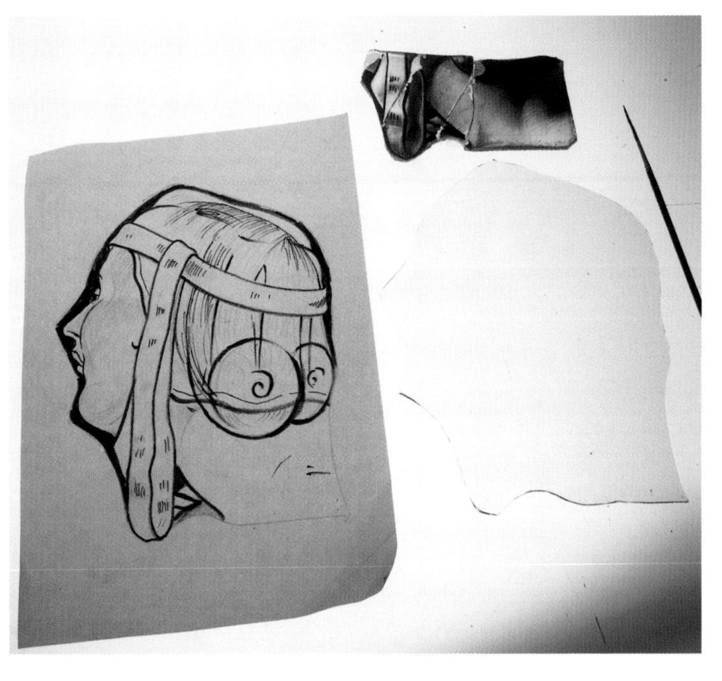

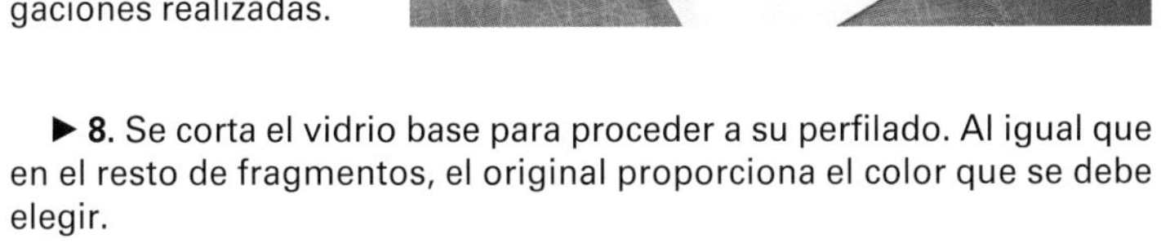

► **8.** Se corta el vidrio base para proceder a su perfilado. Al igual que en el resto de fragmentos, el original proporciona el color que se debe elegir.

▲ **9.** Con grisalla negra se perfilan los trazos que forman el dibujo.

▲ **10.** Para sujetar los vidrios del vitral a la plancha de vidrio incoloro, se prepara cera virgen y se mezcla con un poco de colofonia. Con un pedazo de plomo se improvisa una cánula que servirá para aplicar la mezcla.

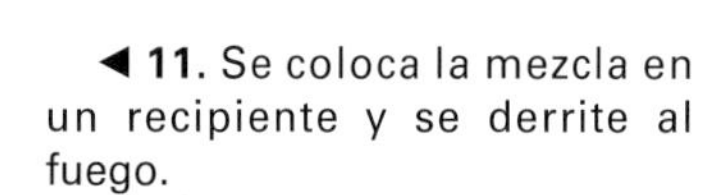

◀ **11.** Se coloca la mezcla en un recipiente y se derrite al fuego.

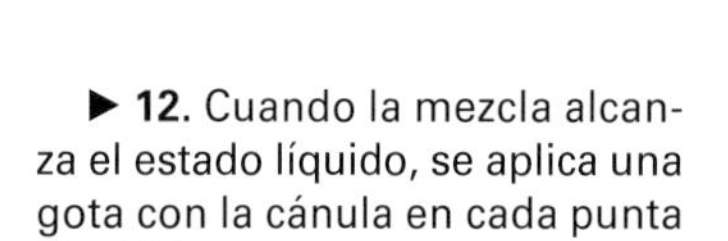

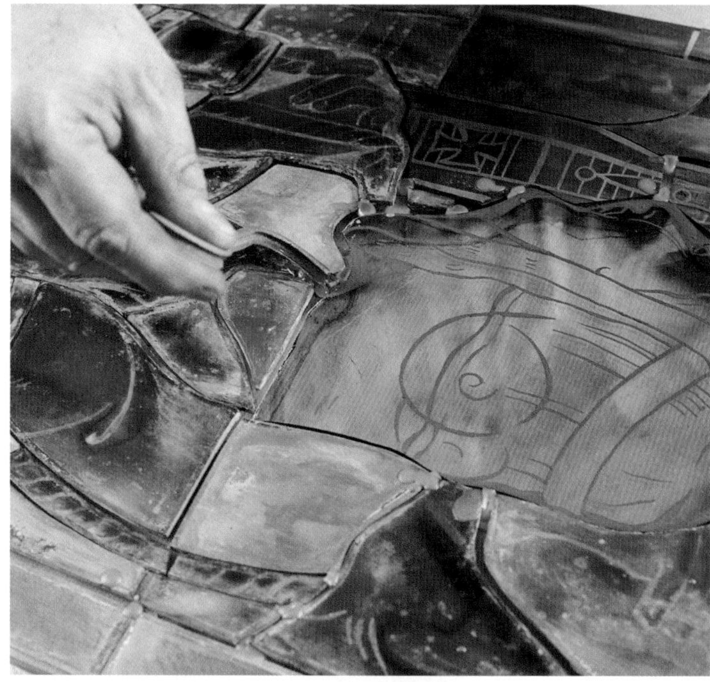

▶ **12.** Cuando la mezcla alcanza el estado líquido, se aplica una gota con la cánula en cada punta de vidrio.

▼ **13.** Con esta operación se sujetan los vidrios a la plancha que sirve de base.

◀ **14.** Cuando los vidrios están pegados, se puede levantar la plancha para pintarla a contraluz, igualando las piezas nuevas con las de su entorno.

▲ **15.** Seguidamente se pinta con grisalla marrón, efectuando un primer *lavis* en la superficie.

▲ **16.** Para igualar las capas de grisalla es necesario utilizar el unidor.

◀ **17.** Una vez que la grisalla está seca, se sacan luces y se modela con pinceles secos.

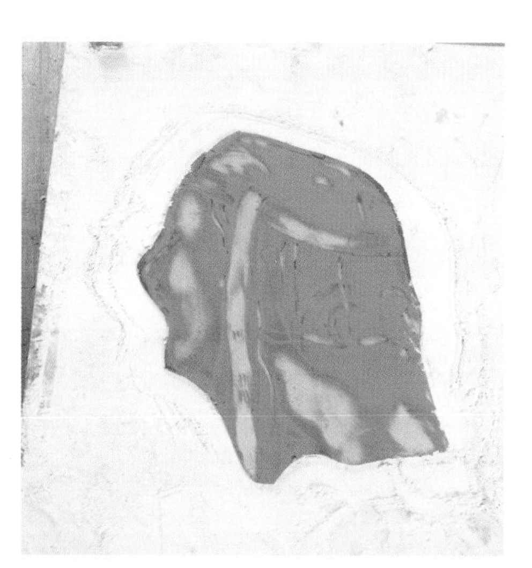

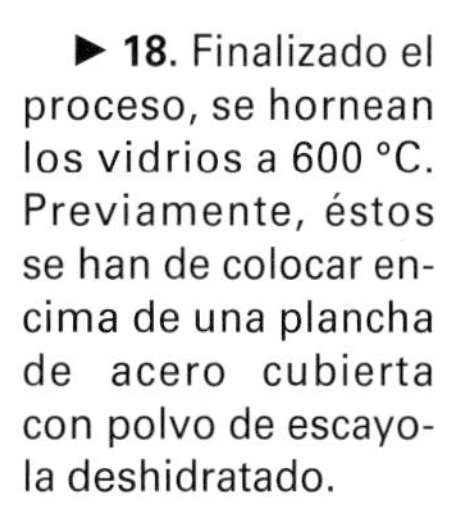

▶ **18.** Finalizado el proceso, se hornean los vidrios a 600 °C. Previamente, éstos se han de colocar encima de una plancha de acero cubierta con polvo de escayola deshidratado.

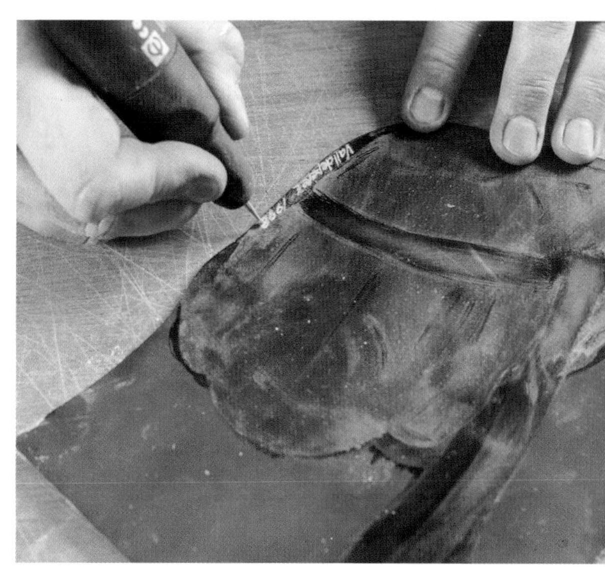

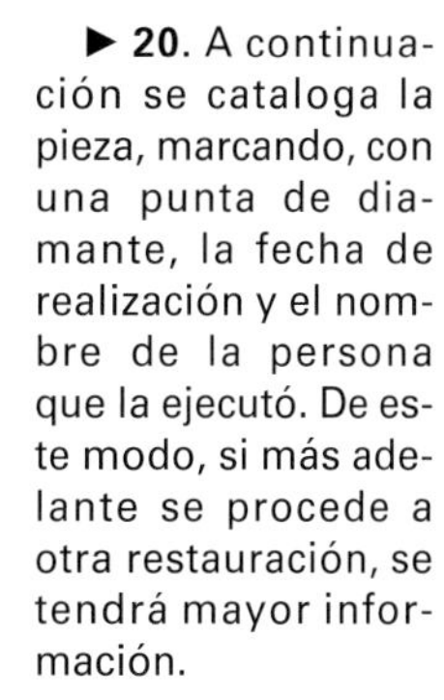

▶ **20.** A continuación se cataloga la pieza, marcando, con una punta de diamante, la fecha de realización y el nombre de la persona que la ejecutó. De este modo, si más adelante se procede a otra restauración, se tendrá mayor información.

▶ **19.** Pieza en el momento de ser extraída del horno.

▲ **21.** Se restituye la pieza en su lugar correspondiente del vitral y se verifica el resultado. Se procede a realizar un emplomado tradicional.

▲ **22.** Panel del vitral ya emplomado y listo para su colocación. Se pueden observar todos los vidrios sustituidos comparando esta fotografía con la del paso 4.

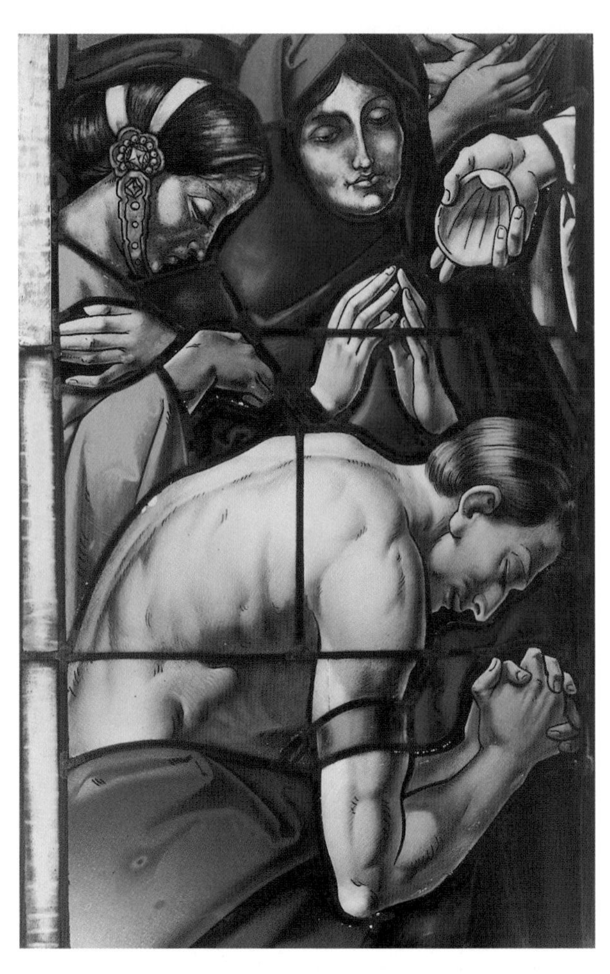

▲ **23.** Panel restaurado en el que ya han sido incorporados los dos rostros y el manto azul. Compárese con los pasos 5 y 6.

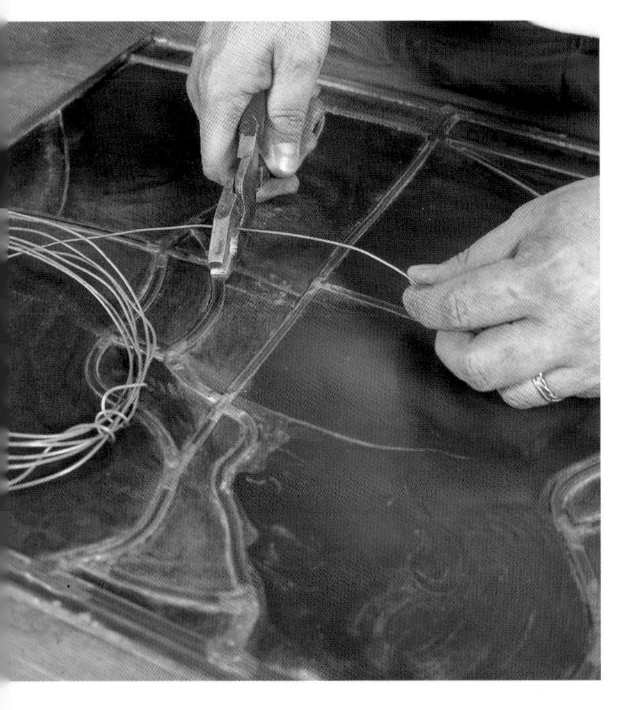

▲ **24.** Seguidamente, se procede a cortar unos pedazos de alambres galvanizados que servirán para sujetar los refuerzos del panel.

▲ **25.** Se debe rascar de forma meticulosa todo el óxido de las soldaduras para poder soldar posteriormente los alambres galvanizados.

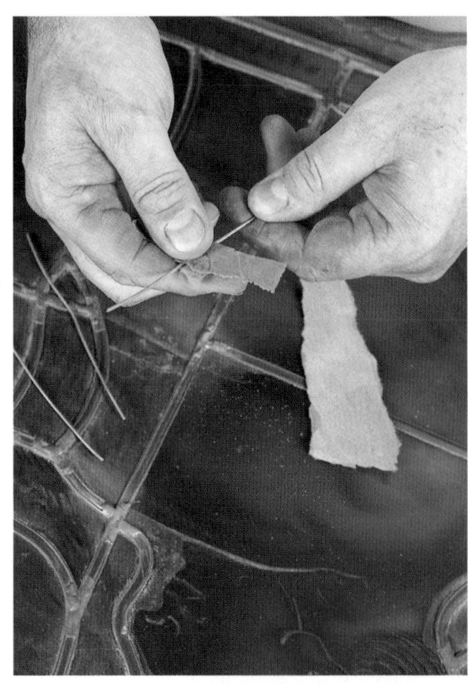

▲ **26.** Con una hoja de tela esmeril o similar, se elimina una pequeña parte del galvanizado del alambre, para que la soldadura se adhiera correctamente.

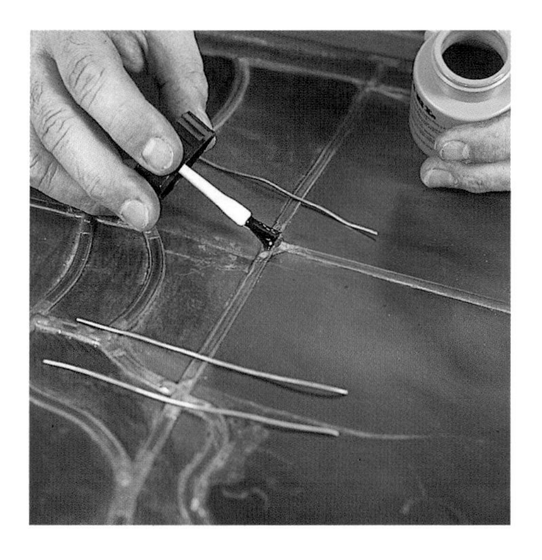

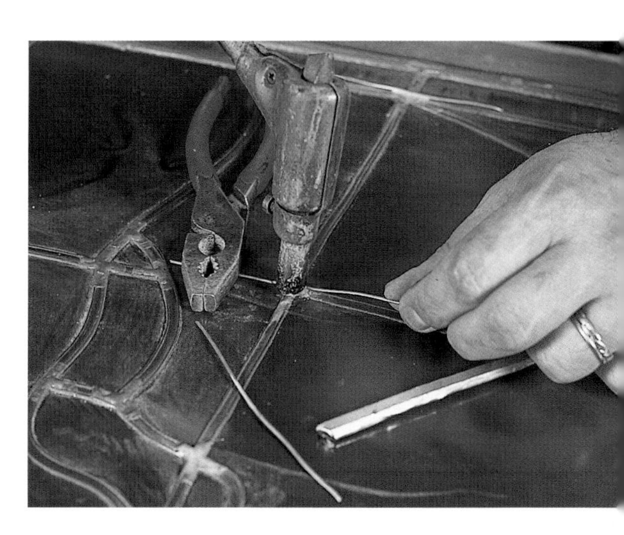

▲ **27.** Se debe aplicar líquido antioxidante para que la soldadura se efectúe de forma óptima.

▲ **28.** Los alambres galvanizados tienen que ser colocados en posición inversa a la barra de refuerzo.

▲ **29.** Se sueldan los alambres con estaño. Para ello, se cubren con una gota de este metal, que se fundirá con el ya existente.

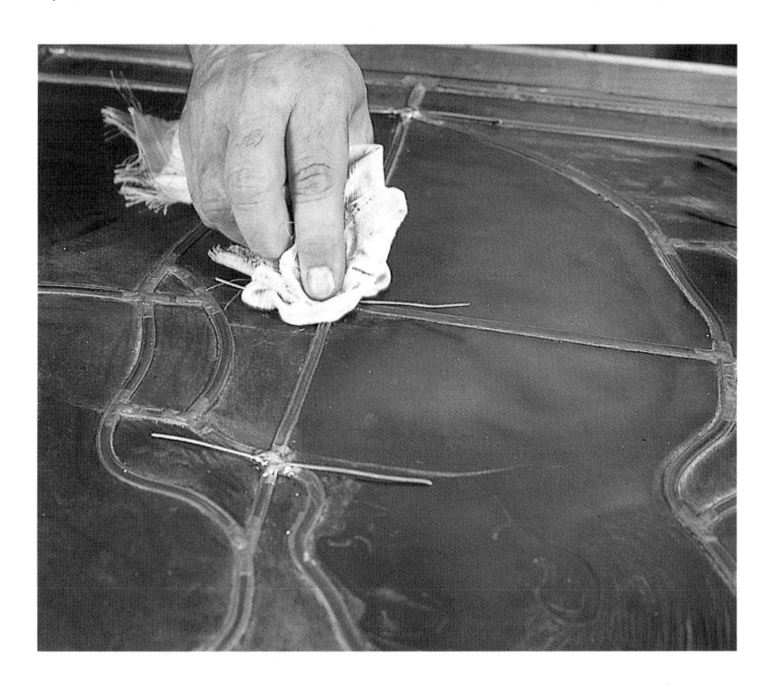

◀ **30.** A continuación se limpian las soldaduras.

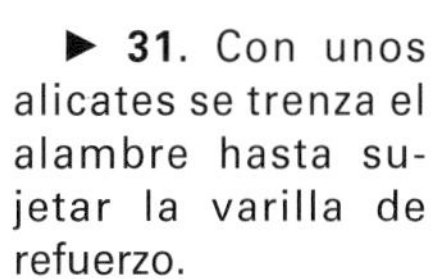

► **31.** Con unos alicates se trenza el alambre hasta sujetar la varilla de refuerzo.

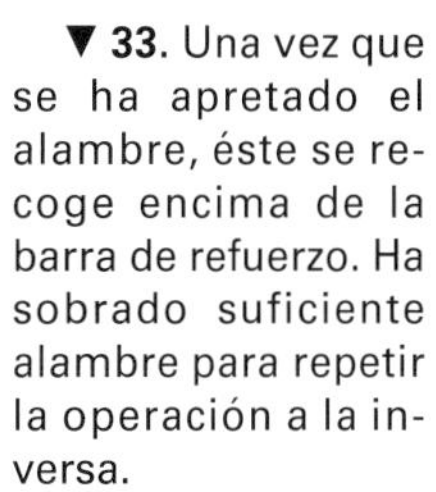

▼ **33.** Una vez que se ha apretado el alambre, éste se recoge encima de la barra de refuerzo. Ha sobrado suficiente alambre para repetir la operación a la inversa.

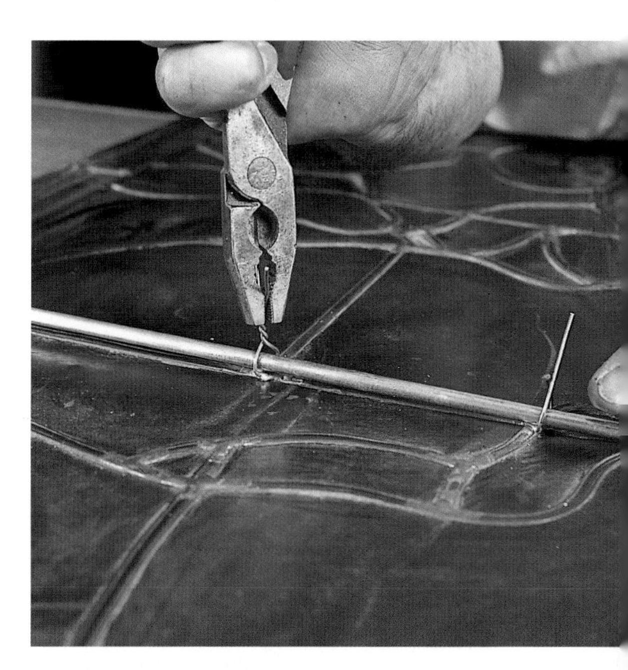

▼ **32.** El alambre ha de ser lo bastante largo para facilitar el trabajo.

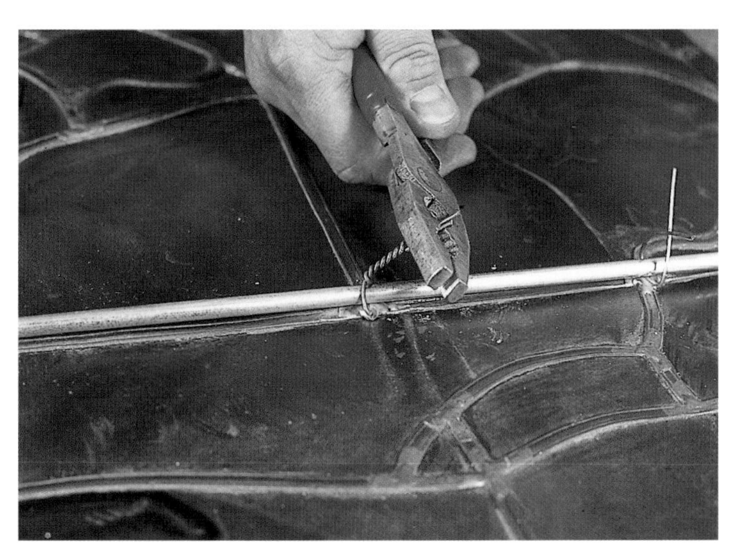

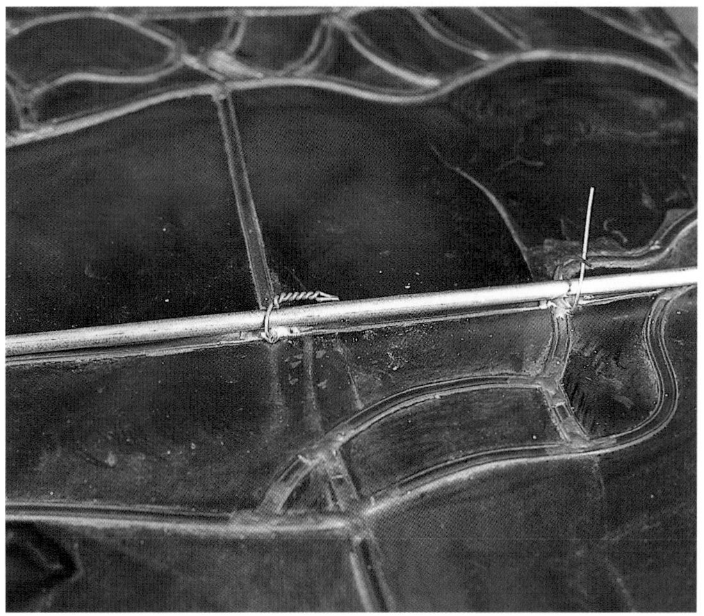

Cómo restaurar un vitral emplomado

Para realizar este ejercicio de restauración, se ha elegido el ejemplo que cuenta con un mayor número de pasos necesarios para su seguimiento. Se trata de unos vitrales emplomados en unas oberturas, situadas en la parte más alta de la iglesia de Ntra. Señora de Pompeia, Barcelona (España) de principios del siglo XX. El primer paso para iniciar una restauración consiste en estudiar de modo sistemático la pieza que se quiere restaurar. Antes de comenzar la intervención, se tienen que analizar todos los agentes que han intervenido en el deterioro, hasta llegar a la situación en que se encuentra. Cada restauración presenta unas características propias y ninguna es comparable a otra.

Estas oberturas de la parte superior del edificio eran practicables y servían para la renovación del aire caliente que se generaba y almacenaba en la bóveda. Al abrirse y cerrarse constantemente, los marcos de hierro se han deformado; éste es el motivo principal de las sucesivas roturas del vitral.

Se observan tres restauraciones anteriores. Se podría decir que alguna no fue más que una reparación momentánea, que pasó a ser definitiva. Con el vitral en el taller, se puede ver que hay vidrios pintados en frío, pintados y modelados al óleo y sujetos con alas de plomo, con siliconas, etcétera.

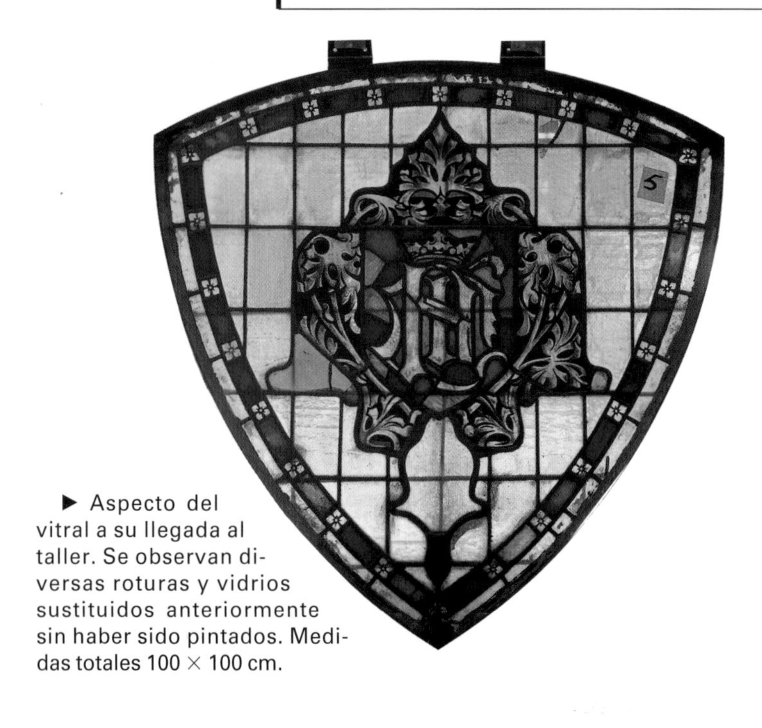

► Aspecto del vitral a su llegada al taller. Se observan diversas roturas y vidrios sustituidos anteriormente sin haber sido pintados. Medidas totales 100 × 100 cm.

▲ Detalle de la reparación anterior. Se había colocado un vidrio de color verde para sustituir el roto, que estaba pintado con grisallas.

◄ Los refuerzos que protegían el vitral estaban soldados en la estructura. Al moverse ésta, los mismos refuerzos provocaban la rotura.

► **1.** Momento en que se procede a cortar los alambres de cobre para poder extraer el vitral de la estructura. Se emplean los alicates de corte. Se observa la suciedad producida por el hollín, el humo de los cirios y el paso del tiempo. Esta cara es la más sucia y estaba situada en el interior de la iglesia.

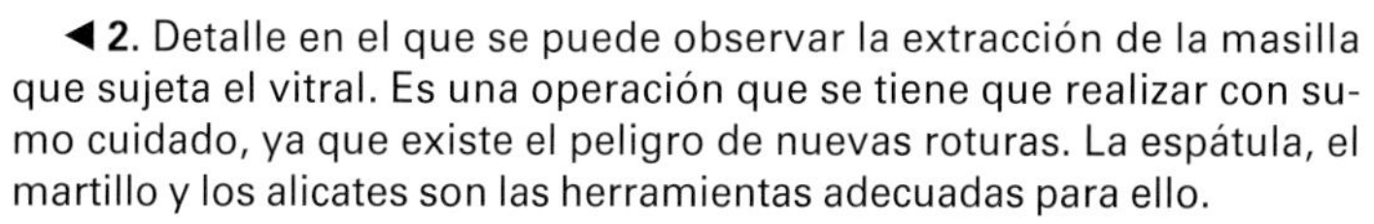

◀ **2.** Detalle en el que se puede observar la extracción de la masilla que sujeta el vitral. Es una operación que se tiene que realizar con sumo cuidado, ya que existe el peligro de nuevas roturas. La espátula, el martillo y los alicates son las herramientas adecuadas para ello.

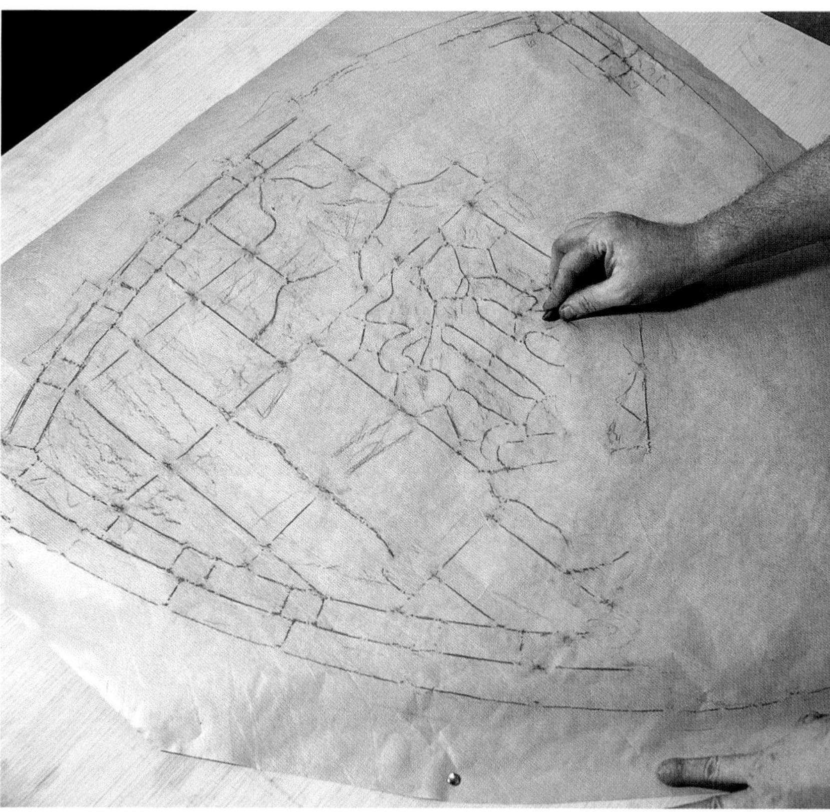

▲ **3.** Obsérvese el momento de calcar el vitral. Esta operación se realiza para estudiar el dibujo, por si ha sufrido alguna variación, y situar las piezas encima en el momento de su extracción. Se lleva a cabo con papel y un lápiz grafito, por frotación.

▲ **4.** Comparando el calco con el vitral se puede comprobar si se ha olvidado alguna pieza y rectificar el dibujo si el vitral ha sido modificado con plomos añadidos para sujetar los vidrios rotos.

▶ **5.** Momento en el que se desmonta el vitral. Se tiene que cortar el plomo con los alicates o la espátula de corte. Debe hacerse con suma precaución, al tiempo que se eliminan los residuos de masilla seca de los bordes de los vidrios.

▲ **6**. Obsérvese las alas de plomo que tapan una rotura, no la refuerzan, simplemente la disimulan, hecho habitual en las reparaciones de vitrales. Asimismo, en la parte superior hay dos vidrios de diferentes calidades resultado de una reparación anterior.

◀ **7**. En la parte inferior, vidrio pintado con pintura en frío copiando el dibujo original. Se restituyó por uno pintado con grisallas y cocido a 600° centígrados.

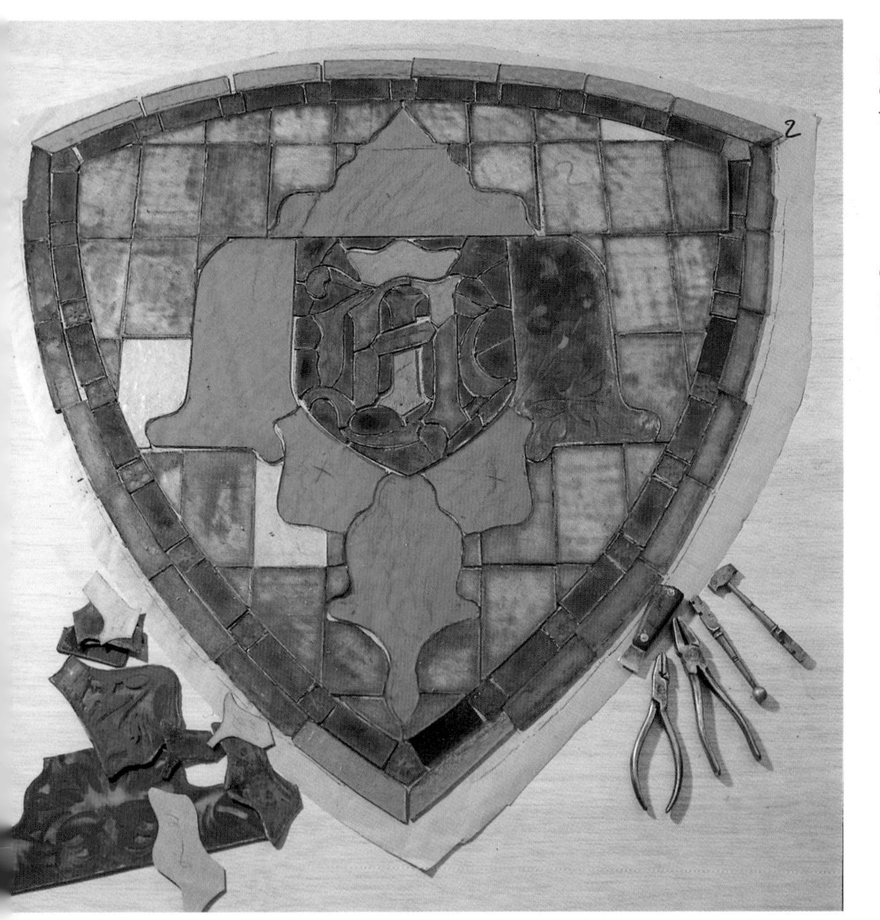

◀ **8**. Aspecto del vitral una vez desemplomado y sustituidas las piezas rotas por los vidrios-base para proceder a su pintado. En este óculo se sustituyeron 19 vidrios. En muchos vidrios no se detectan roturas hasta que son desemplomados.

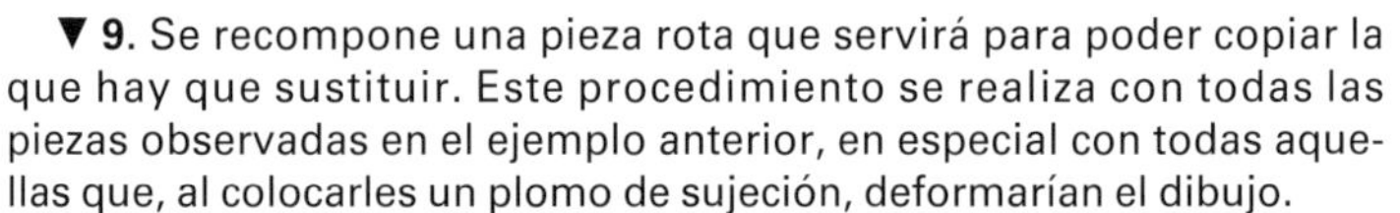

▼ **9**. Se recompone una pieza rota que servirá para poder copiar la que hay que sustituir. Este procedimiento se realiza con todas las piezas observadas en el ejemplo anterior, en especial con todas aquellas que, al colocarles un plomo de sujeción, deformarían el dibujo.

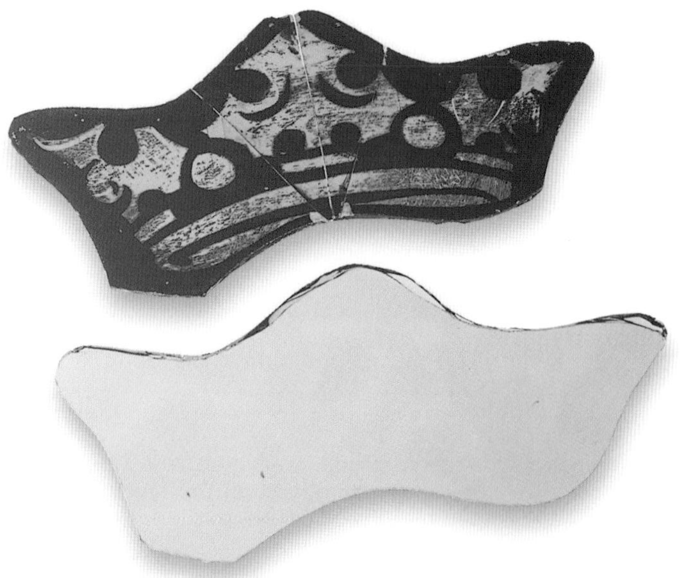

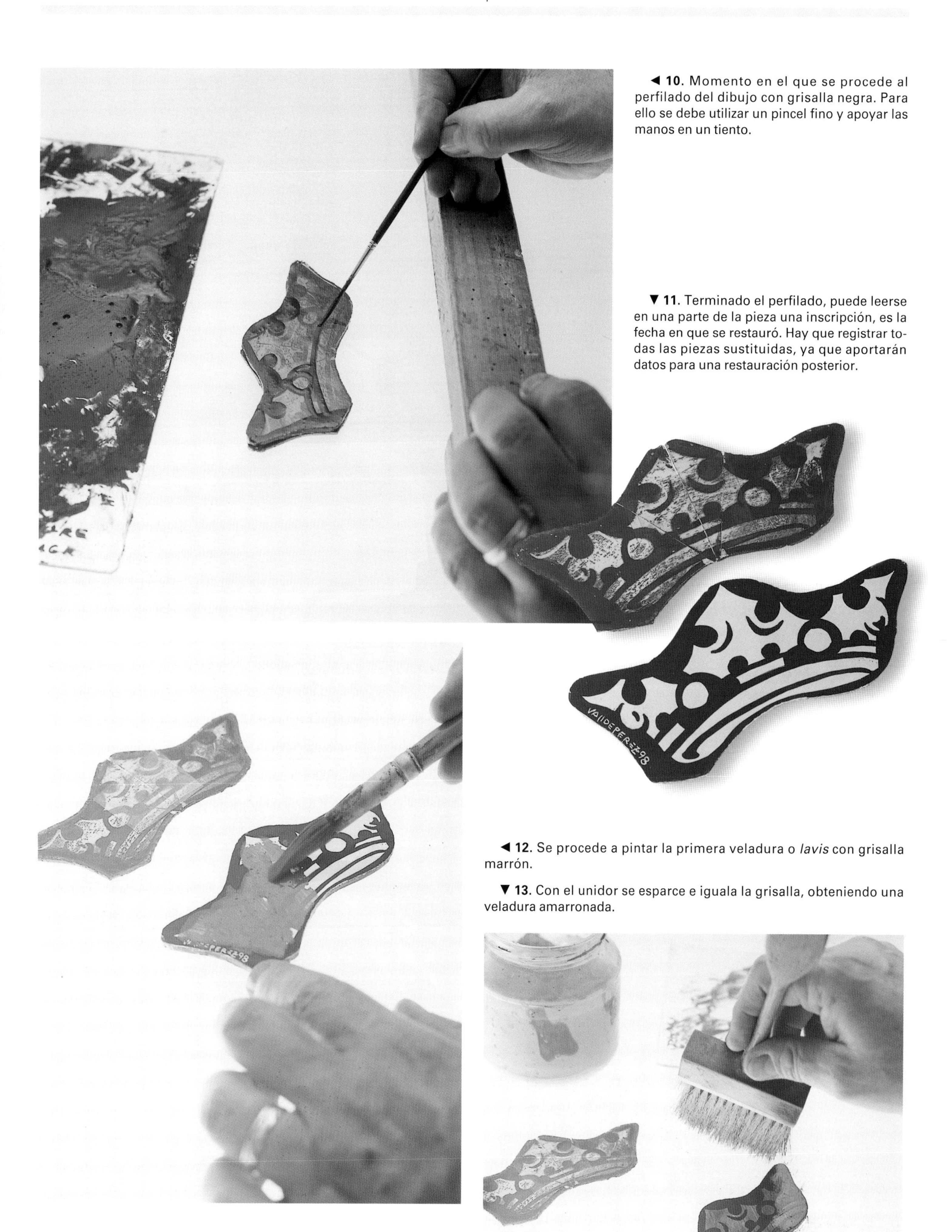

◄ **10.** Momento en el que se procede al perfilado del dibujo con grisalla negra. Para ello se debe utilizar un pincel fino y apoyar las manos en un tiento.

▼ **11.** Terminado el perfilado, puede leerse en una parte de la pieza una inscripción, es la fecha en que se restauró. Hay que registrar todas las piezas sustituidas, ya que aportarán datos para una restauración posterior.

◄ **12.** Se procede a pintar la primera veladura o *lavis* con grisalla marrón.

▼ **13.** Con el unidor se esparce e iguala la grisalla, obteniendo una veladura amarronada.

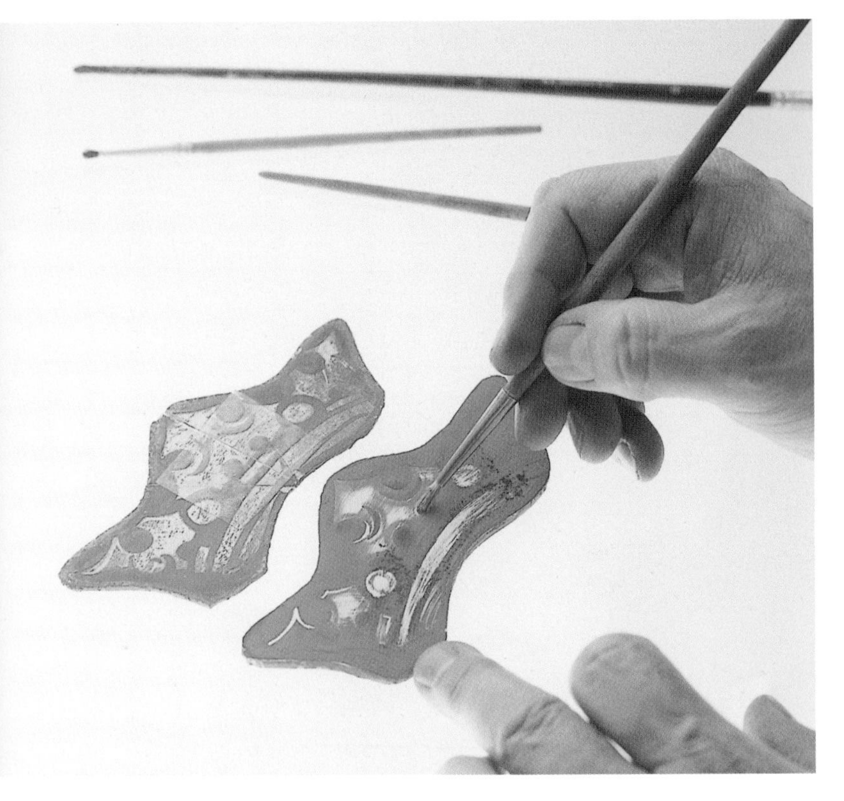

▲ **14.** Una vez seca la grisalla, empieza la operación de modelar la pintura o sacar luces, extrayendo la grisalla para que pase la luz.

▲ **15.** Terminado el modelado, se colocan las piezas en las planchas de acero con una capa de yeso hidrófugo y se procede a hornearlas a 600 °C.

◀ **16.** Una vez se han sacado las piezas del horno, se inicia la operación del emplomado, utilizando el mismo grosor de plomo que en el original. En este caso, 7 mm.

▲ **17.** Tras emplomar, aplicar la masilla y limpiar, se procede a colocar de nuevo los refuerzos. Momento en que se aplica el antioxidante.

▲ **18.** Se coloca el estaño soldándolo entre la varilla de hierro galvanizado y el plomo. El peso que se observa en la parte superior de la imagen es para que no se mueva la varilla en el momento de la soldadura.

▲ **19.** Se tiene que calentar la varilla de hierro para que funda el estaño. Una vez aplicado uno o dos puntos de soldadura, la varilla queda sujeta y se procede a soldar el resto.

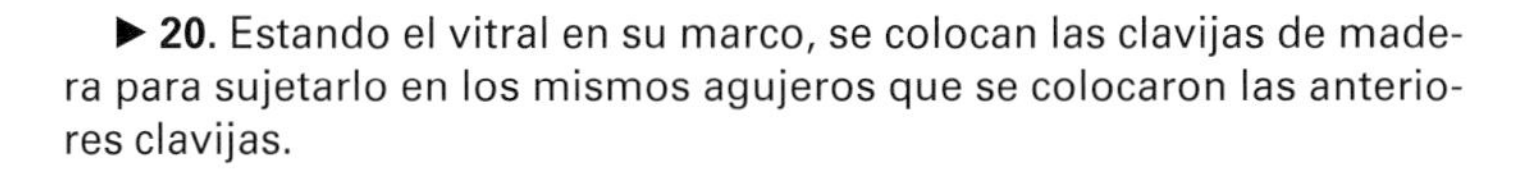

► **20.** Estando el vitral en su marco, se colocan las clavijas de madera para sujetarlo en los mismos agujeros que se colocaron las anteriores clavijas.

▲ **21.** Momento en que se pone una cuña para presionar e inmovilizar más el vitral.

▲ **22.** Una vez insertadas las cuñas y las clavijas, se cortan las partes sobrantes de éstas.

▼ **23.** Se trabaja la masilla hasta que se encuentre en el punto óptimo para su aplicación.

▼ **24.** Se coloca un cordón de masilla por todo el perímetro del vitral restaurado.

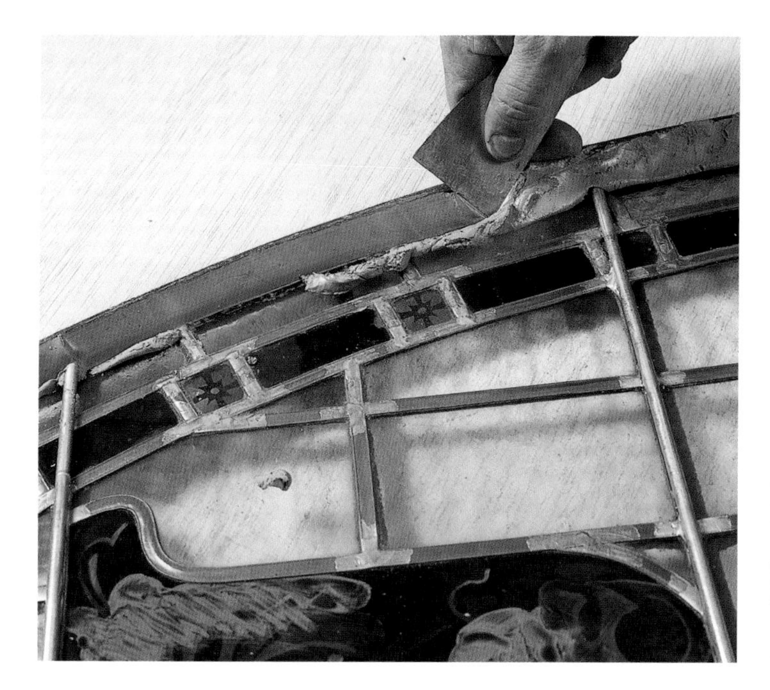

▲ **25**. Con una espátula se presiona y recorta la masilla sobrante. Esta masilla tarda de 15 a 30 días en secar perfectamente. Mientras tanto, las clavijas y las cuñas sujetarán el vitral.

▲ **26**. Detalle del vitral emplomado, concretamente la parte inferior, y restaurado.

◀ **27**. Vitral terminado. Compárese con el vitral a su llegada al taller (pág. 148). La medida de la parte más ancha es de 100 cm, y la de la parte más alta también es de 100 cm.

Glosario

a

Abrasión. Eliminación total o parcial, mediante raspado, trituración o con ácido, de una capa del vidrio doblado.
Ábside. Parte semiabovedada, semicircular o poligonal que sobresale de la fachada posterior de una iglesia.
Alas de plomo. Parte exterior de la H de la tira de plomo, que varía de anchura, por la que se sujetan los vidrios.
Alicates de roer. Herramienta que se emplea para rectificar las formas del vidrio una vez cortado. Suelen estar fabricados con hierro blando o dulce.
Alma del plomo. Grosor interior de la H que forma la tira de plomo. Suele tener unos 2 mm de grosor.
Amarillo de plata. Compuesto de plata, por lo general nitrato, que al fundirse con el vidrio le proporciona un tono amarillo.
Aplicado de vidrio. Colage de piezas de vidrio coloreado adheridas con resina epoxídica a una luna.
Árbol de Jesé. Árbol genealógico presente en muchas formas del arte medieval, entre ellas el vitral, donde Cristo aparece como descendiente de Jesé.
Arbotante. Arco o medio arco que sirve de sostén a una bóveda fuera de la construcción y que se apoya en un soporte externo llamado contrafuerte. Es característico del estilo gótico.
Arco apuntado. Arco de dos centros que se cruzan. Característico del Gótico.
Arista. Franja saliente, estructural o decorativa, que separa las divisiones de una bóveda. Usada en la arquitectura romana.

b

Barra de refuerzo. Barra de hierro que cruza transversalmente la vidriera. También llamada barra de chaveta.
Barroco. Estilo artístico desarrollado en el siglo XVII y comienzos del XVIII, caracterizado por el predominio de las líneas curvas y la gran profusión de ornamentación.
Bastidor. Armadura de hierro forjado sobre la que se monta la red de hilo de alambre que protege el exterior del vitral.
Bordura. Cenefa u orla de ajuste realizada con tiras, formas geométricas o caracteres vegetales que se podía desechar para ajustar el vitral a la forma.
Boudine. También denominada ojo de buey o bollón, es una protuberancia en el centro de la ciba que estaba unida al pontil con el fin de poder efectuar la rotación de la pieza.
Bóveda. Cubierta curva de un edificio. De cañón: bóveda de sección semicircular. De arista: bóveda formada por la intersección en ángulo recto de dos bóvedas de cañón. De crucería: forma evolucionada de la bóveda de arista en la cual éstas han sido reemplazadas por nervios, que la recorren diagonal y lateralmente y actúan como soporte.
Brujidor. Pletina de hierro de sección rectangular con una serie de muescas de distintos grosores y también de forma rectangular y aristas vivas, que sirve para roer el vidrio y eliminar las irregularidades y el corte del mismo.

c

Cartón. Dibujo a tamaño natural de una composición o figura que sirve de modelo para una obra realizada en pintura, mosaico o vitral.
Cera virgen. Material empleado para realizar un montaje provisional de los vidrios sobre cristal, pudiéndolos pintar y modelar con las grisallas. También se usa en la fabricación de una cubeta para contener ácido.
Ciba. Pieza de vidrio soplado que se obtiene haciendo rodar la burbuja hasta que forma un disco con una protuberancia frontal.
Cloisonné. Esmalte en el cual los diversos colores están separados por *cloisons* o tiras metálicas, generalmente de oro, soldadas a una base de metal. Este término se aplica también al vitral

realizado igualmente con tiras metálicas y coloreado con pequeñas bolas de vidrios de colores.

Colores de base. Se refiere a los colores que tienen los vidrios en su origen y que sirven de base para poder aplicar grisallas, esmaltes, ácidos, etcétera.

Colores de mufla. Se refiere a los colores que se incorporan a los colores de base, mediante grisallas, esmaltes, amarillos de plata, sanguina o Jean Cousin.

Conservación. En vidriería, proceso de revisar, cuidar, reponer falcas, masillas, clavijas o refuerzos a un vitral para que no se deteriore.

Contrafuerte. Soporte adosado a la parte exterior de un muro para contrarrestar el empuje externo de un arco o de una bóveda interior o un arbotante.

Corrosión. En vidriería, destrucción de la superficie del vidrio debido a la humedad, la suciedad y la contaminación atmosférica.

Crisol. Recipiente de material refractario que soporta altas temperaturas y se coloca en el interior del horno central, donde se produce la fusión de los componentes vertidos en su interior. El resultado final se denomina crisolada.

d

Diapreado. Cubierto por un dibujo geométrico formado por cuadrados o rombos pequeños.

Diseño. Modelo original realizado en papel o maqueta volumétrica, generalmente a escala 1:10, de donde se extrae el dibujo a tamaño natural.

Doselete. Estructura de vidrio en forma de hornacina incluida en una vidriera que rodea un grupo de figuras o una escena.

e

Emplomado. Ensamblaje de las piezas de vidrio mediante tiras de plomo.

Encastrar. Acción de ensamblar un vidrio o una ciba dentro de otro vidrio, generalmente de distinto color, unidos entre sí mediante plomo, cinta de cobre o silicona.

Endomosaico. Combinación de vidrio coloreado y mosaico.

Enlevé. Se denomina así al proceso de sacar luces. Sobre la capa de grisalla sin cocer, se raspa ésta con puntas de madera o metálicas para obtener un modelado.

Entrelazos. Formas geométricas compuestas por franjas entrecruzadas.

Esmalte. Sustancia vitrificable que se aplica para obtener y reforzar el color de los vidrios.

f

Filete. Pieza estrecha de vidrio o perfil de grisalla.

Folio. Pequeña obertura en forma de arco, propia de la tracería gótica, cuyo número caracteriza su formación: trifolio (tres) cuadrifolio (cuatro).

Fundente. Disolvente, habitualmente carbonato sódico, empleado en la fabricación del vidrio para facilitar la fusión de la sílice. Para contribuir a la fusión de la pintura con el vidrio se suele emplear otro fundente, el bórax.

g

Gótico. Estilo artístico desarrollado en la Baja Edad Media y cuyas características principales en arquitectura son el uso del arco apuntado, el arbotante, las bóvedas de nervios y crucería y la reducción del grosor de los muros, permitiendo la abertura de grandes ventanales cubiertos con vitrales.

Grabado al ácido. Proceso de eliminación mediante ácido fluorhídrico de una capa del vidrio doblado. El ácido corroe la capa superior de la superficie que se desea eliminar y deja al descubierto otra de color más pálido. Con una proporción de ácido fluorhídrico y cristal de sosa se obtiene el mate.

Grisalla. Pintura vitrificable negra, marrón, etc., compuesta por óxido de hierro o de cobre, que se aplica sobre el vidrio. Diluida con agua o vinagre y goma arábiga, queda fijada al vidrio. Se hornea a una temperatura aproximada de 600 °C.

h

Halo. Fenómeno que consiste en desdibujar el contorno de un vidrio de colores claros rodeado de piedra o de un marco oscuro.

l

Lavis. Capa de grisalla muy fina aplicada sobre el vidrio con el fin de realizar un sombreado y poderlo modelar.
Loseta. Placa de vidrio cuadrada o romboidal empleada especialmente en vitrales.
Luz. Abertura entre los maineles de una ventana.

Mainel o parteluz. Columna vertical de piedra que divide en luces las ventanas o puertas.
Manchón. Procedimiento tradicional empleado para la obtención del vidrio plano. Mediante la caña se sopla el manchón, formándose un cilindro que, en el horno de recocido, se extiende y se convierte en una plancha.
Masilla. Pasta consistente de albayalde batido en aceite de linaza que se emplea para proporcionar estanqueidad al vitral, introduciéndose en el interior de las alas del plomo. También sirve para sujetar el vitral al marco.
Mástic. Véase masilla.
Medallones. Vidrieras compuestas por paneles de formas diversas que, a menudo, están dispuestos siguiendo una secuencia narrativa.
Moleta. Instrumento de granito o vidrio utilizado para moler las grisallas o esmaltes.

o

Ojo de buey. Ventana redonda y sin tracería.
Oxidación. Proceso de degradación del vidrio, debido al óxido de los alambres de refuerzo y de la armadura de hierro de la red de protección.

Panel. Cuando el vitral se compone de varias partes, éstas se denominan panel o paño.
Patrón. Plantilla a tamaño natural de un vitral, realizada en cartulina o papel vegetal.
Perfilado. Acción de dibujar las líneas o rasgos más pronunciados de una pintura en el vidrio. Se realiza con un pincel de pelo largo, disolviendo la grisalla en vinagre.
Pintura vidriada. Pintura al esmalte.
Plomo de factura. Solución utilizada para conservar un vidrio partido, uniendo los trozos con un plomo más fino.
Pontil. Barra de hierro macizo que se emplea para extraer el vidrio del crisol. Su medida es de 1,50 m.
Posta. Porción de vidrio fundido que el soplador extrae del crisol.
Pot glass, pot metal. Vidrio antiguo teñido de un solo color.
Protección isotérmica. Sistema de protección mediante lunas instaladas en la parte externa de los huecos de las ventanas.
Puntillado. Técnica pictórica que permite crear diminutos puntos de luz sobre la grisalla en la superficie del vidrio.

r

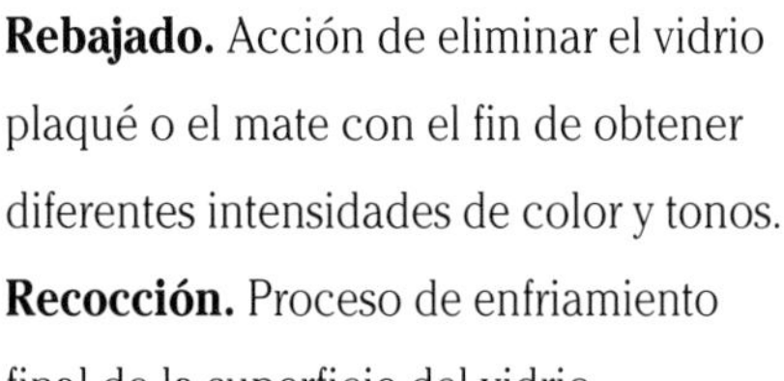

Rebajado. Acción de eliminar el vidrio plaqué o el mate con el fin de obtener diferentes intensidades de color y tonos.
Recocción. Proceso de enfriamiento final de la superficie del vidrio, dándole temple.
Red de plomos. Conjunto de barras de plomo que une los vidrios de un panel. Además de sujetar también participa, con la forma de sus líneas más o menos gruesas, en el dibujo y diseño del vitral.
Resina epoxídica. Sustancia adhesiva sintética e incolora que se utiliza en sustitución de las tiras de plomo para sujetar piezas de vidrio coloreado, en particular las baldosas.
Revestimiento. Placa delgada de vidrio transparente o coloreado que se emplea para reforzar los fragmentos de los vitrales antiguos.

Románico. Estilo artístico medieval cuyas características arquitectónicas principales son el arco de medio punto, la bóveda de cañón y el notable grosor de sus muros y columnas.

Rosetón. Ventana circular con tracería de formas lobuladas.

t

Tajador de plomos. Herramienta de acero con mango de madera que se utiliza para cortar los plomos durante el proceso de emplomado.

Temple. Véase recocción.

Tijeras de vitralista. Tijeras dotadas de doble filo que eliminan la parte correspondiente al grosor del alma del plomo.

Tingle. Pedazo pequeño y agudo de madera o hueso que se utiliza para abrir y enderezar los plomos.

Torno de tirar plomo. Máquina compuesta por dos ruedas de hierro dentadas, a 2 mm de distancia una de otra, con unos cojinetes por los que pasan las barras de plomo para conseguir la medida deseada.

Tracería. Decoración arquitectónica formada por combinaciones de figuras geométricas que se suele desarrollar en arcos de puertas y ventanas.

Trait. Parte más vigorosa del perfilado, contornos o gestos realizados con grisalla encima del vidrio.

Triforio. Galería de arcos, dotados en ocasiones de vitrales, situada sobre las naves laterales de una iglesia.

u

Unidor. Brocha ancha y blanda, de cerdas de 8 a 10 cm de largo, que se emplea para alisar o puntillar una capa de pintura.

v

Varilla de refuerzo. Piezas que se colocan para aumentar la rigidez de los paneles. Van unidas al plomo con alambres o soldadas sobre él.

Vidrio antiguo. Vidrio soplado y hecho a mano que posee la textura irregular y granulada del vidrio medieval.

Vidrio catedral. Vidrio coloreado fabricado a máquina.

Vidrio colado. Vidrio de grandes dimensiones obtenido mediante el vertido de vidrio líquido sobre una mesa metálica y pasándole un rodillo antes de que se enfríe.

Vidrio de botella. De poco uso en la actualidad, este tipo de vidrio se obtiene mediante el soplado en un molde de sección cuadrada cuyos lados se cortan para obtener de cada uno una pieza.

Vidrio en cilindro. Es el vidrio coloreado más común. Se obtiene al cortar los extremos de una burbuja alargada de vidrio que se abre longitudinalmente y se aplana para formar una plancha.

Vidrio esmaltado. Aquél donde el esmalte se funde en la superficie del vidrio.

Vidrio estriado. Vidrio irregular y listado, fabricado con una mezcla de vidrios de durezas distintas.

Vidrio grabado. Tipo de vidrio que se obtiene mediante la acción del ácido o ruedas abrasivas.

Vidrio granado. Vidrio antiguo salpicado de burbujas.

Vidrio impreso. Vidrio cuya transparencia ha sido reducida mediante texturas, dibujos o formas, produciendo vibraciones de luz.

Vidrio moldeado. Vidrio que se sopla en un molde abierto en su parte superior.

Vidrio opalescente. Vidrio al que el color, al fundirse, le confiere un aspecto lechoso e iridiscente.

Vidrio plaqué. Vidrio forrado o doblado, compuesto por una lámina de vidrio incoloro o de color y otra muy fina pegadas.

Vidrio soldado. Piezas de vidrio coloreado unidas por calor a una placa de vidrio.

Vidrio soplado. Vidrio realizado en manchón o ciba cuyo grosor oscila entre los 2 y los 7 mm, logrando distintas intensidades de color en una misma plancha.

Vidrio Tiffany. Vidrio iridiscente, patentado por Tiffany en 1880 y producido por la exposición del vidrio caliente a gases y óxidos metálicos.

Vidrio veteado. Vidrio en el que el color no queda uniformemente repartido y forma vetas.

Bibliografía
y agradecimientos

Ainaud de Lasarte, Joan; Vila Grau, Joan; Escudero, M.ª Assumpta. *Els vitralls medievals de l'església de Santa Maria del Mar de Barcelona.* Institut d'Estudis Catalans. Barcelona, 1985.

Ainaud de Lasarte, Joan; Escudero, M.ª Assumpta; Marqués, Josep M.ª; Roura, Gabriel; Vila Delclós, Antoni; Vila Grau, Joan. *Els vitralls de la catedral de Girona.* Institut d'Estudis Catalans. Barcelona, 1987.

Ainaud de Lasarte, Joan; Cañellas, Sílvia; Escudero, M.ª Assumpta; Vila Grau, Joan; Mundó Anscari, Manuel; Vila Delclós, Antoni. *Els vitralls de la catedral de Barcelona.* Institut d'Estudis Catalans. Barcelona, 1997.

Vidrieras. Ediciones Destino. Barcelona, 1987.

Eneriz Bozal, Cándido. *Vidrio.* Editorial Eneriz. Barcelona, 1948.

García Martín, Manuel. *Vidrieras.* Catalana de Gas y Electricidad, S.A. Barcelona, 1981.

Grodecki, Louis. *Le vitrail roman.* Office du Livre. Friburgo, 1977.

Moor, Andrew. *Contemporary Stained Glass.* Mitchell Beazley Publishers. Londres, 1989.

Nieto Alcaide, Víctor. *La vidriera y su evolución,* Tomos I, II y III. Editorial la Muralla. Madrid, 1974.

Nieto Alcaide, Víctor. *La vidriera española.* Editorial Nerea, S.A. Madrid, 1998.

Pérez Bueno, Luis. *Vidrios y vidrieras.* Editorial Alberto Martín. Barcelona, 1942.

Planell, Leopoldo. *Vidrio,* Tomo I. Editorial Tipografía Emporium, S.A. Barcelona, 1948.

Quiero agradecer a todos mis profesores de las más variadas disciplinas sus valiosas enseñanzas, gracias a las cuales finalmente he comprendido que, en la mayoría de ocasiones la solución de los problemas más difíciles viene dada siguiendo el camino más sencillo.

Asimismo, quiero dejar constancia de la inestimable colaboración de Tomás Constanzo, con el cual siempre es un honor trabajar, como también agradecer la paciencia y tolerancia mostrada por mi editora, María Fernanda Canal, durante el proceso de elaboración de estas páginas.

Deseo también añadir que la realización de este libro no hubiera sido posible sin el esfuerzo, la ayuda incondicional y los ánimos de mi mujer, Neus, y mis hijos, Lorena y David.

Pere Valldepérez